Fiorenza Quercioli
Giulia Tossani

A

in alto!

Corso di italiano per stranieri

Libro dello studente ed esercizi

Videogrammatica
con whiteboard
risorsa online

audio scaricabile
www.ornimieditions.com

ornimi
EDITIONS

Fiorenza Quercioli è Language Resource Coordinator presso la "Stanford University-Florence Program" dove, oltre a tenere corsi di lingua, si occupa di programmi linguistici individualizzati e attività linguistiche extracurricolari. Dopo la laurea in Lingue e Letterature Straniere Moderne, presso l'Università degli Studi di Firenze, si è specializzata nell'insegnamento dell'Italiano L2/LS presso l'Università per Stranieri di Siena e presso l'Università "Ca' Foscari" di Venezia. Nel 2011 ha infine conseguito il titolo di dottore di ricerca in Linguistica presso l'Università degli Studi di Firenze. Autrice di materiali didattici e articoli sull'insegnamento dell'Italiano L2/LS, ha svolto attività di formazione per enti pubblici e privati e dal 2003 è tutor del modulo di Didattica dell'Italiano, nell'ambito del Master ITALS di I livello presso l'Università "Ca' Foscari" di Venezia.

Giulia Tossani è insegnante di italiano LS/L2 in varie istituzioni pubbliche e private. Dopo la laurea in Lingue e Letterature Straniere presso l'Università di Bologna si è specializzata in Lingua e Cultura Italiana per Stranieri presso il medesimo ateneo ed ha poi collaborato nell'ambito dell'insegnamento dell'italiano a stranieri (come LS e come L2) sia con organizzazioni non governative che con università statunitensi. In particolare con la "Stanford University - Florence Program" dove ha ricoperto il ruolo di insegnante di italiano e ha collaborato nello sviluppo di attività didattiche e linguistiche extracurricolari e con la "New York University - Florence Program" dove ha tenuto corsi di lingua.

Redazione:
Gennaro Falcone

Impaginazione e progetto grafico:
ORNIMI Editions

Disegni:
Alexia Lougiaki

Foto:
Shutterstock

Produzione video:
ORNIMI Editions

Progetto audio:
Autori Multimediali, Milano

ISBN: 978-618-84586-2-8

Copyright © ORNIMI Editions
Seconda ristampa: marzo 2023
Lontou 8 10681 Atene
Tel. +30 210 3300073
info@ornimieditions.com
www.ornimieditions.com

"non fotocopiando un libro aiutiamo tutti coloro che lo creano"

In alto!

Corso di lingua e cultura italiana per studenti adulti e giovani adulti.
Livello A1

In alto! 1 (A1) si fonda su un impianto didattico volutamente semplice, ma auspicabilmente chiaro e preciso, all'interno del quale insegnanti e apprendenti possono facilmente orientarsi. È concepito intorno ad una storia che presenta le vicende di tre ragazzi stranieri e le relazioni che intrecciano con i parlanti nativi. Le avventure dei protagonisti costituiscono la struttura unificante del corso e sostengono la motivazione a proseguire, oltre a offrire l'occasione di scoprire la cultura giovanile italiana insieme ai coetanei.

Il volume si articola in **10 unità + 1 unità introduttiva**, progettate sulla base delle indicazioni operative del Quadro Comune Europeo di Riferimento per le Lingue e segue l'**approccio testuale**, orientato all'**azione**, suggerito dal documento europeo.

La struttura delle unità favorisce l'apprendimento significativo della lingua, poiché si basa su attività didattiche variate ed essenzialmente indirizzate alla scoperta della lingua. L'apprendente è infatti costantemente invitato a fare lingua per fare con la lingua, a confrontarsi con la ricchezza linguistica e a interagire con la realtà linguistico-culturale italiana dentro e fuori dall'aula, fin dalle prime fasi di apprendimento, in un'ottica comunicativa e interculturale.

Ogni unità è inoltre organizzata in segmenti didattici completi e autonomi, ma al contempo collegati fra loro per coerenza tematica e ambito comunicativo. Questa impostazione facilita l'utilizzo del corso in diversi contesti di insegnamento e indica implicitamente all'apprendente le tappe del percorso di apprendimento linguistico.

Il testo input, dopo la fase di comprensione globale, viene analizzato nella sua componente lessicale nella sezione **Parola per parola** e nella sua componente comunicativa nella sezione **Cosa dici per...** Successivamente le strutture grammaticali inerenti alle funzioni comunicative, espresse dal lessico specifico e precedentemente individuate, vengono isolate e sistematizzate in **Le strutture della lingua**.

Oltre all'analisi lessicale, funzionale e strutturale, la sezione **Dentro il testo** è riservata in ogni unità all'analisi testuale. Se il testo, come asserisce il QCER, è l'unità minima di insegnamento linguistico, l'apprendente deve essere guidato fin dalle prime fasi di apprendimento della lingua, a capire l'impianto delle tipologie testuali fondamentali e a produrre di conseguenza testi coerenti e coesi in italiano, in armonia con la competenza linguistico-comunicativa maturata e secondo i bisogni sottesi al proprio profilo di appartenenza.

Infine, **L'Italia in pillole**, dedicata all'approfondimento degli aspetti culturali, introduce testi nati per parlanti nativi, la cui fruizione rappresenta fra l'altro un essenziale momento di decondizionamento, in cui si usa la lingua solo per il piacere di usarla.

In alto! A1 propone anche:

- **Contestualizzazione dei fenomeni linguistici.** Funzioni comunicative, lessico e strutture grammaticali sono presentati all'interno di testi semi-autentici che ne evidenziano il reale significato comunicativo.

- **Mappe mentali** riepilogative a conclusione di ogni unità. L'apprendente letteralmente vede un quadro unitario della lingua, in cui tutti i livelli della competenza linguistica e comunicativa si integrano l'uno con l'altro.

- **Il mio vocabolario.** Piuttosto che fornire una lista delle parole incontrate durante ogni unità, abbiamo preferito inserire una sezione dedicata alla sistematizzazione generale del lessico. Al termine di ogni unità, l'apprendente è chiamato a riorganizzare in questa parte del volume il lessico appreso. Il mio vocabolario risulterà utile sia per la memorizzazione che per la consultazione e il ripasso.

- **La mia grammatica.** Dopo la sistematizzazione in schemi vuoti o semivuoti delle regole grammaticali, all'interno di ogni unità, l'apprendente è successivamente guidato alla strutturazione graduale delle norme linguistiche analizzate in schede grammaticali. Le schede, completate progressivamente e in base allo sviluppo dell'esperienza linguistica e comunicativa, riflettono il processo incrementale e a spirale su cui si basa ogni acquisizione linguistica.

- **Videogrammatica** con **animazione whiteboard.** Una serie di video animati, da utilizzare per la verifica nelle fasi di sistematizzazione delle strutture grammaticali, offre l'occasione di lavorare sulla grammatica in modo dinamico e divertente.

- **5 Test intermedi** come momenti di verifica e valutazione degli obiettivi raggiunti e per individuare azioni di rinforzo o recupero.

- **4 Schede di Autovalutazione** per favorire la riflessione sulle proprie modalità di apprendimento linguistico e lo sviluppo dell'autonomia dell'apprendente.

- **Audio** con tutti i brani di ascolto delle unità.

- **Esercizi con chiavi** per promuovere lo studio individuale.

- **Guida per l'insegnante** con chiavi degli esercizi e suggerimenti didattici a margine. Scaricabile gratuitamente in pdf dal sito web.

- **Risorse web** con attività extra, test, esercizi e altro materiale didattico in continuo aggiornamento.

scopri in alto! A1 in 11 passi

Abilità linguistiche

1

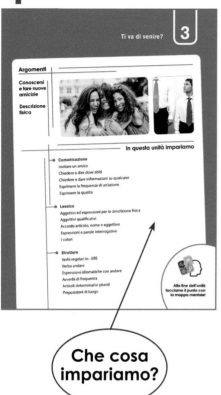

2

3

Parola per parola
Scopriamo e usiamo le parole!

Che cosa impariamo?

Ascoltiamo e comprendiamo!

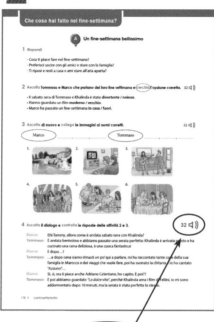

4

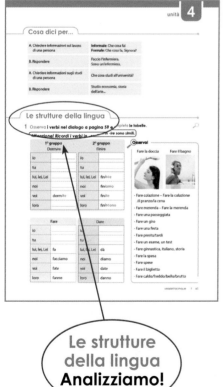

Le strutture della lingua
Analizziamo!

5

6

Dentro il testo
Capire per creare

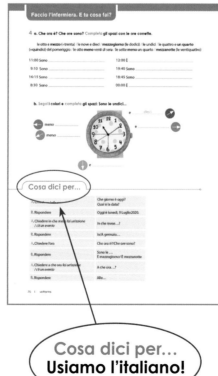

Cosa dici per...
Usiamo l'italiano!

Approfondiamo e Sistematizziamo

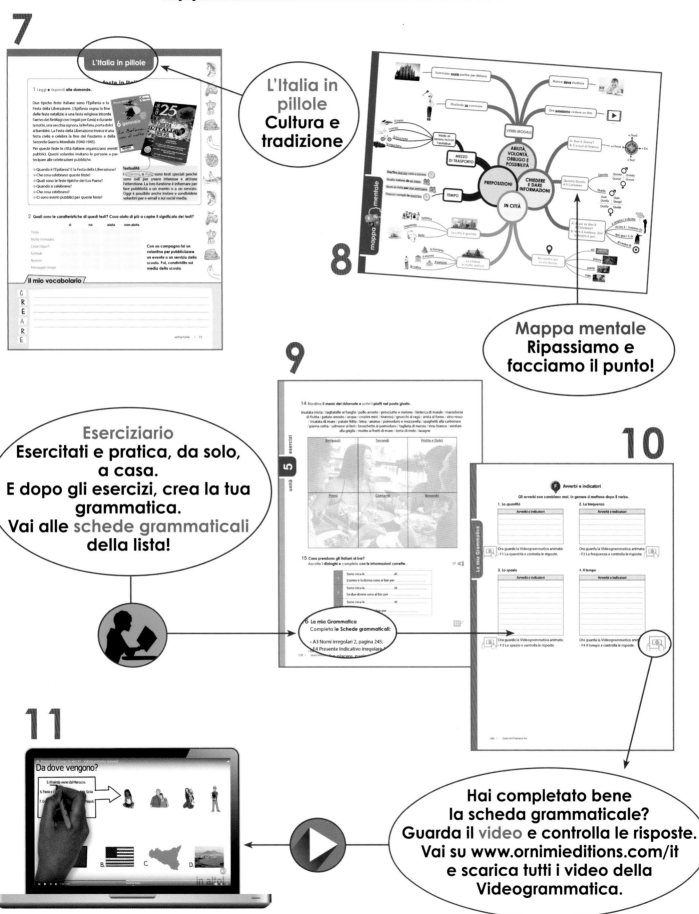

7

L'Italia in pillole
Cultura e tradizione

8

Mappa mentale
Ripassiamo e facciamo il punto!

Eserciziario
**Esercitati e pratica, da solo, a casa.
E dopo gli esercizi, crea la tua grammatica.
Vai alle schede grammaticali della lista!**

9

10

11

Hai completato bene
la scheda grammaticale?
Guarda il video e controlla le risposte.
Vai su www.ornimieditions.com/it
e scarica tutti i video della
Videogrammatica.

INDICE

Indice audio
Libro dello studente

UNITÀ 0	Introduzione [00':26"]
	Traccia 1: 01':14"
	Traccia 2: 01':09"
UNITÀ 1	Traccia 3: 00':35"
	Traccia 4: 00':58"
	Traccia 5: 00':24"
	Traccia 6: 00':42 *
UNITÀ 2	Traccia 7: 00':34"
	Traccia 8: 00':44"
	Traccia 9: 00':50"
UNITÀ 3	Traccia 10: 01':02"
	Traccia 11: 01':01"
UNITÀ 4	Traccia 12: 01':07"
	Traccia 13: 00':42" *
	Traccia 14: 01':10"
UNITÀ 5	Traccia 15: 00':57"
	Traccia 16: 00':38" *
	Traccia 17: 01':07"

UNITÀ 6	Traccia 18: 02':39"
	Traccia 19: 01':32"
	Traccia 20: 01':15" *
UNITÀ 7	Traccia 21: 01':41"
	Traccia 22: 00':56"
	Traccia 23: 01':14"
UNITÀ 8	Traccia 24: 01':23"
	Traccia 25: 01':58"
	Traccia 26: 00':33" *
	Traccia 27: 01':56"
UNITÀ 9	Traccia 28: 01':05"
	Traccia 29: 00':55"
	Traccia 30: 00':35"
	Traccia 31: 00':36" *
UNITÀ 10	Traccia 32: 01':35"
	Traccia 33: 01':59"

* Traccia audio Eserciziario

Argomenti

Alfabeto

Pronuncia

In questa unità impariamo

Comunicazione
Chiedere di ripetere
Chiedere come si dice e come si scrive una parola

Lessico
Parole di emergenza da usare in classe

Strutture
Pronuncia e ortografia

Cominciamo!

1 Ascolta e ripeti l'alfabeto.

a	a	h	acca	q	cu	j	i lunga
b	bi	i	i	r	erre		
c	ci	l	elle	s	esse	k	kappa
d	di	m	emme	t	ti		
e	e	n	enne	u	u	w	doppia vu
f	effe	o	o	v	vi/vu	x	ics
g	gi	p	pi	z	zeta	y	ipsilon

L'alfabeto italiano

2 **Come si scrive?**

Ascolta **le parole,** scrivi **i nomi negli spazi e poi ripeti.**

a. _____

b. _____

c. _____

d. _____

e. _____

f. _____

g. _____

h. _____

i. _____

l. _____

m. _____

n. _____

o. _____

p. _____

_____

q. _____

r. _____

s. _____

t. _____

Osserva!

I suoni italiani

[k]	**[tʃ]**
C + A/O/U	CI + A/O/U
CH + E/I	C + E/I
[g]	**[dʒ]**
G + A/O/U	GI + A/O/U
GH + E/I	G + E/I
[sk]	**[ʃ]**
SC + A/O/U	SCI + A/O/U
SCH + E/I	SC + E/I
[ɲ]	
GN + A/E/I/O/U	
[gl]	**[ʎ]**
GL + A/E/I/O/U	GLI + A/E/O/U

Attenzione

Come si pronuncia?

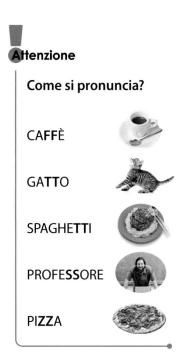

CAFFÈ

GATTO

SPAGHETTI

PROFESSORE

PIZZA

3 Ora scrivi le parole all'attività 2 negli spazi giusti, come mostra l'esempio.

[k] _____

[tʃ] *cinema* _____

[g] _____

[dʒ] _____

[sk] _____

[ʃ] _____

[ɲ] _____

[gl] _____

[ʎ] _____

Cosa dici per...

Chiedere di ripetere	Paolo, **puoi** ripetere, per favore?
	Dottore, **può** ripetere, per favore?
Chiedere come si dice una parola	Come si dice?
Chiedere come si scrive una parola	Come si scrive?

1 **Lessico di emergenza.** Leggi e osserva!

Come si dice? ➜ libro

Come si scrive? ➜ chiave

Cosa vuol dire "scuola"? ➜

Non lo so! ➜

Come? Puoi ripetere? ➜

2 **Come si scrive? Come si dice?**
L'insegnante fotocopia questa pagina, ritaglia le immagini e scrive dietro a ogni immagine il nome dell'oggetto. Poi distribuisce le carte agli studenti che dovranno mostrarsi le immagini e farsi domande a vicenda: "Come si dice in italiano?" "Si dice SCUOLA" "E come si scrive?" "S-C-U-O-L-A"

L'Italia nel mondo

1 **Molti prodotti, marchi e nomi italiani sono famosi nel mondo. Conosci altri prodotti, marchi e nomi italiani?**

MODA	CIBO	ARTE	MACCHINE
Dolce & Gabbana	Pizza	Botticelli	Ferrari
Gucci	Pasta	Michelangelo	Lamborghini
_____	_____	_____	_____
_____	_____	_____	_____
_____	_____	_____	_____
_____	_____	_____	_____

il mio vocabolario

C
R
E
A
R
E

Buongiorno, io sono Ingrid. E tu come ti chiami?

1

Argomenti

Presentarsi

Nazionalità

In questa unità impariamo

Comunicazione

Presentarsi

Salutare

Fare domande formali e informali

Lessico

La scuola

Nazioni e nazionalità

Numeri da zero a venti

Parti del giorno

Strutture

Pronomi personali soggetto

Verbi essere, esserci, chiamarsi

Nomi e aggettivi (numero e genere)

La frase negativa e interrogativa

Alla fine dell'unità
facciamo il punto con
la mappa mentale!

A scuola

Osserva!

la professoressa	il direttore	gli studenti	la lista

1 Ascolta, osserva **l'immagine e** (cerchia) **l'opzione corretta.** 3 ◁))

La conversazione è **formale / informale.**

2 Ascolta **di nuovo e** (cerchia) **i saluti che senti nel dialogo.** 3 ◁))

Buona serata!   *Buonasera!*   *Buona notte!*

Buongiorno!   *Buon pomeriggio!*   *Arrivederci!*

Buona giornata!

3 Ascolta **e completa la tabella.** 3 ◁))

	Livia Mansani	Paolo Romei	La classe
Il direttore			
Gli studenti			
La professoressa	X		

4 Ascolta e leggi il testo. Verifica le informazioni nelle attività 2 e 3.

3 ◁))

Livia:	Buongiorno, sono Livia Mansani.
Paolo:	Buongiorno, benvenuta professoressa Mansani. Io sono il direttore della scuola, Paolo Romei. Piacere! Molto lieto!
Livia:	Piacere! Molto lieta!
Paolo:	Ecco la Sua classe: ci sono 12 studenti e qui c'è la lista.
Livia:	Bene, grazie.
Paolo:	Prego, arrivederci! Buona giornata!
Livia:	Arrivederci, buona giornata anche a Lei.

Parola per parola

1 Abbina le parole alle immagini.

scuola / professoressa / studente / studentessa / professore / classe, aula / ~~laboratorio~~ / computer

1. lo _____

2. la _____

3. la _____

4. la _____

5. la _____, l' _____

6. il _____

7. il _____*laboratorio*_____

8. i _____

2 Cerchia l'opzione corretta.

1. Lisa Mansani è la **professore** / **professoressa** / **studentessa** di italiano.
2. José è lo **scuola** / **studente** / **classe** di italiano.
3. La studentessa è in **classe** / **studente** / **direttore**.
4. Gli studenti sono a **aula** / **scuola** / **classe**.

3 Il giorno – la giornata

A la mattina	B il pomeriggio	C la sera	D la notte

● **Leggi** e **collega** ogni dialogo al momento della giornata: **A – B – C oppure D?**

1. _A (la mattina)_

Livia: Buongiorno, sono Livia Mansani.
Paolo: Buongiorno, benvenuta professoressa Mansani.
Io sono il direttore della scuola, Paolo Romei. Piacere! Molto lieto!

2. _____

Ragazza: Buonasera, 2 biglietti per "La musica ribelle".
Cassiera: Ecco i biglietti. Sono 48 euro. **Buona serata!**

3. _____

Presentatore Gipo: Buon pomeriggio bambini, siete pronti per la
puntata numero 24?
Bambini (in coro): **Ciao**, sì, sì siamo pronti!

4. _____

Paolo: Buona notte, mamma!
Mamma: Buona notte, Paolo. A domani!

5. _____

Studente: Ciao, Laura!
Laura: Ciao, Peter! **Buon pomeriggio!**

4 Completa **la tabella con i saluti dei mini-dialoghi. Poi** cerchia **l'opzione corretta.**

Mattina	Buongiorno!	Arrivederci! Buona giornata!
Pomeriggio	_____	_____ _____
Sera	_____	Arrivederci! Buona serata!
Notte	_____	_____

> **! Attenzione**
>
> **Ciao** è un saluto **formale** / **informale**, per **mattina, pomeriggio, sera, notte.**

Cosa dici per...

A. Presentarsi	Sono… Io sono…
B. Rispondere	Piacere (Molto lieto!) Piacere (Molto lieta!)
A. Ringraziare	Grazie!
B. Rispondere	Prego!
Indicare un oggetto/una persona	**Ecco** la Sua classe.
Esprimere entusiasmo, approvazione	Bene!

1 Ora scegli ✔ **la risposta più logica.**

1. *Buongiorno, direttore Ugo Bassi.*
   a. Buona giornata, signora Amedei. ☐
   b. Buongiorno, signora Amedei. ☐
   c. Buona sera, signora Amedei. ☐

2. *Io sono la professoressa di italiano Mara Mercuri.*
   a. Arrivederci professoressa! ☐
   b. Piacere, professoressa! ☐
   c. Grazie, professoressa! ☐

3. *Sei tu Marco?*
   a. Sì, buongiorno Marco. ☐
   b. Sì, sono Marco. ☐
   c. Sì, c'è Marco. ☐

2 **A scuola.** Completa **in modo logico.**

1. A: Scusi, Lei come si chiama?

   B: Sono _____

2. A: Io sono il direttore della scuola d'italiano Giacomo Nobile. Piacere!

   B: _____

3. A: Ecco la Sua classe con 19 studenti!

   B: _____

4. A: Arrivederci, professoressa. Buona giornata!

   B: _____

3 **Ora** saluta **e** presentati **alla classe.**

Le strutture della lingua

1 Completa.

	Maschile ♂ Singolare	Maschile ♂♂ Plurale	Femminile ♀ Singolare	Femminile ♀♀ Plurale
Il direttore	X			
Gli studenti				
Lo studente				
La studentessa				
Il professore				
La professoressa				
La classe				
La scuola				
La lista				
L'aula				
Le classi				

2 Osserva **i nomi dell'attività 1 e** completa.

	Singolare	Plurale
Maschile	- o	- i
Maschile	- _____	- _____
Femminile	- _____	- e
Femminile	- _____	- _____

3 Ora indica **il genere (M/F) e il numero (S/P).**

il ragazzo ___M/S___

la signora _____

il dottore _____

il signore _____

la dottoressa _____

la ragazza _____

le signore _____

i ragazzi _____

le dottoresse _____

i dottori _____

le ragazze _____

i signori _____

Dentro il testo

La scheda personale

1 Completa **la scheda di Livia Mansani.**

Nome _____

Cognome _____

Nato/a il _3/10/1975_

A _Firenze_

Professione _____

Indirizzo _Via Fiume, 17 Firenze_

E-mail _lmansani@gmail.com_

Telefono _320 4569809_

2 Ora metti **la tua immagine** e completa **la tua scheda personale.**

Nome _____

Cognome _____

Nato/a il _____

A _____

Professione _____

Indirizzo _____

E-mail _____

Telefono _____

Buongiorno, io sono Ingrid. E tu come ti chiami?

B Davanti alla scuola

Osserva!

| Io | Tu | Lui, Lei | Noi | Voi | Loro |

1 Formale o informale? Ascolta e cerchia l'opzione corretta.

4 ◁))

La conversazione è
formale / informale.

2 Da dove viene? Ascolta di nuovo e completa come nell'esempio ✗.

4 ◁))

	Marocco	Russia	Germania	Stati Uniti
Ingrid				
Kiril		✗		
Khalinda				
Tom e Jason				

3 Ascolta di nuovo e cerchia l'opzione corretta.

4 ◁))

1. **Ingrid** è tedesca / russa / marocchina / americana.
2. **Kiril** è marocchino / tedesco / russo / americano.
3. **Khalinda** è americana / marocchina / tedesca / russa.
4. **Tom e Jason** sono marocchini / americani / tedeschi / russi.

4 Ascolta e leggi **il testo. Verifica le informazioni delle attività 1, 2 e 3.** 4 ◁))

Ingrid:	Ciao, io sono Ingrid. Tu, come ti chiami?
Kiril:	Ciao, mi chiamo Kiril.
Ingrid:	Piacere, Kiril! E di dove sei?
Kiril:	Sono di Vladivostock, in Russia. Piacere!
Ingrid:	Sei russo! Io invece sono tedesca. Sono di Dortmund, in Germania. E lei è Khalinda.
Kiril:	Eh? Come si chiama? Puoi ripetere, per favore?
Ingrid:	Sì, certo. K – h – a – l –i – n - d- a.
Kiril:	Scusa, come si scrive?
Khalinda:	Ecco! (*Scrive il nome su un quaderno*).
Kiril:	Ah, bene! Piacere, Khalinda. Da dove vieni?
Khalinda:	Vengo dal Marocco, sono di Marrakech.
Kiril:	Ah, allora sei… Come si dice in italiano… del Marocco?
Khalinda:	Sì, sono marocchina.
Kiril:	Ah, bene!
Ingrid:	Ecco altri due studenti della classe.
Kiril:	Chi sono? Come si chiamano?
Khalinda:	Sono Tom e Jason. Loro sono americani, di Boston.

Parola per parola

1 Per ogni bandiera, scrivi il nome del Paese e le nazionalità in modo corretto, come nell'esempio.

① _Italia_
♂ _italiano_
♀ _italiana_

② _____
♂ _____
♀ _____

③ _____
♂ _____
♀ _____

④ _____
♂ _____
♀ _____

⑤ _____
♂ _____
♀ _____

⑥ _____
♂ _____
♀ _____

Cosa dici per...

A. Chiedere il nome	Come ti chiami? (tu) Come si chiama? (lui/lei/Lei)
B. Dire il nome	Sono... Mi chiamo...
A. Chiedere la provenienza	Di dove sei? Da dove vieni?
B. Dire la provenienza	Sono di... + città È di... + città Vengo da... + città Sono + nazionalità
Chiedere scusa	Scusa, Paolo! Scusi, signora!

1 Ora scegli un/una compagno/a. Presentatevi e scrivi i dati del/della tuo/a compagno/a.

Nome	_____
Cognome	_____
Nazione	_____
Nazionalità	_____

Le strutture della lingua

1 Leggi di nuovo i dialoghi a pagina 21 e 27 e completa i verbi *essere* e *chiamarsi*.

Essere

io	_____
tu	_____
lui, lei, Lei	_____
noi	siamo
voi	siete
loro	_____

Chiamarsi

io	_____
tu	_____
lui, lei, Lei	_____
noi	ci chiamiamo
voi	vi chiamate
loro	_____

2 Completa.

La classe d'italiano

1. A: Io _____ (chiamarsi) Xiong e _____ (essere) cinese.
   B: Tu _____ (essere) di Pechino?
   A: No, di Wenzhou.
   B: Scusa, non ho capito bene, come _____ (chiamarsi)?
   A: Xiong.

2. A: Ecco, il professore d'italiano _____ (essere) già in classe!
   B: Scusa, come _____ (chiamarsi) il professore?
   A: Simone Nesi.

3. A: Come _____ (chiamarsi) i due studenti messicani?
   B: Chi? Ah, sì, _____ (essere) Alvaro e Luis.

> **Osserva!**
> c'è la lista ⟹ c'è = singolare
> ci sono 12 studenti ⟹ ci sono
> = plurale

3 Guarda l'immagine, leggi il testo e scegli l'opzione corretta.

Nella scuola di italiano **c'è / è** una grande classe. In classe **ci sono / sono** venti studenti. Loro non **ci sono / sono** italiani. **Ci sono / sono** due studenti brasiliani. Una studentessa **c'è / è** tedesca e si chiama Ingrid.

Gli studenti **ci sono / sono** pronti per la lezione. Ecco la professoressa, oggi **c'è / è** il primo giorno di lezione e gli studenti **ci sono / sono** felici. 😊

4 Osserva gli esempi e completa la tabella.

	Singolare	Plurale
Maschile	- _____	- _____
Femminile	- _____	- e
Maschile e Femminile	- e	- i

> **Osserva!**
> - Kiril è russo.
> - Ingrid è tedesca.
> - Xiong è cinese.
> - Alvaro e Luis sono messicani.
> - Tom e Jason sono americani.

5 Completa gli spazi con la nazionalità corretta.

La professoressa è _____ , di Milano e nella sua classe ci sono 12 studenti. Uno studente è _____ , di Oxford, tre sono di Pechino e sono _____ e quattro sono _____ e vengono dall'India. Poi ci sono le ragazze. Una studentessa viene da Rio de Janeiro ed è _____ , due studentesse sono _____ , di Valencia; l'altra è di Boston ed è _____ .

Dentro il testo

1 Completa.

1 *uno*	2	3	4	5
6	7	8	9	10
11	12 *dodici*	13	14	15
16	17	18	19	20

2 La professoressa Mansani dice il suo numero di cellulare e il suo indirizzo e-mail agli studenti. Ascolta e scrivi i dati qui sotto: 5 ◁))

Prof.ssa Livia Mansani: cell: _____

e-mail: _____

3 Ora crea un messaggio vocale.

Studente A *Su whatsapp manda un messaggio audio, ad un tuo compagno di classe (studente B), con il tuo numero di cellulare e il tuo indirizzo e-mail.*

Studente B *Ascolta il messaggio e scrivi le informazioni su un foglio.*

Attenzione

Se non hai il cellulare, detta a voce il messaggio ad un tuo compagno.

Segui il modello:
- Buongiorno, professoressa Mansani /Ciao Khalinda sono Jason ecco il mio numero di cellulare: 3 3 7 8 9 0 1 4 4 6. E questa è la mia e-mail: j-m-o-r-i-k@[chiocciola]y-a-h-o-o.[punto]i-t

Formale e informale in Italiano

In italiano *Lei* è la forma di cortesia, maschile e femminile singolare; *voi* è la forma di cortesia maschile e femminile plurale. Nella cultura italiana usiamo *Lei* in situazioni formali. Usiamo *tu* in situazioni informali.

Quando incontriamo una persona per la prima volta, se ha un ruolo e/o un'età superiore, è bene usare il *Lei*. La persona dice: *"Diamoci del tu!"* se preferisce usare il registro informale.

1 Guarda **le immagini e** rispondi.

La situazione è formale (F) o informale (I)?

F◯ I◯

F◯ I◯

F◯ I◯

F◯ I◯

F◯ I◯

F◯ I◯

il mio vocabolario

C
R
E
A
R
E

_____
_____
_____
_____
_____

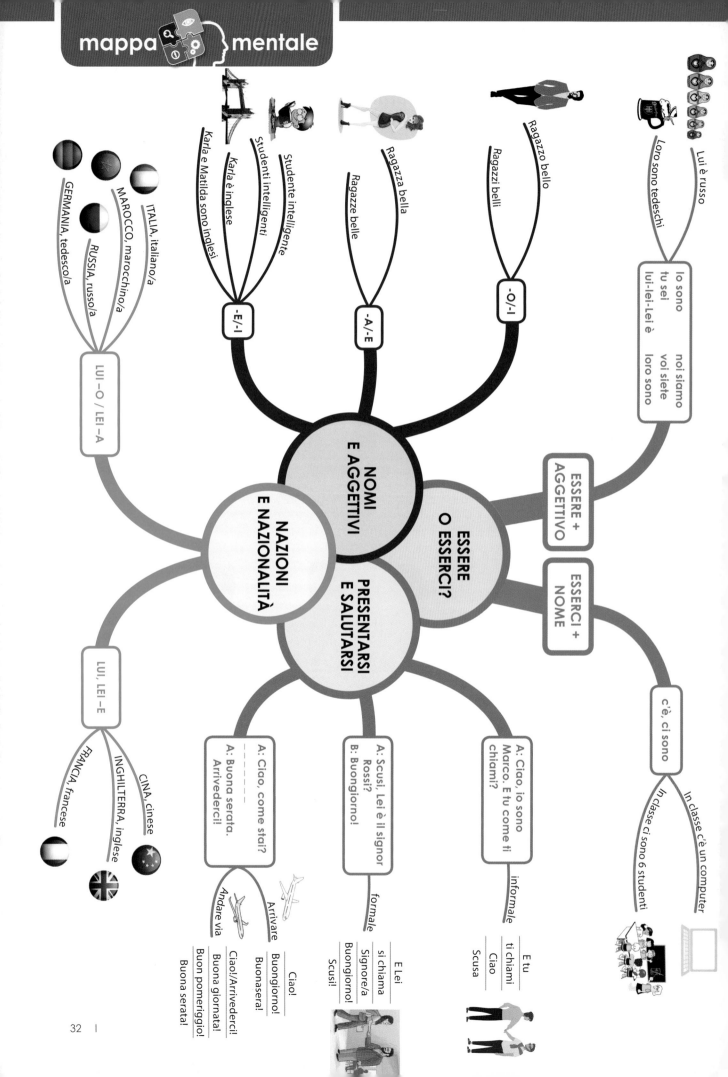
NOMI E AGGETTIVI

- **-E/-I**
  - Studente intelligente
  - Studenti intelligenti
  - Karla è inglese
  - Karla e Matilda sono inglesi
- **-A/-E**
  - Ragazza bella
  - Ragazze belle
- **-O/-I**
  - Ragazzo bello
  - Ragazzi belli

ESSERE O ESSERCI?

- **ESSERE + AGGETTIVO**
  - Lui è russo
  - Loro sono tedeschi
  - io sono / noi siamo
  - tu sei / voi siete
  - lui-lei-Lei è / loro sono
- **ESSERCI + NOME**
  - c'è, ci sono
  - In classe c'è un computer
  - In classe ci sono 6 studenti

NAZIONI E NAZIONALITÀ

- **LUI –O / LEI –A**
  - ITALIA, italiano/a
  - MAROCCO, marocchino/a
  - GERMANIA, tedesco/a
  - RUSSIA, russo/a
- **LUI, LEI –E**
  - FRANCIA, francese
  - INGHILTERRA, inglese
  - CINA, cinese

PRESENTARSI E SALUTARSI

- A: Ciao, io sono Marco. E tu come ti chiami?
  - informale
    - E tu
    - ti chiami
    - Ciao
    - Scusa
- A: Scusi, Lei è il signor Rossi?
  - B: Buongiorno!
  - formale
    - E Lei
    - si chiama
    - Signore/a
    - Buongiorno!
    - Scusi!
- A: Ciao, come stai?
  - Ciao!
  - Buongiorno!
  - Buonasera!
- A: Buona serata. Arrivederci!
  - Arrivare
  - Andare via
  - Ciao!/Arrivederci!
  - Buona giornata!
  - Buon pomeriggio!
  - Buona serata!

Argomenti

Stati d'animo

Numeri

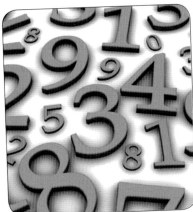

In questa unità impariamo

Comunicazione

Chiedere e dire come si sta

Esprimere uno stato d'animo

Esprimere una condizione fisica

Esprimere la quantità

Lessico

La classe

Aggettivi per descrivere stati d'animo

Espressioni per descrivere una condizione fisica

Espressioni di quantità

Numeri (21… 100)

Strutture

Verbi regolari in –ARE

Verbi avere, stare

Espressioni idiomatiche con essere e avere

Avverbi di quantità

Articoli indeterminativi e determinativi

Alla fine dell'unità facciamo il punto con la mappa mentale!

Come stai, oggi?

A In classe

1 Ascolta e (cerchia) gli oggetti che senti nel dialogo. 7 ◁))

il libro   lo zaino   l'astuccio   il quaderno

il temperamatite   la gomma   la matita   la penna

2 Vero o falso? Ascolta e completa. 7 ◁))

	V	F
1. Khalinda ha il libro di italiano.	☐	☐
2. Ingrid ha una penna, una matita e una gomma.	☐	☒
3. Khalinda non ha la penna.	☐	☐
4. Ingrid e Khalinda hanno il quaderno.	☐	☐

3 Ascolta e leggi il testo. Verifica le informazioni nelle attività 1 e 2. 7 ◁))

Kiril: Ragazze, avete il libro di italiano?

Ingrid: Ehi, Khalinda, hai il libro di italiano?

Khalinda: Sì, sì, ecco, ma non ho la penna, Ingrid!

Ingrid: Ho io due penne e nello zaino ho anche una matita e una gomma.

Khalinda: Bene, abbiamo tutto!

Ingrid: No, non abbiamo un quaderno!

Kiril: Eh? Cosa vuol dire *quaderno*?

Khalinda: Ecco il quaderno!

Kiril: Ah, bene! Ma non c'è problema: avete il computer!

Parola per parola

La classe/L'aula

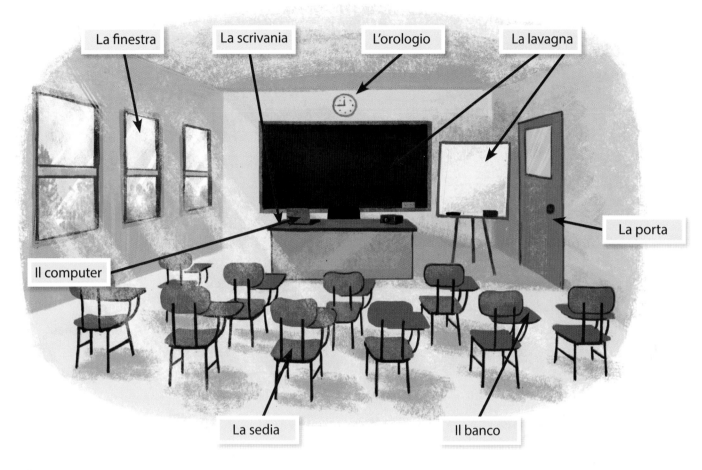

La finestra

La scrivania

L'orologio

La lavagna

Il computer

La porta

La sedia

Il banco

1 Completa il testo.

orologio / lavagna / sedie / finestra / banchi / porta / scrivania

A scuola abbiamo una grande classe. In classe ci sono i _____, le _____ e
la _____, poi c'è il computer e la _____ con un pennarello nero. La classe
ha una bella _____, una _____ verde e un _____.

Cosa dici per...

a. Fare una domanda _____

b. Esprimere una negazione _____

c. Chiedere il significato di una parola _____

1 Ora descrivi la tua classe.

Le strutture della lingua

1 Vai **a pagina 34 e a pagina 35** e cerchia **gli articoli, poi** completa **la tabella.**

Articoli indeterminativi	Articoli determinativi	Nomi
un	_____	quaderno
uno	_____	zaino
_____	la	matita
_____	_____	gomma
un'	_____	aula
_____	_____	orologio

2 Completa **con gli articoli.**

1. **Una / La** scuola
2. _____ / _____ studente
3. _____ / _____ professoressa
4. _____ / _____ professore
5. _____ / _____ laboratorio
6. _____ / _____ libro
7. _____ / _____ astuccio
8. _____ / _____ lavagna
9. _____ / _____ temperamatite
10. _____ / _____ studentessa
11. _____ / _____ banco
12. _____ / _____ finestra
13. _____ / _____ uomo
14. _____ / _____ spagnolo
15. _____ / _____ donna

3 Osserva e completa.

uno – lo + _____ / _____

Osserva!

uno **st**udente – lo **st**udente
uno **z**aino – lo **z**aino

4 Completa **le tabelle.**

GLI ARTICOLI SINGOLARI

Maschile

_____	il
	l'
uno	_____

Femminile

_____	la
un'	_____

5 Controlla **il verbo** avere **nel dialogo, a pagina 34, e** completa **la tabella.**

io	_____
tu	hai
lui/lei/Lei	ha
noi	_____
voi	_____
loro	hanno

6 Completa **con il verbo avere.**

1. Ingrid e Khalinda _____ il computer, ma Khalinda non _____ il quaderno.
2. A: Ragazzi, _____ il libro di italiano?

   B e C: No, non _____ il libro, è a casa.
3. Io, Jason e Tom _____ uno zaino nero.
4. A: Jason, scusa, _____ una matita, per favore?

   B: No, mi dispiace. Non _____ una matita, ma _____ una penna.

B In classe

1 Descrivi **l'immagine.**

Siamo in _____
C'è _____
Ci sono _____

Osserva!

(Molto) Bene! Male! Così così

La quantità

troppo

molto

abbastanza

un po'

niente

2 Come sta? **Ascolta e completa:**   8 ◁))

	Sta bene	Sta male	Sta così così	Sta molto bene
Heather				
Khalinda				
Livia				X
Kiril				

3 Ascolta il dialogo, leggi le frasi e cerchia la parola corretta.

8 🔊))

I SENTIMENTI

Triste — Arrabbiato — Preoccupato
Stanco — Allegro — Confuso
Annoiato — Felice — Ottimista

1. Khalinda sta bene ed è **ottimista** / **triste** / **contenta**.
2. Heather sta così così ed è **annoiata** / **stanca** / **spaventata**.
3. Kiril sta male ed è **arrabbiato** / **perplesso** / **contento**.

4 Ascolta e leggi il testo. Verifica le informazioni nelle attività 2 e 3.

8 🔊))

Heather: Buongiorno Khalinda, come stai oggi?
Khalinda: Bene, grazie! Sono contenta di essere in Italia! E tu, come stai?
Heather: Insomma, così così…
Khalinda: Mi dispiace! Perché?
Heather: Sono stanca, cammino troppo a Firenze e ho mal di gambe!
Khalinda: Ah… ecco l'insegnante.
Livia: Buongiorno ragazzi, come va? State bene?
Coro: Sì, sì, bene.
Kiril: No, io sto male!
Livia: Perché, Kiril?
Kiril: Sono un po' arrabbiato perché ho sonno e non parlo bene italiano! Lei come sta, professoressa?
Livia: Molto bene, grazie! Allora, cominciamo la lezione e parliamo italiano!

Parola per parola

1 Abbina le parole alle immagini: *calmo-tranquillo*, *serio*, *divertito*, *sereno*, *rilassato*, *pessimista*.

1.  ☐☐☐☐☐☐☐☐☐

4.  ☐☐☐☐☐☐

2.  ☐☐☐☐☐☐☐☐

5.  ☐☐☐☐☐

3.  ☐☐☐☐☐☐☐☐☐ ☐☐☐☐☐

6.  ☐☐☐☐☐☐☐☐☐

2 Trova i contrari.

triste	stanco
pessimista	sereno
annoiato	arrabbiato
preoccupato	ottimista
calmo	divertito
rilassato, riposato	contento, felice

Cosa dici per...

A. Chiedere a una persona come sta	Come va? Come stai, Heather? Come sta, professoressa?
B. Rispondere	(Molto) Bene, grazie! E tu/Lei? Così così. Male!
Esprimere una condizione fisica	Ho fame, sete, sonno…
Esprimere uno stato psicologico	Sono stanco/a, triste…

Le strutture della lingua

Osserva!

- **Sono** stanca […] **ho** mal di gambe!
- **Sono** un po' **arrabbiato** perché **ho** sonno!

Essere ➡ uno **stato fisico o psicologico**

Sono	arrabbiato/a	calmo/a
Sei	contento/a	tranquillo/a
È	ottimista	triste
Siamo	rilassato/a	pessimista
Siete	giovane	stanco/a
Sono		vecchio/a

Avere ➡ una condizione, una **caratteristica fisica**

	fame	
	sete	
Ho	sonno	
Hai	paura	
Ha	21 anni	
Abbiamo		denti
Avete		testa
Hanno	mal di	stomaco
		gambe
		piedi

Come stai, oggi?

1 Indica l'opzione corretta:

1. Mangiamo la pizza perché
   a. siamo stanchi.
   b. abbiamo fame.
   c. abbiamo mal di gambe.

2. Marco è giovane,
   a. ha 18 anni.
   b. è rilassato.
   c. ha sonno.

3. Ho sete e
   a. mangio la pasta.
   b. bevo la coca cola.
   c. cammino.

4. Cammino molto e
   a. ho mal di stomaco.
   b. sono molto stanco.
   c. ho paura.

2 Controlla i verbi nel dialogo a pagina 38 e completa le tabelle.

Parlare			Stare	
io	parl_____		io	_____
tu	parli		tu	_____
lui, lei, Lei	parla		lui, lei, Lei	_____
noi	parl_____		noi	stiamo
voi	parlate		voi	_____
loro	parlano		loro	stanno

3 Leggi e completa.

a. camminare

b. studiare

c. domandare

d. parlare

e. ascoltare

f. aiutare

g. lavorare

h. mangiare

1. In classe noi _____ (b) italiano e _____ (d) con l'insegnante. Lei è molto gentile; (lei) _____ (g) in questa scuola e _____ (f) gli studenti quando non capiscono. Dopo la lezione io _____ (h) la pizza e poi sto un po' con i miei amici.

2. Voi _____ (e) la musica quando (voi) _____ (a)?

3. Paolo, _____ (c), cosa vuol dire, quando non capisci una parola?

4 Ora domanda al tuo compagno come sta e perché. Prendi appunti e poi racconta alla classe.

L'Italia in pillole

I numeri in Italia

Per telefonare in **Italia**, il prefisso internazionale è **0039 (+39)**.
Anche le città hanno un prefisso:

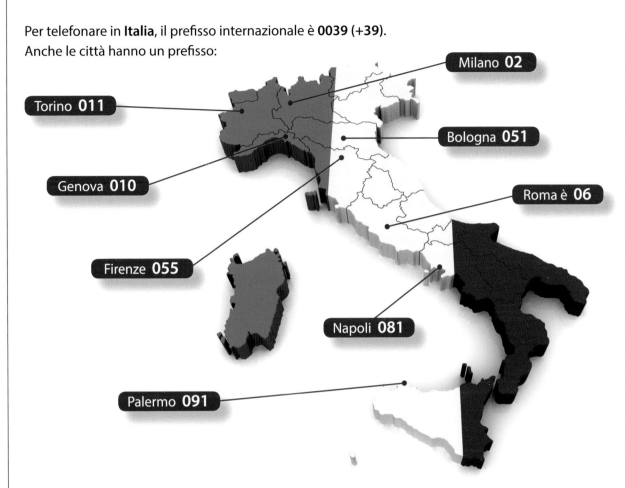

Milano **02**

Torino **011**

Bologna **051**

Genova **010**

Roma è **06**

Firenze **055**

Napoli **081**

Palermo **091**

Chiamare un numero di emergenza è **gratis**: la chiamata è gratuita e non costa niente. In Italia, per i problemi di sicurezza e ordine pubblico non c'è solo **la Polizia**, ma ci sono anche **i Carabinieri**. Per domandare soccorso in città o se non stiamo bene e abbiamo bisogno di un medico chiamiamo il **numero unico per le emergenze: 112**.

1 Collega il numero di telefono con la città corretta.

a. 011 45 87 256		Roma
b. 010 22 68 74		Milano
c. 06 48 98 522		Napoli
d. 055 234 29 75		Torino
e. 081 45 66 875		Palermo
f. 051 87 56 322		Genova
g. 02 653 84 55		Bologna
h. 091 22 70 41		Firenze

2 Rispondi:

a. Qual è il prefisso internazionale del tuo paese? _____

b. Qual è il prefisso della tua città? _____

c. Qual è il numero di emergenza nel tuo paese? _____

I numeri da 20 a 100
Contiamo!

20	21	22	23	24
venti	ventuno	ventidue	ventitré	ventiquattro

25	26	27	28	29
venticinque	ventisei	ventisette	ventotto	ventinove

30	40	50	60	70
trenta	quaranta	cinquanta	sessanta	settanta

80	90	100
ottanta	novanta	cento

3 Ascolta e completa con i numeri che senti. 9 ◁))

1. Il numero di telefono della scuola è _____.

2. Il libro di italiano costa € _____.

3. Il Signor Neri ha _____ anni.

4. La lezione è di _____ minuti.

5. Il numero di Paolo è _____.

6. Lo zaino e l'astuccio costano € _____.

7. Giovanna ha _____ anni.

8. Ho _____ matite nell'astuccio.

Dentro il testo

1 Qual è la regola?

A pagina 41 cerchia queste parole: *e, o, ma* nel testo sui numeri e scegli l'opzione corretta.

Scegli l'opzione:
Usiamo *e, o, ma* per
dividere/collegare
due parti.

e →   unione

o = oppure →   alternativa

ma →   contrasto

2 Completa con *e, o/oppure, ma.*

1. Nancy ha i libri _____ il quaderno nello zaino, _____ non ha la penna. Usa la penna di Kiril _____ la matita di Tom.

2. Sto bene _____ sono contenta, _____ ora ho fame!

3. Lavori _____ studi in Marocco?

4. Khalinda è marocchina, _____ parla italiano _____ studia a Firenze.

5. Paolo abita a Roma _____ a Milano?

il mio vocabolario

C
R
E
A
R
E

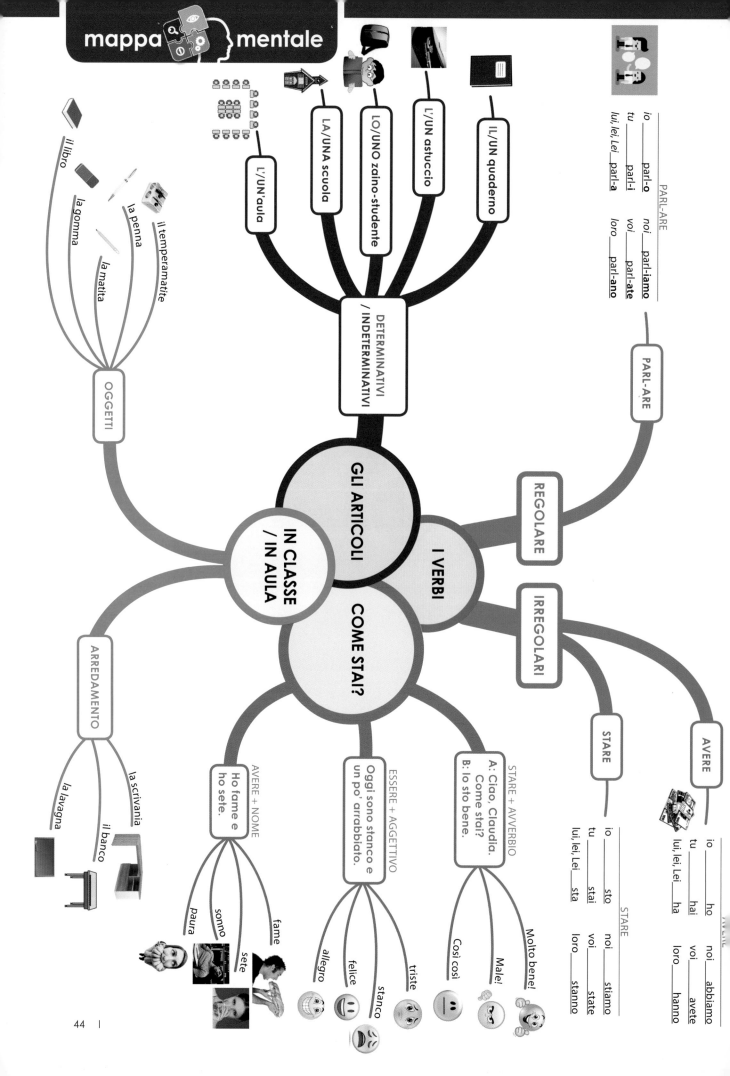

mappa mentale

IN CLASSE / IN AULA

GLI ARTICOLI

DETERMINATIVI / INDETERMINATIVI

- IL/UN quaderno
- L'/UN astuccio
- LO/UNO zaino-studente
- LA/UNA scuola
- L'/UN'aula

OGGETTI

- il libro
- la gomma
- la penna
- la matita
- il temperamatite

ARREDAMENTO

- la lavagna
- la scrivania
- il banco

I VERBI

REGOLARE

PARL-ARE

PARL-ARE

io	parl-**o**	
tu	parl-**i**	
lui, lei, Lei	parl-**a**	
noi	parl-**iamo**	
voi	parl-**ate**	
loro	parl-**ano**	

IRREGOLARI

STARE

AVERE

STARE

io	sto	
tu	stai	
lui, lei, Lei	sta	
noi	stiamo	
voi	state	
loro	stanno	

AVERE

io	ho	
tu	hai	
lui, lei, Lei	ha	
noi	abbiamo	
voi	avete	
loro	hanno	

COME STAI?

AVERE + NOME

Ho fame e ho sete.

- paura
- sonno
- sete
- fame

ESSERE + AGGETTIVO

Oggi sono stanco e un po' arrabbiato.

- allegro
- felice
- stanco
- triste

STARE + AVVERBIO

A: Ciao, Claudia. Come stai?
B: Io sto bene.

- Così così
- Male!
- Molto bene!

44 |

1 Trasforma **il dialogo da informale a formale.**

Informale	Formale
• Ciao, io sono Jane. Tu, come <u>ti chiami?</u> • Ciao, io mi chiamo Giada. • <u>Scusa</u>, come si scrive? • G-I-A-D-A. Di dove <u>sei?</u> • Sono americana.	• Buongiorno, io sono la professoressa Smith. Lei come _____? • Buongiorno, sono la professoressa Gonzales. • _____, come si scrive? • G-O-N-Z-A-L-E-S. Di dove _____? • Sono inglese.
• Ciao Michele, come <u>stai?</u> • Bene, grazie! E <u>tu?</u> • Così così, sono stanco!	• Buongiorno professoressa, come _____? • Bene, grazie! E _____? • Molto bene, grazie.

_____ / **5**

2 Completa **con essere, avere o chiamarsi.**

Ciao, io _____ Isabelle e _____ 20 anni. Lei _____ Marine e _____
19 anni. Noi _____ francesi e studiamo italiano a Venezia. Oggi _____ stanche e
_____ mal di testa.
E voi?

_____ / **7**

3 Scegli **il verbo corretto dalla lista e** completa **le frasi.**

ascoltare / cucinare / parlare / mangiare / studiare / giocare

1. Noi _____ bene italiano.
2. Tu e Miguel _____ in una scuola italiana.
3. Antonio _____ la pasta al pesto.
4. Tu _____ spesso a tennis.
5. Io _____ la musica classica.
6. Arianna e Simone _____ al ristorante.

_____ / **6**

4 Completa **con l'articolo determinativo e indeterminativo.**

1. _____ / _____ aula
2. _____ / _____ computer
3. _____ / _____ studente
4. _____ / _____ lavagna
5. _____ / _____ professoressa
6. _____ / _____ orologio
7. _____ / _____ zaino
8. _____ / _____ astuccio

_____ / **8**

5 **Di dove sono?** Scrivi **la nazionalità.**

1. Luigi e Mara sono di Milano. Sono _____.
2. Dafne è di Atene. È _____.
3. Frank è di Berlino. È _____.
4. Harry e Mary sono di Oxford. Sono _____.
5. Mei è di Pechino. È _____.
6. Olga e Katia sono di Mosca. Sono _____.
7. Lisa è di Boston. È _____.

_____ / 7

6 Completa **con le parole della lista.**

professoressa / libro / scuola / studenti / penna / classe / zaino / matita

Studio italiano in una _____ a Roma. Nella mia _____ ci sono dieci _____ e la _____ si chiama Luisa Gherardi. Nello _____ ho sempre il _____ di italiano e una _____ per scrivere, ma non ho la _____.

_____ / 8

7 Completa **con i numeri.**

Mi chiamo Lara e ho _____ (19) anni. Nella mia classe di italiano ci sono _____ (9) studenti: _____ (4) spagnoli, _____ (3) tedeschi e _____ (2) cinesi.

_____ / 5

8 Scegli **l'opzione corretta.**

1. In classe ci sono i banchi **e/ma** le sedie.
2. Cucini tu **o/e** mangi al ristornate?
3. Sono in Italia, **o/ma** non parlo bene italiano.
4. Io mi chiamo Lara **e/o** lui si chiama Francesco.

_____ / 4

Totale _____/50

Argomenti

**Conoscersi
e fare nuove
amicizie**

**Descrizione
fisica**

In questa unità impariamo

Comunicazione

Invitare un amico

Chiedere e dire dove abiti

Chiedere e dare informazioni su qualcuno

Esprimere la frequenza di un'azione

Esprimere la qualità

Lessico

Aggettivi ed espressioni per la descrizione fisica

Aggettivi qualificativi

Espressioni e parole interrogative

I colori

Strutture

Verbi regolari in –ERE

Verbo andare

Espressioni idiomatiche con andare

Avverbi di frequenza (I)

Articoli determinativi plurali

Preposizioni di luogo (I)

**Alla fine dell'unità
facciamo il punto con
la mappa mentale!**

A Un invito

○ Che cos'è *WhatsApp?*
○ Usi questa App?

Osserva!

- Essere timido 😊
- Conoscere nuove persone
- Conoscere una lingua
- **La lingua della chat**
  - x = per
  - bn = bene
  - Xké? = perché?
  - Nn = non

1 Leggi **la chat e** cerchia.

1. La conversazione è **formale / informale**.
2. Marco e Tommy sono **due amici / uno studente e un professore**.
3. Tommy invita Marco **al bar / al ristorante**.
4. Marco **non conosce / conosce** Kiril e Khalinda.
5. Marco **accetta / non accetta** l'invito.

2 Rileggi **la chat con un compagno e** controlla **le risposte.**

Marco

> Ciao Marco come va?

Ehi, ciao Tommy! tutto ok tu?

> bn!
> Domani vedo due ragazzi stranieri x un caffè. Ti va di venire?

Chi sono?

> Sono un ragazzo russo, Kiril, di Vladivostock, e una ragazza marocchina, Khalinda, di Marrakech. Studiano qui a Firenze. Kiril ha 21 anni e Khalinda 22

Nn lo so… Forse

> Xké?
> Conosci due persone nuove…

Quando non conosco bn le persone, sono timido...

> Allora?
> ...

Ok, va bn. Quando? Dove?

> Domani, dopo la lezione. Piazza della Repubblica. Ok?

Ok, a domani!

> Ciao

Parola per parola

1 Le domande
Completa.

quando / dove (2) / come / chi / che cosa / perché

A: _____ sei?

B: Sono Marco!

A: Di _____ sei?

B: Sono di Perugia.

A: _____ è Perugia?

B: È una città molto bella!

A: _____ sei a Firenze?

B: Sono a Firenze per studiare.

A: _____ studi?

B: Studio Giurisprudenza.

A: _____ studi?

B: All'università.

A: _____ vai all'università?

B: Vado domani, ora sto un po' con te.

Cosa dici per...

A. Invitare un amico/un'amica	- Ti va di...?
B. Esprimere incertezza	- Non lo so...- Forse
B. Esprimere accordo	- Va bene!
Richiamare l'attenzione di una persona	- Allora?/Allora, ...

1 Ora invita il tuo compagno e rispondi in modo appropriato.

Che cosa?	Quando?	Con chi?
● andare al cinema	● domani	● me e Giacomo
● un cappuccino	● stasera	● i ragazzi di Napoli
● conoscere la mia amica	● dopo la lezione	● gli studenti di italiano
● visitare il duomo	● prima di tornare a casa	● la professoressa

Le strutture della lingua

1 Conoscere

Leggi di nuovo la chat a pagina 48 e poi completa le tabelle.

io	conosc____
tu	conosc____
lui, lei, Lei	conosce
noi	conosciamo
voi	conoscete
loro	conoscono

–ERE

io	- ____
tu	- i
lui, lei, Lei	- ____
noi	- ____
voi	- ____
loro	- ____

2 Osserva e completa con la forma corretta.

1. Gli studenti _____ (g)
   e _____ (d), poi
   _____ (c) con l'insegnante.

2. Paolo non _____ (e),
   perché è notte e _____ (f)
   la luce.

3. Ragazzi, ora perché non _____ (a)
   il libro e _____ (h)
   il quaderno?

4. (Io) _____ (b) a Laura come
   sta.

a. chiudere   e. vedere

b. chiedere   f. accendere

c. ripetere   g. leggere

d. scrivere   h. prendere

Dentro il testo

1 Scrivi un invito al tuo compagno e chatta con lui.
Usa il tuo telefono cellulare.

La chat

In italiano *chattare* significa *parlare*
su un *social medium*. La lingua delle
chat ha molte abbreviazioni perché
la comunicazione è molto veloce:

x = per   bn= bene
Xké? = perché?   Nn = non

B Incontro

1 Descrivi l'immagine.

- Ci sono _____,
  sono _____

- Kiril e Khalinda _____
  con _____

🔍 **Osserva!**

La frequenza (quante volte)

- - -	+	++	+++	+++++
non... mai	qualche volta	di solito	spesso	sempre

2 Ascolta **il dialogo e** metti **in ordine le immagini.** 10 🔊))
La giornata di Kiril e Khalinda.

1. _____ / 2. _____ / 3. _____

3 Ascolta **il dialogo e** cerchia **l'opzione.** 10 🔊))

1. La lezione di italiano qualche volta è **facile / difficile**.
2. La lezione di italiano è sempre **noiosa / divertente**.
3. Tommaso è di **Firenze / Napoli**.

4 Leggi **il dialogo e** controlla **le risposte delle attività 2 e 3.**

Marco:	Ragazzi, come va a scuola?
Kiril:	Bene. È un po' difficile, qualche volta, ma la lezione non è mai noiosa.
Khalinda:	Sì, è divertente!
Tommaso:	Andate sempre a scuola la mattina?
Kiril:	Sì, sempre.
Marco:	E dopo la scuola?
Khalinda:	Di solito andiamo a mangiare con gli amici e dopo prendiamo l'autobus per visitare la città, o camminiamo un po' in centro. Poi andiamo a casa.
Tommaso:	Dove abitate, a Firenze?
Kiril:	Io abito con una famiglia italiana, in via Boccaccio.
Khalinda:	Io abito con una famiglia italiana e con Ingrid, una studentessa tedesca, in Piazza Indipendenza. E voi, ragazzi?
Marco:	Noi studiamo a Firenze, ma io sono di Perugia e Tommaso è di Napoli. Viviamo con altri tre studenti in via Masaccio.
Kiril:	E come va con gli altri studenti, a casa?
Tommaso:	Insomma… Qualche volta è un po' faticoso vivere in cinque!

Parola per parola

1 Rispondi! **Come è... ?**

1. Studiare italiano   _____ .
2. Visitare una città nuova   _____ .
3. Andare a cena con gli amici   _____ .
4. Andare a scuola tutti i giorni   _____ .
5. Guardare un film in italiano   _____ .
6. Leggere un libro di storia   _____ .

La qualità

POSITIVO 👍	👎 NEGATIVO
facile	difficile
divertente interessante	noioso
rilassante	faticoso

Cosa dici per...

A. Chiedere informazioni su una situazione	- Come va a... (→ dove?) - Come va con... (→ chi?)
B. Rispondere	- Bene/male/così così - Insomma...
A. Chiedere informazioni sulla situazione abitativa	- Dove abiti, Kiril? - Dove abita, Signora? - Dove abitate, ragazzi?
B. Rispondere	- Abito in via... con... - Abitiamo in via...

Le strutture della lingua

1 Andare

Leggi **di nuovo il dialogo a pagina 52 e** completa **la tabella.**

io	vado
tu	vai
lui, lei, Lei	_____
noi	_____
voi	_____
loro	vanno

Osserva!

- Come **va**?
- Bene, grazie!

- Come **va** a casa?
- Come **va** con gli amici?

- **Ti va** una pizza?
- **Ti va di** mangiare una pizza?

- Sì, **mi va**, grazie!
- No, **non mi va**: non ho fame!

- **Va** bene!

2 Osserva **la tabella e** completa **con la forma corretta di** *andare*.

1. I ragazzi _____ a casa ed Elisa _____ a scuola.

2. A: Ti _____ una pizza?

   B: Sì, mi _____! (noi)_____ in pizzeria?

3. Ragazze, _____ a scuola in autobus?

4. Io _____ sempre a scuola.

5. Tu _____ spesso al ristorante.

3 Preposizioni di luogo (I)

Osserva **gli esempi e** completa.

Sono di **Firenze.** Marco e Tommaso **sono di Napoli** Ingrid è di **Dortmund.**	**Essere** di + _____
Khalinda **abita** a **Marrakech.** Marco e Tommaso **studiano** a **Firenze.** Kiril **va** a **Firenze.** Le ragazze **sono/vanno** a **casa.** Gli studenti **sono/vanno** a **scuola.**	a + _____*città*_____ a + _____, _____
Vladivostock **è** in **Russia.** Ingrid **vive** in **Germania.** Khalinda **va** in **Italia.** I ragazzi **sono /vanno** in **classe.** Ingrid abita in **Piazza Indipendenza.** Kiril abita in **via Boccaccio.**	in + _____ in + _____*classe*_____ in + _____, _____

4 Completa **con le preposizioni.**

1. Andrei è _____ Bucarest, _____ Romania, ma ora studia _____ Roma.

2. Viviamo _____ Milano, _____ via Tortona.

3. John e Nathan vanno _____ scuola la mattina e poi tornano _____ casa.

4. Siamo _____ scuola e studiamo italiano _____ classe.

Ti va di venire?

C Come sono i tuoi amici?

1 Ascolta e scegli l'opzione corretta. 11 ◁))

○ Tommaso e Margherita parlano di:
- Marco. ☐
- Khalinda e Kiril. ☐
- Ingrid. ☐

Osserva!
l'occhio/gli occhi 👁
i capelli
l'amico/gli amici

2 Sì o No? Ascolta di nuovo e completa. 11 ◁))

	V	F
1. Margherita conosce Kiril e Khalinda.	☐	☐
2. Kiril e Khalinda abitano insieme.	☐	☐
3. Kiril e Khalinda abitano con famiglie italiane.	☐	☐
4. Khalinda non è molto bella.	☐	☐
5. Kiril ha i capelli biondi.	☐	☐
6. Khalinda ha gli occhi scuri.	☐	☐
7. Kiril e Khalinda non parlano bene italiano.	☐	☐
8. Tommaso invita Margherita a mangiare una pizza.	☐	☐

3 Ascolta e leggi il testo. Controlla le informazioni nelle attività 1 e 2. 1 ◁))

Tommaso:	Ehi, Margherita, conosci i nuovi amici di Marco?
Margherita:	No, chi sono?
Tommaso:	Sono due studenti stranieri, molto simpatici. Si chiamano Kiril e Khalinda.
Margherita:	Ah sì? E di dove sono?
Tommaso:	Kiril è russo e Khalinda è marocchina.
Margherita:	Perché sono a Firenze?
Tommaso:	Studiano italiano e abitano con famiglie italiane.
Margherita:	Vivono insieme?
Tommaso:	No, Khalinda vive con un'amica tedesca, Ingrid. Loro sono le amiche di Kiril a Firenze.
Margherita:	E come sono?
Tommaso:	Oh, Khalinda è davvero molto bella! Ha i capelli neri e gli occhi castani, molto scuri. Non è molto alta, ma non è bassa ed è molto in forma.
Margherita:	E il ragazzo com'è?
Tommaso:	Kiril è alto e robusto, ha gli occhi azzurri e i capelli biondi. Parlano italiano abbastanza bene e sono molto divertenti.
Margherita:	Uhm, interessante!
Tommaso:	Ti va di conoscere questi ragazzi?
Margherita:	Sì, perché no?
Tommaso:	Allora una sera mangiamo una pizza con loro.
Margherita:	Va bene!

Parola per parola

La descrizione fisica

Kiril è alto e robusto.

Khalinda non è alta, ma non è bassa. È in forma.

Ha **gli occhi** azzurri; **i capelli** biondi e corti.

Ha **i capelli** neri e lunghi; **gli occhi** castani scuri.

1 **I colori**

Abbina **le parole ai colori.**

> *Attenzione! Rosa, blu, viola* **non cambiano mai!**

bianco / verde / nero / marrone / azzurro / blu / viola / rosa / rosso / grigio / giallo / arancione

2 Leggi **di nuovo le descrizioni e** completa **la tabella.**

Altezza	Fisico	Occhi	Capelli
alto/a ←→ basso/a	magro/a ←→ grasso/a	_____ _____	_____ _____ _____
	giovane ←→ vecchio/a; anziano/a	_____	_____

> *Attenzione!* **Gli aggettivi cambiano con il nome e gli articoli.**

3 Guarda **le immagini e** completa **le descrizioni.**

a  b   c  d

a. Tonino è un uomo. Lui è _____

b. Luciana è una donna. Lei è _____

c. Lino è un uomo. Lui è _____

d. Giusy è una donna. Lei è _____

Cosa dici per...

A. Chiedere di descrivere le persone	- Com'è? - Come sono?
B. Rispondere e descrivere una persona	- È alto/basso… - Ha i capelli… - Ha gli occhi…
Esprimere una conclusione	- Allora (una sera mangiamo una pizza con loro)

1 Ora descrivi alla classe l'amico/a del cuore.

Le strutture della lingua

1 Vai a pagina 54, cerchia gli articoli determinativi e completa le tabelle.

_____	studente
gli	studenti
_____	ragazzo
i	ragazzi
_____	ragazza
_____	ragazze
_____	amico
gli	amici
_____	amica
_____	amiche
_____	occhio
_____	occhi

GLI ARTICOLI DETERMINATIVI

		Singolare	Plurale
Maschile		_____	i
		_____	_____
		l'	
Femminile		_____	_____
		l'	

2 Completa con il plurale.

1. la scuola / _____
2. lo studente / _____
3. la professoressa / _____
4. il professore / _____
5. il laboratorio / _____
6. il libro / _____
7. l'astuccio / _____

8. la lavagna / _____
9. il ragazzo / _____
10. la studentessa / _____
11. il banco / _____
12. la finestra / _____
13. lo spagnolo / _____
14. la donna / _____

I *Social Media* in Italia

Tutti gli italiani, fra 15 e 64 anni, usano almeno un *social medium* e di solito usano gli *smartphone* per navigare su Intenet.

Gli adulti preferiscono *Facebook* e quasi tutti hanno un profilo, ma i giovani usano più spesso *Instagram* e *YouTube* per seguire i personaggi famosi o per cercare nuove idee. Gli italiani usano i *social* anche per avere contatti con gli amici, per il lavoro, per leggere e condividere informazioni e per l'*e-commerce*.

Whatsapp è l'applicazione più popolare per i messaggi istantanei, per chattare e per telefonare. Altre applicazioni come *Telegram* e *Viber* sono meno comuni. Anche gli italiani che hanno un *iPhone* usano *Whatsapp* e non *iMessage*.

[Fonte: Blogmeter / Italiani e Social Media]

1 Vero o falso?

	V	F
1. Gli italiani preferiscono usare gli smartphone per navigare su Internet.	☐	☐
2. Facebook è il social più popolare per i giovani.	☐	☐
3. Quasi tutti gli italiani hanno un profilo Facebook.	☐	☐
4. Gli italiani usano i social anche per comprare prodotti online.	☐	☐
5. Viber è l'app più usata per inviare messaggi.	☐	☐
6. Gli italiani che hanno un iPhone preferiscono iMessage.	☐	☐

2 Rispondi.

a. Nel tuo paese le persone usano di più il computer o lo smartphone?

b. Quali *social media* sono più popolari? Perché?

c. Quale app per i messaggi istantanei è più usata? Perché?

il mio vocabolario

C R E A R E

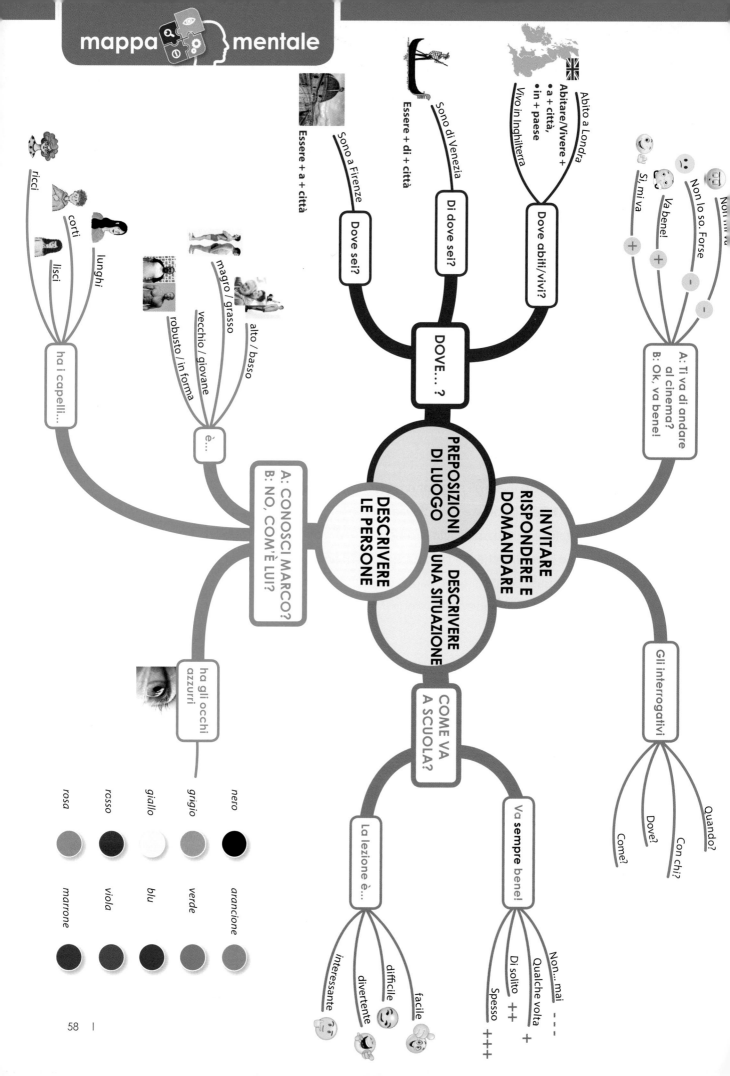

PREPOSIZIONI DI LUOGO

Essere + a + città
Sono a Firenze

Dove...?

Dove sei?

Essere + di + città
Sono di Venezia

Di dove sei?

Abito a Londra

Abitare/Vivere +
- a + città,
- in + paese

Vivo in Inghilterra

Dove abiti/vivi?

DESCRIVERE LE PERSONE

A: CONOSCI MARCO?
B: NO, COM'È LUI?

ha i capelli...
- ricci
- corti
- lisci
- lunghi

è...
- magro / grasso
- vecchio / giovane
- robusto / in forma
- alto / basso

ha gli occhi azzurri

- nero
- grigio
- giallo
- rosso
- rosa
- arancione
- verde
- blu
- viola
- marrone

INVITARE RISPONDERE E DOMANDARE

A: Ti va di andare al cinema?
B: Ok, va bene!

- Sì, mi va +
- Va bene! +
- Non lo so. Forse −
- Non mi va −

Gli interrogativi
- Come?
- Dove?
- Con chi?
- Quando?

DESCRIVERE UNA SITUAZIONE

COME VA A SCUOLA?

La lezione è...
- interessante
- divertente
- difficile
- facile

Va **sempre** bene!
- Non... mai − − −
- Qualche volta +
- Di solito ++
- Spesso +++

1 Indica e valuta **con una X cosa sai fare in italiano.**

Azioni linguistiche	😄	😏	😠
Mi presento: **nome**, **cognome**, **nazionalità**…			
Saluto e rispondo a un saluto.			
Parlo di me: **come sto**, **dove abito**, **cosa faccio** durante il giorno.			
Invito un amico.			
Descrivo una persona.			
Riconosco una situazione **formale** o **informale**.			

2 Disegna.

Io e l'italiano

3 Scegli l'opzione esatta per te.

a. In generale, l'italiano per me è...

○ facile

○ abbastanza facile

○ difficile

○ un po' difficile

b. Per me è facile / difficile...

Abilità e attività	facile	difficile
ascoltare		
parlare		
leggere		
scrivere		
studiare la grammatica		
imparare le parole		

Perché _____

Argomenti

Il lavoro

Lo studio

In questa unità impariamo

Comunicazione

Chiedere e dare informazioni sul lavoro e/o sugli studi

Chiedere e dire che ore sono

Chiedere e dire la data

Lessico

Materie di studio

Professioni

Espressioni di tempo

Calendario: giorni della settimana e mesi

Strutture

Verbi in -IRE

Verbi venire, fare, dare

Espressioni idiomatiche con fare

Concordanza articolo, sostantivo, aggettivo

Nomi in -ista

Preposizioni di luogo (II): da

Preposizioni di tempo (I)

Preposizione di

**Alla fine dell'unità
facciamo il punto con
la mappa mentale!**

A   **Studi o lavori?**

1 Osserva **le immagini. Di che cosa parlano le persone nel dialogo?**

Parlano di _____

 studentessa di **architettura**

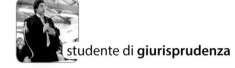 studente di **giurisprudenza**

 studentessa di **economia**

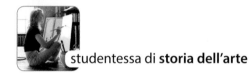 studentessa di **storia dell'arte**

... e di _____

 insegnante

 infermiera

 cameriera

 guida turistica

 **dentista**

ingegnere informatico

2 Ascolta **il dialogo,** guarda **le foto dell'attività 1 e** cerchia **le parole che senti.**   12 ◁))

3 Ascolta **e** abbina.   12 ◁))

1. l'infermiera

2. la cameriera

3. la studentessa di storia dell'arte

4. la studentessa di economia

5. la guida turistica

6 . l'ingegnere informatico

 Khalinda

3 / _____

 Paola

_____

 Ingrid

_____

 Stefano

_____

4 Ascolta e completa. 12 ◁))

Ingrid studia _____ e fa la _____.
Khalinda studia _____ e fa la _____.
Paola non studia, fa l'_____.
Stefano non studia, fa l'_____.

5 Ascolta, leggi e controlla le risposte delle attività 2, 3 e 4. 12 ◁))

Paola:	In Germania che cosa studi, Ingrid?
Ingrid:	Studio Economia all'università. Nel fine-settimana, lavoro.
Stefano:	Dove lavori?
Ingrid:	In un ristorante, faccio la cameriera. Lavoro la sera e finisco sempre molto tardi.
Paola:	Quando finisci di lavorare, vai subito a casa o incontri i tuoi amici?
Ingrid:	Di solito vado a casa, perché sono molto stanca. Faccio una doccia e dormo subito.
Stefano:	E tu Khalinda, cosa fai? Studi o lavori in Marocco?
Khalinda:	Studio Storia dell'Arte e faccio la guida turistica per un'agenzia privata.
Paola:	Brave! Lavorate e studiate! Io invece faccio l'infermiera in un ospedale pediatrico.
Khalinda:	E tu, Stefano, che lavoro fai?
Stefano:	Sono un ingegnere informatico, lavoro in un ufficio internazionale e spesso viaggio per lavoro.
Paola:	Stefano, perché non dai a Khalinda e Ingrid il tuo libro su Firenze?
Stefano:	È un libro molto bello, ma è in italiano…
Khalinda:	Va bene!
Stefano:	Allora ve lo do subito! Ecco qui!

Parola per parola

1 Lo studio
Che materia studi? Abbina le immagini alle materie.

Lettere e Filosofia _____
Lingue Moderne _____
Architettura _____
Storia dell'Arte _____
Ingegneria _____
Informatica _____
Economia _____
Legge _____
Medicina _____

2 Il lavoro

Che lavoro fanno? Abbina **le parole alle immagini. Metti l'articolo (il/la/l')** <u>prima</u> **del nome.**

medico (dottore/dottoressa) / barista / cameriere/a / insegnante (professore/professoressa)
cantante / autista / avvocato/avvocatessa / architetto

Lui fa _____

Lei fa _____

Lui fa _____

Lei fa _____

Lui fa _____

Lei fa _____

Lui fa _____

Lei fa _____

Lui fa _____

Lei fa _____

Lui fa _____

Lei fa _____

Lui fa _____

Lei fa _____

Lui fa _____

Lei fa _____

Osserva e (cerchia) **l'opzione corretta.**

Singolare	Plurale
Il / La barista	I baristi Le bariste
L' / L' autista	Gli autisti Le autiste
Il / La cantante	I / Le cantanti
L' / L' ingegnere	Gli ingegneri

Osserva!

I nomi in **-ista** (barista, giornalista, autista, dentista…) **cambiano / NON cambiano al SINGOLARE / PLURALE.**

I nomi in **– nte** (cantante, insegnante …) **cambiano / NON cambiano al SINGOLARE** e il **PLURALE è –i** (i/le cantanti). **MA…** lo stude**nte** – la _____.

Il medico, l'architetto, l'ingegnere **cambiano / NON cambiano al SINGOLARE** e il **PLURALE è –i** (i medici, gli architetti, gli ingegneri).

Attenzione

	Maschile		Femminile
	lo *studente*		la *studentessa*
	il professore		la _____
	il dottore		la _____
	l'avvocato		l' _____

Cosa dici per...

A. Chiedere informazioni sul lavoro di una persona	**Informale:** Che cosa fai? **Formale:** Che cosa fa, signora?
B. Rispondere	Faccio l'infermiera. Sono un'infermiera.
A. Chiedere informazioni sugli studi di una persona	Che cosa studi all'università?
B. Rispondere	Studio economia, storia dell'arte...

Le strutture della lingua

1 Osserva i verbi nel dialogo a pagina 63 e poi completa le tabelle.

> *Attenzione! Ricordi i verbi in -ere? I verbi in -ire sono simili.*

1° gruppo Dormire		2° gruppo Finire	
io	_____	io	_____
tu	_____	tu	_____
lui, lei, Lei	_____	lui, lei, Lei	finisce
noi	_____	noi	finiamo
voi	dormite	voi	finite
loro	_____	loro	finiscono

Osserva!

Fare la doccia   Fare il bagno

- Fare colazione – Fare la colazione /il pranzo/la cena
- Fare merenda – Fare la merenda
- Fare una passeggiata
- Fare un giro
- Fare una festa
- Fare presto/tardi
- Fare un esame, un test
- Fare ginnastica, italiano, storia
- Fare la spesa
- Fare spese
- Fare il biglietto
- Fare caldo/freddo/bello/brutto

Fare		Dare	
io	_____	io	_____
tu	_____	tu	_____
lui, lei, Lei	fa	lui, lei, Lei	dà
noi	facciamo	noi	diamo
voi	fate	voi	date
loro	fanno	loro	danno

2 Osserva e completa con i verbi.

> *Attenzione! I verbi in blu sono come finire.*

1. capire   2. vestire   3. spedire   4. sentire   5. pulire

6. offrire   7. preferire   8. partire   9. costruire   10. seguire

a. (Io) Non _____ (1). Ripeti, per favore!

b. Marco e Tommaso _____ (10) gli amici su Instagram.

c. Io e John _____ (5) la classe dopo la lezione.

d. L'architetto e l'ingegnere _____ (9) le case.

e. (Noi) _____ (7) studiare italiano.

f. Marta _____ (8) da Roma e va a Parigi.

g. Ragazzi, _____ (4) questa musica? È molto bella!

h. Stasera _____ (6) tu la cena?

i. Paulo _____ (3) un'e-mail alla professoressa.

j. La mamma _____ (2) Alessandro.

3 Ora completa con i verbi *fare* e *dare*.

1. (dare)   Gli studenti _____ il libro al professore.

2. (fare)   Paolo, _____ colazione a casa o al bar?

3. (fare)   I miei amici _____ i camerieri.

4. (dare)   Noi _____ la penna a Tommaso.

5. (fare)   Tu _____ sempre tardi per la scuola.

6. (dare)   (Io) _____ il quaderno a Ingrid.

7. (dare)   Ragazzi, _____ l'indirizzo e-mail all'insegnante?

8. (fare)   Lavoro in un ospedale, _____ il medico.

9. (fare)   Io e Margherita _____ un giro in centro.

10. (fare)   (Voi) _____ la cena per i vostri amici?

11. (dare)   (Tu) _____ il tuo numero di cellulare a Kiril.

12. (dare)   Tu e Marco _____ il computer a Marta.

4 Ora domanda al tuo compagno che cosa fa, cosa studia, che lavoro fa. Prendi appunti e poi descrivi alla classe.

B Che giorno è oggi?

1 Leggi **le date nel calendario e** rispondi.

1. Quando è Natale? _____
2. Quando è Capodanno? _____
3. Quando è Ognissanti? _____
4. Ci sono queste feste nel tuo Paese? _____
5. Ci sono altre feste nel tuo Paese? Quando? _____

365	Gennaio						
	Lun	Mar	Mer	Gio	Ven	Sab	Dom
1		1	2	3	4	5	6
2	7	8	9	10	11	12	13
3	14	15	16	17	18	19	20
4	21	22	23	24	25	26	27
5	28	29	30	31			

365	Febbraio						
	Lun	Mar	Mer	Gio	Ven	Sab	Dom
5				1	2	3	
6	4	5	6	7	8	9	10
7	11	12	13	14	15	16	17
8	18	19	20	21	22	23	24
9	25	26	27	28			

365	Marzo						
	Lun	Mar	Mer	Gio	Ven	Sab	Dom
9					1	2	3
10	4	5	6	7	8	9	10
11	11	12	13	14	15	16	17
12	18	19	20	21	22	23	24
13	25	26	27	28	29	30	31

365	Aprile						
	Lun	Mar	Mer	Gio	Ven	Sab	Dom
14	1	2	3	4	5	6	7
15	8	9	10	11	12	13	14
16	15	16	17	18	19	20	21
17	22	23	24	25	26	27	28
18	29	30					

365	Maggio						
	Lun	Mar	Mer	Gio	Ven	Sab	Dom
18			1	2	3	4	5
19	6	7	8	9	10	11	12
20	13	14	15	16	17	18	19
21	20	21	22	23	24	25	26
22	27	28	29	30	31		

365	Giugno						
	Lun	Mar	Mer	Gio	Ven	Sab	Dom
22						1	2
23	3	4	5	6	7	8	9
24	10	11	12	13	14	15	16
25	17	18	19	20	21	22	23
26	24	25	26	27	28	29	30

365	Luglio						
	Lun	Mar	Mer	Gio	Ven	Sab	Dom
27	1	2	3	4	5	6	7
28	8	9	10	11	12	13	14
29	15	16	17	18	19	20	21
30	22	23	24	25	26	27	28
31	29	30	31				

365	Agosto						
	Lun	Mar	Mer	Gio	Ven	Sab	Dom
31				1	2	3	4
32	5	6	7	8	9	10	11
33	12	13	14	15	16	17	18
34	19	20	21	22	23	24	25
35	26	27	28	29	30	31	

365	Settembre						
	Lun	Mar	Mer	Gio	Ven	Sab	Dom
35							1
36	2	3	4	5	6	7	8
37	9	10	11	12	13	14	15
38	16	17	18	19	20	21	22
39	23	24	25	26	27	28	29
40	30						

365	Ottobre						
	Lun	Mar	Mer	Gio	Ven	Sab	Dom
40		1	2	3	4	5	6
41	7	8	9	10	11	12	13
42	14	15	16	17	18	19	20
43	21	22	23	24	25	26	27
44	28	29	30	31			

365	Novembre						
	Lun	Mar	Mer	Gio	Ven	Sab	Dom
44					1	2	3
45	4	5	6	7	8	9	10
46	11	12	13	14	15	16	17
47	18	19	20	21	22	23	24
48	25	26	27	28	29	30	

365	Dicembre						
	Lun	Mar	Mer	Gio	Ven	Sab	Dom
48							1
49	2	3	4	5	6	7	8
50	9	10	11	12	13	14	15
51	16	17	18	19	20	21	22
52	23	24	25	26	27	28	29
1	30	31					

1 gen	Capodanno	**3 mar**	Carnevale	**25 apr**	Anniversario della Liberazione	**15 ago**	Ferragosto	**8 dic**	Immacolata Concezione
6 gen	Epifania	**5 mar**	Martedì Grasso	**28 apr**	Sa die de sa Sardigna	**27 ott**	Ora d'Inverno	**8 dic**	Secondo Avvento
27 gen	Giorno della Memoria	**19 mar**	Festa di San Giuseppe	**1 mag**	Festa dei Lavoratori	**1 nov**	Ognissanti	**25 dic**	Natale
14 feb	San Valentino	**31 mar**	Ora Legale	**12 mag**	Festa della Mamma	**2 nov**	Giorno dei Morti	**26 dic**	Santo Stefano
28 feb	Giovedì Grasso	**14 apr**	Le Palme	**2 giu**	Festa della Repubblica	**4 nov**	Giorno dell'Unità Nazionale	**31 dic**	San Silvestro
		21 apr	Pasqua						
		22 apr	Lunedì dell'Angelo						

Calendario & Giorni festivi

2 Completa **gli spazi con le date di oggi.**

Settimana dal _____ al _____

Anno _____

Faccio l'infermiera. E tu cosa fai?

3 a. Leggi le descrizioni e rispondi alle domande.

1. Che giorno è oggi?

_____

_____

2. Cosa fa Marco durante questa settimana?

_____

_____

3. Cosa fa Stefano di solito durante la settimana?

_____

_____

Marco studia Giurisprudenza a Firenze, ma non è di Firenze: viene da Perugia, in Umbria. Ha lezione da martedì a giovedì. Quando non ha lezione va a studiare in biblioteca. Oggi è lunedì e Marco va a studiare da Tommaso perché venerdì hanno un esame molto importante. In genere, dopo le lezioni della mattina, all'una, Marco va a mangiare alla mensa con i suoi amici. Dopo le lezioni del pomeriggio va a casa e alle 8.30 cena. Marco sta a Firenze da ottobre a luglio e torna a Perugia in dicembre, per le vacanze di Natale e quando non ha lezioni o esami all'università, in agosto e in settembre.

Stefano è un ingegnere informatico e lavora per una compagnia internazionale. Va in ufficio tutti i giorni, dalle 9.00 della mattina alle 6.00 del pomeriggio. Molto spesso viaggia per lavoro, ma il sabato e la domenica è quasi sempre a casa e passa il fine-settimana con la sua famiglia. Quando non è in viaggio, lavora spesso con colleghi che vengono da altre città europee.
Preferisce prendere le ferie in giugno e fare le vacanze con Paola.

b. Vero o Falso?

	V	F
1. Marco studia Giurisprudenza a Perugia.	☐	☐
2. Oggi è lunedì e Marco ha lezione.	☐	☐
3. In genere Marco pranza alla mensa dell'università.	☐	☐
4. In agosto e settembre abita a Perugia.	☐	☐
5. Stefano lavora anche il sabato e la domenica.	☐	☐
6. Stefano non lavora sempre in ufficio.	☐	☐
7. Lavora spesso con colleghi internazionali.	☐	☐
8. Stefano preferisce fare le vacanze da solo.	☐	☐

Parola per parola

1 Osserva **la linea del tempo.**

Passato (prima)	Presente (ora, adesso)	Futuro (dopo)
Ieri	Oggi	Domani

2 La settimana. Osserva e completa **la tabella.**

○ In Italia la settimana comincia di **lunedì!**
○ Il sabato e la domenica sono il **fine-settimana**.
○ **Lunedì**, Marco non ha lezione = **Solo il prossimo lunedì** e non tutti i lunedì.

<---->

○ **Di solito**, Marco ha lezione **il lunedì** = Marco ha lezione ogni settimana, **tutti i lunedì**.

Ieri	Oggi	Domani
(la) domenica	(il) lunedì	_____
_____	(il) martedì	_____
_____	(il) mercoledì	_____
_____	(il) giovedì	_____
_____	(il) venerdì	_____
_____	(il) sabato	_____
_____	* (*la*) domenica	_____

* La domenica è femminile.

3 In che mese? Completa **con i mesi e con le feste importanti per te, o per il tuo Paese.**

	Mese	Feste
1.	_____	*Capodanno*
2.	_____	*Carnevale*
3.	*Marzo*	_____
4.	_____	_____
5.	_____	_____
6.	_____	*Festa della Repubblica*

	Mese	Feste
7.	*Luglio*	_____
8.	_____	*Ferragosto*
9.	_____	_____
10.	_____	_____
11.	_____	*Ognissanti*
12.	_____	*Natale*

4 **a. Che ora è? Che ore sono?** Completa gli spazi con le ore corrette.

le otto e **mezzo** (= trenta) / le nove e dieci / **mezzogiorno** (le dodici) / le undici / le quattro e **un quarto**
(= quindici) del pomeriggio / le otto **meno** venti di sera / le sette **meno** un quarto / **mezzanotte** (le ventiquattro)

11:00 Sono _____   12:00 È _____

9:10 Sono _____   19:40 Sono _____

16:15 Sono _____   18:45 Sono _____

8:30 Sono _____   00:00 È _____

b. Segui **i colori e** completa **gli spazi: Sono le undici...**

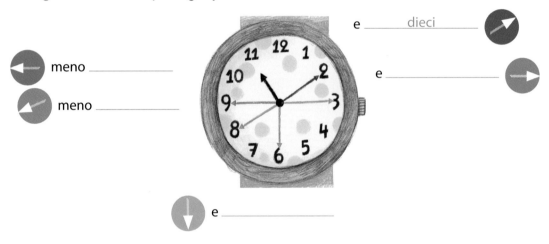

e _____ *dieci* _____

meno _____

meno _____

e _____

e _____

Cosa dici per...

A. Chiedere la data	Che giorno è oggi? Qual è la data?
B. Rispondere	Oggi è lunedì, 9 Luglio 2020.
A. Chiedere in che mese *fai un'azione* */ c'è un evento*	In che mese…?
B. Rispondere	In/A gennaio…
A. Chiedere l'ora	Che ora è?/Che ore sono?
B. Rispondere	Sono le … È mezzogiorno/ È mezzanotte
A. Chiedere a che ora *fai un'azione* */ c'è un evento*	A che ora…?
B. Rispondere	Alle…

Le strutture della lingua

1 Osserva e completa il verbo *venire*.

io	_____
tu	_____
lui, lei, Lei	_____
noi	veniamo
voi	venite
loro	_____

2 Osserva **gli esempi** e completa **le regole**.

a. Preposizioni di luogo (II)

Marco **viene** da Perugia.	**Venire** da + _____
Vengo dall'Umbria /dall'Italia/dall'Europa.	**Venire** dall' + _____ / _____ / _____ che iniziano con vocale (a-e-i-o-u).
Marco **va** a studiare da **Tommaso**. Vieni da me oggi? Quando vai dal **dentista?**	**Andare / Venire** da + **persona** ➡ *a casa di..., allo studio di...*

b. Preposizioni di tempo (I)

Marco ha lezione da martedì a giovedì. Marco sta a Firenze da Ottobre a Luglio. Stefano lavora dalle 9.00 alle 18.00.	da + _____ / a + _____ / dalle + _____ / alle + _____
Marco torna a Perugia in dicembre, [...] in agosto e in settembre	in + _____

c. Preposizione *di*: specificazione

Il quaderno è di Khalinda. Stefano ha un libro sulla storia di Firenze. Siamo nel corso di italiano.	di + _____

3 Completa **con le preposizioni di luogo, di tempo e di specificazione.**

1. Bernardo viene _____ Firenze. Va a scuola tutti i giorni _____ 8.00 _____ 13.00.

2. Vado in Italia _____ aprile _____ giugno e faccio un corso _____ Storia dell'arte.

3. Studiamo economia con i nostri amici _____ 3.00 alle 5.00 del pomeriggio.

4. A: Domani avete lezione nel pomeriggio?
   B: Sì, abbiamo lezione _____ matematica _____ 4.00 _____ 7.00.

5. Venite anche voi a Roma _____ venerdì _____ domenica?

6. Gli studenti leggono il libro _____ architettura.

4 Ora racconta **alla classe cosa fai nel tuo Paese durante la settimana.**

Le feste in Italia

1 Leggi e rispondi **alle domande.**

Due tipiche feste italiane sono l'Epifania e la Festa della Liberazione. L'Epifania segna la fine delle feste natalizie; è una festa religiosa (ricorda l'arrivo dei Re Magi con i regali per Gesù) e durante la notte, una vecchia signora, la Befana, porta dolci ai bambini. La Festa della Liberazione invece è una festa civile e celebra la fine del Fascismo e della Seconda Guerra Mondiale (1940-1945).

Per queste feste le città italiane organizzano eventi pubblici. Questi volantini invitano le persone a partecipare alle celebrazioni pubbliche.

a. Quando è l'Epifania? E la Festa della Liberazione?
b. Che cosa celebrano queste feste?
c. Quali sono le feste tipiche del tuo Paese?
d. Quando si celebrano?
e. Che cosa celebrano?
f. Ci sono eventi pubblici per queste feste?

Testualità

I volantini, o flyer, sono testi speciali perché sono nati per creare interesse e attirare l'attenzione. La loro funzione è informare per fare pubblicità a un evento o a un servizio. Oggi è possibile anche inviare e condividere volantini per e-mail o sui social media.

2 Quali sono le caratteristiche di questi testi? Cosa aiuta di più a capire il significato dei testi?

	sì	no	aiuta	non aiuta
Titolo				
Molte immagini				
Colori				
Simboli				
Numeri				
Messaggio lungo				

Con un compagno fai un volantino per pubblicizzare un evento o un servizio della scuola. Poi, condividilo sui media della scuola.

il mio vocabolario

C
R
E
A
R
E

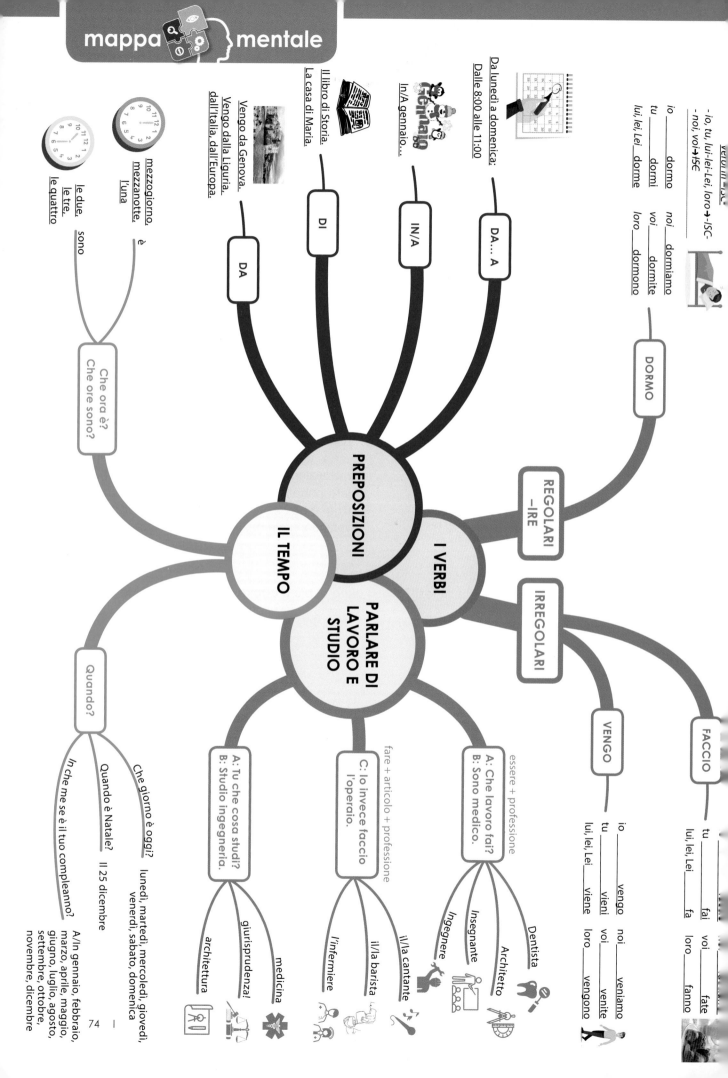

mappa mentale

PREPOSIZIONI

IL TEMPO

I VERBI

PARLARE DI LAVORO E STUDIO

PREPOSIZIONI

DA — Vengo da Genova. Vengo dalla Liguria, dall'Italia, dall'Europa.

DI — Il libro di Storia. La casa di Maria.

IN/A — In/A gennaio...

DA... A — Da lunedì a domenica: Dalle 8:00 alle 11:00

I VERBI

verbi -ISC-
- *io, tu, lui-lei-Lei, loro* → -ISC-
- *noi, voi* → -ISC

DORMO
io	dormo	noi	dormiamo
tu	dormi	voi	dormite
lui, lei, Lei	dorme	loro	dormono

REGOLARI -IRE

IRREGOLARI

FACCIO
tu	fai	voi	fate
lui, lei, Lei	fa	loro	fanno

VENGO
io	vengo	noi	veniamo
tu	vieni	voi	venite
lui, lei, Lei	viene	loro	vengono

PARLARE DI LAVORO E STUDIO

A: Che lavoro fai?
B: Sono medico.

essere + professione
- Ingegnere
- Insegnante
- Architetto
- Dentista

C: Io invece faccio l'operaio.

fare + articolo + professione
- l'infermiere
- il/la barista
- il/la cantante

A: Tu che cosa studi?
B: Studio ingegneria.
- architettura
- giurisprudenza!
- medicina

IL TEMPO

Che ora è?
Che ore sono?
- le due, le tre, le quattro — sono
- mezzogiorno, mezzanotte, l'una — è

Quando?
- Che giorno è oggi? lunedì, martedì, mercoledì, giovedì, venerdì, sabato, domenica
- Quando è Natale? Il 25 dicembre
- In che mese sei è il tuo compleanno? A/In gennaio, febbraio, marzo, aprile, maggio, giugno, luglio, agosto, settembre, ottobre, novembre, dicembre

1 Completa **le frasi in modo corretto.**

1. _____ lezione oggi è molto noios_____.
2. I libr_____ di storia sono interessant_____.
3. Il barist_____ è alt_____ e _____ cameriera è bass_____.
4. Marco ha _____ occhi azzurr_____.

_____ / 10

2 Completa **la chat con le parole della lista.**

dove / chi / come / quando

Ciao Antonio, _____ (1) stai?
Ti va di andare al cinema?

Ciao Luca, certo! _____ (2)?

Domani sera alle nove.

_____ (3) viene?

Vengono anche Angela e Giacomo.

Perfetto! _____ (4) è il cinema?

È in centro, in via Garibaldi. A domani!

_____ / 4

3 Scegli **la preposizione corretta.**

Olivia viene **da / di** Cambridge, **in / a** Inghilterra, ma vive **in / a** Venezia **da / in** settembre **al / a** giugno, perché studia Lingue all'università e **in / dal** luglio torna a casa.
Dal / Di lunedì **a / al** giovedì **alle / a** 10 ha sempre lezione **da / di** italiano.

_____ / 10

4 Completa **le frasi con i verbi della lista.**

leggere / capire / dormire / finire / partire / prendere / scrivere

1. Io e Manuela _____ sempre fino alle 11.
2. Tu e Maria _____ in treno per Napoli, venerdì mattina.
3. Io _____ molti libri nel mio tempo libero.
4. Gli studenti _____ le parole nuove sul quaderno.
5. La lezione di italiano _____ alle 11.
6. Tu _____ molto bene quando la professoressa parla italiano.
7. Tutte le mattine, io _____ l'autobus per andare a scuola.

_____ / 7

5 Completa **con i verbi irregolari fra parentesi.**

Mi chiamo Carmen e sono una studentessa di Giurisprudenza. Dal lunedì al venerdì _____ (andare) all'università, ma il fine-settimana _____ (fare) la cameriera in un ristorante in centro. Molti turisti _____ (venire) a cena e spesso mi _____ (loro-dare) la mancia. Dopo il lavoro io e la mia amica Claudia _____ (andare) spesso in discoteca e _____ (fare) tardi.

_____ / 6

6 Unisci **ogni orologio all'espressione corretta.**

12:20   16:30   20:45   09:15

1/_____   2/_____   3/_____   4/_____

A. Sono le nove e un quarto.
B. È mezzogiorno e venti.
C. Sono le nove meno un quarto.
D. Sono le quattro e mezzo.

_____ / 4

7 Unisci **i mesi con le feste.**

1. Febbraio	a. Festa della Repubblica
2. Aprile	b. Natale
3. Giugno	c. Festa della Liberazione
4. Dicembre	d. Carnevale

_____ / 4

8 Completa **con le parole della lista.**

cameriera / informatica / filosofia / infermiere / lingue

1. Parlo inglese, francese, cinese e russo perché studio _____.
2. Uso sempre il computer perché studio _____.
3. Lavoro in ospedale perché faccio l'_____.
4. Amo Aristotele e Platone, studio _____.
5. Lavoro in un caffè e faccio la _____.

_____ / 5

Totale _____ / 50

Argomenti

Ordinare

Mangiare

In questa unità impariamo

- **Comunicazione**
  Ordinare
  Chiedere e dire il prezzo
  Chiedere il conto
  Esprimere gusti e preferenze
  Chiedere il permesso

- **Lessico**
  Il bar
  Cibi e bibite
  Il ristorante, la trattoria, la pizzeria

- **Strutture**
  Verbi irregolari: dire, bere, uscire
  Il verbo piacere
  Preposizioni con, per, su, tra/fra
  Nomi invariabili

Alla fine dell'unità facciamo il punto con la mappa mentale!

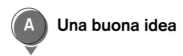

A **Una buona idea**

1 Guarda **l'immagine e** rispondi.

○ Conosci i bar italiani?
○ Cosa prendiamo in un bar italiano?

2 Ascolta **il dialogo e** rispondi.   14 ◁))

○ Quante persone parlano? Chi sono?
○ Dove vanno? Perché?

3 Ascolta **il dialogo e** (cerchia) **le parole che senti.**   14 ◁))

Caffetteria
Caffè ....
Caffè freddo ....
Caffè macchiato ....
Caffè deca ....
Caffè orzo ....
Caffè corretto ....
Cappuccino ....
Latte ....
Camomilla ....
Tè ....
Tè freddo ....

Bibite
Acqua minerale ....
Bibite in lattina ....
Spremuta ....
Centrifuga ....
Succhi di frutta ....

Bevande alcoliche
Birra in bottiglia ....
Vino (calice) ....

Pranzi veloci *dalle 12.00 alle 14.00*
Primi piatti ....
Insalate ....
Verdura cotta ....

Dolci
Cornetti e brioche ....
(vuoto, marmellata, crema, cioccolata)
Paste ....
Pasticcini (all'hg) ....
Torta (fetta) ....

Salati
Tramezzini ....
Panini piccoli ....
Panini grandi ....
Pizzette ....

Liquori
Nazionali ....
(grappa, amaro, sambuca...)
Esteri ....
(whisky, cognac, gin...)

Aperitivi *dalle 18.30 alle 22.30*
con buffet ....
senza buffet ....

4 Ascolta **il dialogo e** completa **in modo appropriato.** 14 ◁))

- Marco mangia un _____ e beve un _____.
- Ingrid mangia una _____ e beve una _____.

5 Ascolta **e** leggi **il dialogo.** Controlla **le risposte delle attività 2, 3 e 4.** 14 ◁))

Ingrid:	Io ho fame, vorrei fare colazione.
Marco:	Che dici, prendiamo qualcosa al bar?
Ingrid:	Dico che è una buona idea!
	………………………………
Ingrid e Marco:	Buongiorno!
Cameriere:	Buongiorno, prego!
Marco:	Io vorrei un cornetto.
Cameriere:	Come? Con la crema, cioccolata, marmellata o vuoto?
Marco:	Con la cioccolata, grazie.
Ingrid:	E per me una pizzetta, per favore.
Cameriere:	Ecco. Bevete qualcosa?
Marco:	Sì. Io prendo un caffè macchiato. E tu?

Ingrid:	Io vorrei una spremuta di arancia, grazie.
	………………………………
Cameriere:	Tutto bene?
Marco:	Sì, volevo pagare. Quant'è?
Cameriere:	In tutto sono sette euro.
Ingrid:	Quanto costa la spremuta? E la pizzetta?
Cameriere:	Tre euro la spremuta e due euro la pizzetta.
Marco:	Cosa fai, Ingrid?
Ingrid:	Pago la mia parte!
Marco:	No no, oggi offro io!
Ingrid:	Allora grazie! Diciamo che la prossima volta pago io!
Marco:	Perfetto!

Parola per parola

1 Completa **con la parola corretta.**

— Al bar —

tramezzini / paste / pizzette / cornetti / torta / cioccolata / vuota / marmellata / crema

Il dolce

1. Le brioche e i _____

4. Le brioche con la _____

2. Le _____

5. Le brioche con la _____

I _____ *pasticcini* _____

6. La brioche _____

3. Le brioche con la _____

7. La fetta di _____

Il salato

I _____ *panini* _____

1. I _____

2. Le _____

— Le bibite —

spremuta / acqua / succhi / centrifughe / lattina

1. L' _____

4. La _____

2. Le bibite in _____

5. Le _____

3. I _____ di frutta

Le bevande alcoliche

vino / birra / liquori

1. La _____ in bottiglia   3. Il _____ bianco, rosé, rosso

2. I _____ nazionali ed esteri

Il pranzo veloce

insalate / verdura

Il primo piatto (pasta) 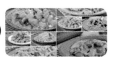   2. Le _____

1. La _____ cotta

L'aperitivo con buffet

2 Completa **il dialogo con le parole corrette.**

Cameriere: Prego, signori, cosa prendete?
A: Io prendo un _____ e un caffè _____.
Cameriere: E Lei, signora?
B: Io preferisco il salato: vorrei un _____ e da bere prendo un
         _____ alla pera.
Cameriere: Il cornetto con la crema, con la _____, con la cioccolata o
         _____?
A: Mm... con la crema.
Cameriere: Bene, ecco.
         ....
A: _____?
Cameriere: Sono € 5.30, grazie e arrivederci.
A e B: Arrivederci!

3 Rispondi.

○ Di solito fai colazione a casa o al bar?
○ Che cosa mangi per colazione?
○ La colazione è un pasto importante per te? Perché?

Cosa dici per...

Chiedere qualcosa in modo gentile	- Vorrei / Volevo...
Ordinare	- Vorrei / Volevo... - Prendo... - Per me...
A. Chiedere il prezzo	- Quanto costa la spremuta? - Quanto costano le paste?
B. Rispondere	- Costa... - Costano...
A. Chiedere il conto al banco A. Chiedere il conto al tavolo	- Quant'è? - (Vorrei/volevo) Il conto, per favore.
B. Rispondere	- Sono...

1 Lavora **con i compagni e con l'insegnante.**
L'insegnante è il/la barista e voi andate al suo bar, ordinate e pagate il conto.

Le strutture della lingua

1 **Ritorna al dialogo a pagina 79.** Osserva **e** completa.

	Dire [Dic-ere]	Bere [Bev-ere]
io	_____	bevo
tu	_____	_____
lui, lei, Lei	dice	_____
noi	_____	beviamo
voi	dite	_____
loro	dicono	_____

Attenzione

Dic-ere è la forma latina del verbo **dire**.
Bev-ere è la forma antica e popolare del verbo **bere**.

2 Completa **con la forma corretta di** *dire* **e** *bere*.

1. Paolo _____ (dire) che ha sonno e quindi _____ (bere) un caffè.
2. Io e Giovanni _____ (bere) vino solo a cena.

3. Gli studenti non _____ (dire) mai "Buongiorno!" al professore.

4. Io _____ (bere) sempre il cappuccino per colazione.

   Tu cosa _____ (bere)?

5. Ragazzi, che _____ (dire)? (voi) _____ (bere) qualcosa con me?

6. Ingrid e Marco _____ (bere) una birra al bar.

7. (io) _____ (dire) a Kiril che è tardi e dobbiamo andare a scuola.

8. Io e Khalinda _____ (dire) sempre la verità.

9. Tu, che _____ (dire), vieni con noi?

3 Leggi **gli esempi e** completa **le regole.**

La preposizione *con*

Marco studia […] **con** Tommaso e Margherita.	
Marco va a mangiare […] **con** i suoi amici.	
[Stefano] passa il fine-settimana **con** la sua famiglia.	1. Con ➠ _____
Preferisce […] fare le vacanze **con** Paola.	
Un cornetto/una brioche **con** la crema/la cioccolata / la marmellata.	

La preposizione *per*

[Marco] torna a Perugia in dicembre, **per** le vacanze di Natale.	
Stefano è un ingegnere informatico e lavora **per** una compagnia internazionale.	1. Per ➠ _____
Molto spesso [Stefano] viaggia **per** lavoro.	
E per me una pizzetta, **per** favore.	

4 Completa **con le preposizioni** *con* **o** *per*.

1. Andiamo al bar _____ Margherita e mangiamo un cornetto _____ la cioccolata.

2. _____ colazione mangio una fetta di torta e bevo un caffè lungo.

3. Cosa prendete, ragazzi? _____ me un cappuccino e _____ te, Roberto?

4. Venite _____ noi a Venezia? No, perché andiamo a Torino _____ Paolo e Marta.

5. _____ le vacanze, preferisco andare al mare _____ la mia famiglia.

6. Lavori _____ un dentista.

B Lezioni di caffè

1 Guarda l'immagine e rispondi alle domande.

- Che cos'è un *caffè normale* in Italia?
- Come facciamo il caffè in Italia?
- Com'è un tipico caffè italiano?
- Conosci altri tipi di caffè italiani?

Parola per parola

Il caffè

| La tazza | la tazzina | in vetro | con zucchero (= dolce) | senza zucchero (= amaro) |

1 Completa con la parola corretta.

macchiato / corretto / ristretto / cappuccino / lungo / caldo

> **i** La *Moka* è la caffettiera che di solito usiamo per fare il caffè a casa.

Il caffè è una parte importante della cultura italiana.
In genere gli italiani bevono un _____ solo a colazione, perché non bevono mai molto latte dopo pranzo. Dopo un grande pranzo o una grande cena ci sono persone che bevono un caffè _____, con un po' di liquore perché aiuta la digestione. Il caffè più comu-ne è un caffè normale o un caffè _____, molto concentrato. Il caffè italiano infatti ha molte varianti: ci sono persone che prendono il caffè _____, con molta acqua, e quindi è servito in una tazza grande; altre invece lo preferiscono _____, con un po' di latte e il latte può essere_____, come per il cappuccino, o freddo.

2 Rispondi.

- Quale tipo di caffè preferisci? Dolce o amaro? Perché?
- Nel tuo paese, com'è il caffè? È diverso dal caffè italiano? Perché?

Cosa dici per...

A. Chiedere informazioni su gusti e preferenze	**Informale** - Ti piace il caffè? - Ti piacciono i dolci? - Ti piace fare il dottore/la dottoressa? **Formale** - Signora, Le piace il cappuccino? - Signor Mori, Le piacciono gli spaghetti? - Dottore, Le piace fare il suo lavoro?
B. Rispondere	- Sì, mi piace/mi piacciono molto/moltissimo/tanto. - No, non mi piace/mi piacciono per niente.

1 Ritorna al listino del Bar Lavazza, a pagina 78.
Lavora con un compagno e domanda cosa gli piace e cosa non gli piace. Poi cambiate i ruoli.

Le strutture della lingua

1 PIACERE
Osserva e completa.

- A **Marco** piace il caffè senza zucchero, **a Paola** non piace il caffè amaro.
- Mi piacciono gli spaghetti, ma non mi piacciono i tramezzini.

	Singolare
a me = mi a te = ti a lui = gli a lei = le a Lei = Le	_____	il gelato la pizza Firenze la pasta bere il caffè italiano ....
	Plurale
a noi = ci a voi = vi a loro = gli	_____	gli spaghetti i cornetti con la crema le amiche italiane i film comici ....

2 Completa con le forme corrette di *piacere*.

1. A: Giorgio, ti _____ Venezia?
   B: Sì, mi _____ moltissimo i canali, a Venezia.
2. A Kiril non _____ i cani, ma gli _____ molto il gatto di Paola.
3. A Paola _____ fare l'infermiera.
4. Ci _____ il bar italiano, ma non ci _____ pagare il conto.
5. Vi _____ gli spaghetti al pomodoro?

3 Osserva e completa.

Singolare	Plurale
Il bar	I bar
Il film	I film
Lo sport	Gli sport
Il menù	I menù
Il caffè	I caffè
La città	Le città

- I nomi _____ e i nomi con _____
  NON cambiano al PLURALE!

- Conosci altri nomi come questi?
  _____
  _____
  _____

C Usciamo stasera?

Osserva il menù e rispondi.

- Conosci la cucina italiana? Ti piace?
- Com'è un tipico pasto italiano?
- Conosci qualche piatto italiano?
- Che cos'è un *menù fisso*?
- Che cos'è il *coperto*?

Menù del Castello

25 €

ANTIPASTO
Antipasto del Castello
(affettati, crescentine,
squacquerone, crostini,
formaggi con marmellate)

PRIMO
(a scelta tra)
Tagliatelle al ragù
Paglia e fieno agli
asparagi
Garganelli alla boscaiola
Pappardelle
al cinghiale

SECONDO
(a scelta tra)
Grigliata mista
Braciola di castrato
Spiedini di carne

CONTORNO
(a scelta tra)
Verdure alla griglia
Patate al forno

DOLCE
Dolci del giorno
Acqua, 1/4 di vino,
caffè

Prenotazioni: 340/9577788

1 Ascolta il dialogo e rispondi.   15 ◁))

1. Cosa fanno i ragazzi sabato sera?
2. Dove vanno?
3. Cosa fanno quando arrivano?

2 Leggi **le frasi, poi** ascolta **e** metti **in ordine le azioni che fanno**
i ragazzi in questa situazione. Segui gli esempi.

15 🔊))

_____ Decidono di invitare anche Kiril.

_____ Si siedono a un tavolo tranquillo, fra la porta e la finestra.

_____ Marco invita Margherita a cena fuori.

_____ Per Kiril è difficile decidere cosa scegliere e Margherita lo aiuta.

___7___ Il cameriere arriva per prendere l'ordinazione.

___5___ Il cameriere porta il menù.

___3___ Vanno a cena in una trattoria che conosce Marco.

3 Ascolta **e leggi** il dialogo. **Controlla** le risposte nelle attività 1 e 2.

15 🔊))

Marco:	Ciao, Margherita, posso entrare?
Margherita:	Sì, vieni!
Marco:	Allora usciamo stasera?
Margherita:	Sì, esco volentieri! Dove andiamo?
Marco:	Ti va di andare a cena fuori?
Margherita:	Sì, dove?
Marco:	Conosco una trattoria davvero buona. Ti va di provare?
Margherita:	Sì! Invitiamo anche Kiril?
Marco:	Certo! Oggi è sabato e di sicuro esce anche lui.

....

Cameriere:	Buonasera, ragazzi. Un tavolo per tre?
Marco:	Sì, possiamo andare a quel tavolo fra la porta e la finestra? È più tranquillo.
Cameriere:	Certo, è libero. Ecco il menù!
Kiril:	Mh... Fra tutti questi piatti è difficile decidere...
Margherita:	Ti aiuto io. Carne o pesce?
Kiril:	Carne!
Margherita:	Non ti piace il pesce?
Kiril:	No!

....

Cameriere:	Prego, ragazzi, cosa prendete?
Marco:	Allora, io prendo...

Parola per parola

1 Il coperto

Completa con la parola corretta.

In Italia, paghiamo il *coperto*: la preparazione del tavolo. Nel *coperto* è incluso tutto quello che troviamo su un tavolo quando ci sediamo.

il sale e il pepe / il bicchiere / il piatto
/ l'olio e l'aceto / il pane

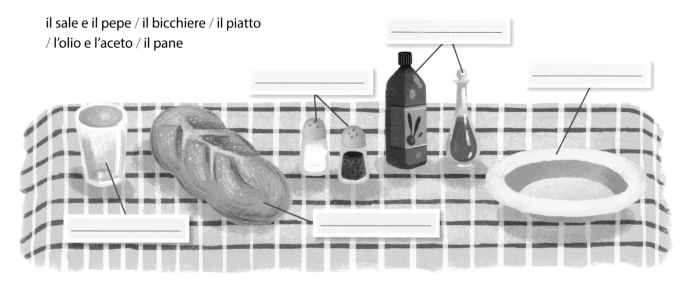

2 Dove mangiamo?

a. trattoria / b. osteria / c. pizzeria / d. bar / e. ristorante

_____ In questo locale mangiamo soprattutto la pizza. Ci sono pizze di molti tipi, ma anche pasta e contorni.

_____ Andiamo qui per mangiare qualcosa e bere diversi tipi di vino.

_____ In questo locale mangiamo soprattutto piatti speciali. È un posto elegante, abbastanza caro e dove gli italiani vanno a cena, per lavoro o in occasioni speciali.

_____ È un posto informale e carino dove mangiamo piatti tipici della città e della regione.

_____ Se andiamo qui la sera o il pomeriggio dopo le 18.00, beviamo qualcosa e mangiamo panini, pizzette, salse e verdure mentre parliamo con amici.

Cosa dici per...

A. Chiedere il permesso	- Posso... - Possiamo...
B. Rispondere	- Sì, certo! - No, mi dispiace!

Trattoria Il gatto e la volpe
MENU

Antipasti
Antipasto toscano
Crostini misti
Prosciutto e melone
Antipasto di pesce

Primi
Spaghetti alla carbonara
Linguine al pesto
Penne all'arrabbiata
Lasagne al forno
Gnocchi al pomodoro
Spaghetti allo scoglio
Risotto ai frutti di mare

Secondi
Bistecca alla fiorentina
Tagliata di pollo
Arrosto misto
Gamberoni alla brace
Branzino al forno

Contorni
Insalata mista
Patate arrosto
Spinaci al limone
Melenzane alla parmigiana

Frutta & Dessert
Frutta di stagione
Tiramisù
Panna cotta
Torta della nonna
Affogato al caffè

Bevande
Acqua minerale
Bibite in lattina
Vino
Birra

Coperto € 2.50

1 Ora guarda il menù della trattoria e confrontati con la classe per capire le parole che non conosci, poi lavora in gruppo con i compagni. Uno è il cameriere e gli altri sono i ragazzi. Continuate il dialogo e ordinate la cena per loro.

Dentro il testo

Come il volantino (➡Unità 4), anche il menu è un testo speciale: vuole **informare** le persone che vanno in un ristorante o in una trattoria su che cosa possono mangiare. Le informazioni devono essere chiare e devono arrivare rapidamente. Infatti il menu è una **lista** dei piatti che possiamo mangiare e quindi **non ha verbi o articoli**, ma solo i nomi dei piatti.

1 Guarda il menu della Trattoria Da Baffo d'oro, a Roma, e rispondi alle domande.

a. Questo menu è organizzato bene?
b. Perché sì/no?
c. Che cosa manca in questo menu?
d. Come è organizzato un pasto italiano?
e. Questa organizzazione è importante in un menu?
f. Perché sì/no?

2 Ora scrivi il menu di un ristorante del tuo Paese e rispondi.

- Il menu italiano è differente dal menu del tuo Paese? Come?
- Secondo te, qual è la differenza fra un menu e un volantino?

DA BAFFO D'ORO MENU
Piazza Cavour, 45 - Roma

Primi Piatti
Minestrone di verdure..........
Gnocchi al pomodoro ....
Spaghetti allo scoglio ....

Dolci
Torta al cioccolato ....
Crostata di marmellata.........
Gelati misti.............................

Antipasti
Crostini misti.........................
Prosciutto e mozzarella.......
Torta di verdure....................

Secondi Piatti
Saltimbocca alla Romana....
Pollo arrosto..........................
Arista in forno........................

Bevande
Acqua minerale......................
Vino bianco o rosso...............
Bibite e birra ....

Contorni
Carciofi in padella ....
Insalata verde ....
Verdure alla griglia ....

Le strutture della lingua

1 Ritorna al dialogo a pagina 87. Osserva e completa.

Uscire

io	_____
tu	esci
lui, lei, Lei	_____
noi	_____
voi	uscite
loro	escono

2 Completa **con la forma corretta di *uscire*.**

1. A che ora tu e Tom _____ da scuola? Di solito (noi) _____ alle 12.45, ma oggi io _____ prima perché arriva mia madre da Boston.
2. Gli amici _____ dalla trattoria alle 23.00 di sera.
3. Stefano _____ dal lavoro alle 18.00 del pomeriggio.
4. (Tu) _____ con me, sabato sera? Andiamo in discoteca?

3 Leggi **gli esempi e** completa **le regole.** Indica **l'espressione corretta.**

La preposizione *fra/tra*

Possiamo andare a quel tavolo fra la porta e la finestra?	Fra ➡ in mezzo / davanti / vicino
Fra tutti questi piatti è difficile decidere…	Fra ➡ lontano /uno in un gruppo / dietro

La preposizione *su*

Nel coperto è incluso tutto quello che troviamo su un tavolo	Su ➡ sotto / vicino / sopra
Perché non dai a Khalinda il tuo libro su Firenze?	Su + città, evento … ➡ il tema di una conversazione, di un libro, di una lezione

4 Completa **con le preposizioni *fra/tra* e *su*.**

1. Firenze è _____ Milano e Roma.
2. Il gatto dorme _____ un letto.
3. Compriamo un libro _____ Milano.
4. C'è un ragazzo indiano _____ gli studenti della classe di Italiano.
5. Scrivo i compiti _____ questo quaderno.
6. A scuola Kiril sta sempre _____ Ingrid e Khalinda.
7. La lezione di Storia dell'Arte è _____ Michelangelo.
8. _____ tutti i tipi di caffè italiani, preferisco il caffè macchiato.

Il bar in Italia

In Italia il bar è il locale pubblico più importante ed è molto diverso dai bar negli altri paesi, dove le persone vanno la sera e bevono soprattutto alcolici. Ci sono moltissimi bar nelle vie e nelle piazze di ogni città e paese e gli italiani vanno al bar durante l'intera giornata.

Al semplice "bar" le persone ordinano e consumano al banco, invece i bar più eleganti che hanno tavolini e camerieri che servono al tavolo si chiamano "caffè" e di solito sono più cari perché l'ordinazione al tavolo è più costosa.

I bar hanno un orario molto lungo: spesso aprono alle sei di mattina e chiudono dopo mezzanotte. Al bar, infatti, molti italiani fanno colazione con cornetto e cappuccino, prendono il caffè a metà mattina, pranzano con un panino o un piatto di pasta e dopo pranzo o nel pomeriggio bevono un altro caffè.

Prima di cena al bar è tradizione fare l'aperitivo, cioè bere una bevanda alcolica o analcolica (cioè senza alcol) e mangiare qualche stuzzichino (olive, tramezzini, pizzette…).

Al bar ci sono bevande calde (come il caffè, il cappuccino o la cioccolata calda) o fredde (come tè freddo o succhi di frutta), alcolici, paste per la colazione, panini per il pranzo e gelati.

Nei piccoli paesi il bar è anche un luogo d'incontro: le persone giocano a carte, leggono il giornale mentre bevono il caffè e parlano con gli amici di lavoro, di sport o di politica. In alcuni bar, molti italiani amano guardare in compagnia i programmi sportivi o le partite di calcio più importanti.

1 Vero o falso?

	V	F
1. Il bar in Italia è molto simile ai bar negli altri paesi.	☐	☐
2. Il bar in Italia non serve bevande alcoliche.	☐	☐
3. I bar con camerieri che servono al tavolo si chiamano caffè.	☐	☐
4. L'ordinazione al banco è più cara dell'ordinazione al tavolo.	☐	☐
5. Il bar ha un orario breve.	☐	☐
6. Molti italiani cenano al bar.	☐	☐
7. In alcuni bar è possibile pranzare.	☐	☐
8. Al bar molti italiani guardano alla televisione i programmi di sport.	☐	☐
9. Alcuni italiani leggono il giornale al bar, mentre prendono il caffè.	☐	☐
10. Gli italiani ordinano il cappuccino dopo pranzo.	☐	☐

il mio vocabolario

C
R
E
A
R
E

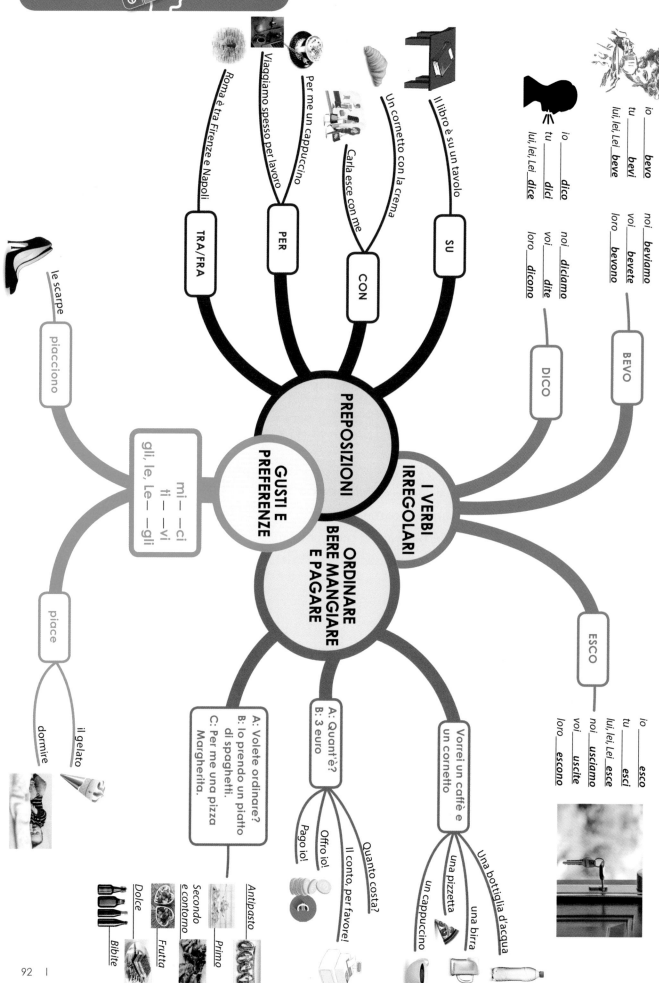

1 Indica e valuta **con una X cosa sai fare in italiano:**

Azioni linguistiche			
So chiedere e parlare di studio e lavoro.			
So chiedere/dire l'ora e informazioni sugli orari.			
So chiedere/dire la data e informazioni sulle date e sulle feste.			
So ordinare da mangiare e da bere.			
So chiedere il prezzo.			
So chiedere il conto.			
So dire cosa mi piace e cosa non mi piace.			
Capisco la differenza fra un bar italiano e un bar nel mio Paese.			
So leggere e scegliere i piatti in un menù italiano.			

2 A scuola è più interessante fare le attività...

Con chi?	Sì	No
da solo		
con un compagno		
con un piccolo gruppo		
con l'insegnante		

Perché _____

_____

3 A casa preferisco studiare italiano...

Come	Sì	No
da solo		
con un compagno		
in gruppo		
con il computer		
solo con i libri		

Perché _____

_____

_____

4 Per imparare di più l'italiano...

attività	🙂	😠
L'insegnante deve parlare sempre in italiano.		
La comunicazione in classe con i compagni deve essere solo in italiano.		
È necessario studiare più grammatica.		
È necessario studiare più vocabolario.		
È necessario fare più esercizi di grammatica e vocabolario.		
Dobbiamo fare molte attività di conversazione.		
Dobbiamo fare molte attività di ascolto.		
Dobbiamo esercitare di più la lingua scritta (lettura e scrittura).		

Argomenti

La città

I mezzi di trasporto

In questa unità impariamo

● **Comunicazione**

Descrivere un posto

Collocare nello spazio (I)

Chiedere e dare informazioni stradali

Esprimere conoscenza, possibilità, permesso, capacità di fare qualcosa

● **Lessico**

Monumenti

Luoghi della città

Direzioni

Mezzi di trasporto

● **Strutture**

Verbi irregolari: potere, volere, dovere e sapere

Nomi in –ma

Preposizioni di tempo (II)

Preposizioni con i mezzi di trasporto

Questo e quello

Indicatori spaziali (I)

Alla fine dell'unità facciamo il punto con la mappa mentale!

A In Piazza della Signoria

1 Osserva **le immagini e** abbina.

1

2

3

4

5

6

7

8

Che cosa c'è in Piazza della Signoria?

a. Il monumento a Cosimo I _____

b. La Loggia dei Lanzi _5_

c. Il David di Michelangelo _____

d. La fontana di Nettuno _____

e. Il Palazzo Vecchio e la Torre
   di Arnolfo _____

f. Il Marzocco _2_

g. Giuditta e Oloferne _____

h. Il Piazzale degli Uffizi _____

2 Ascolta l'audioguida e (cerchia) alcuni monumenti e luoghi che senti.　　18 ◁))

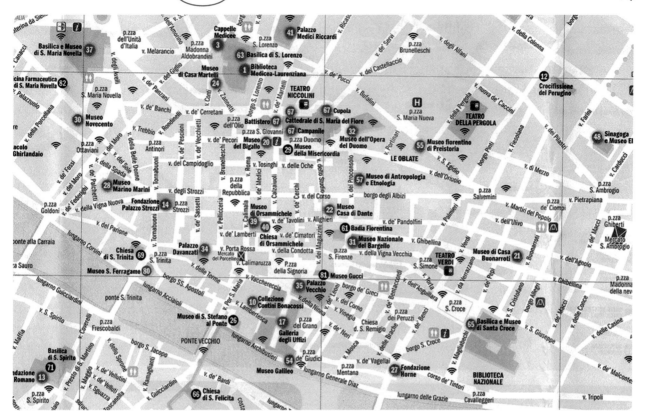

3 Ascolta e scegli l'opzione corretta.　　18 ◁))

1. Il centro della vita politica di Firenze è
a. Piazza della Signoria
b. il Duomo
c. Ponte Vecchio

2. La *Galleria degli Uffizi* è
a. un museo
b. il palazzo del governo della città
c. una statua

3. Il *Perseo* è
a. davanti a *Palazzo Vecchio*
b. nella *Galleria degli Uffizi*
c. nella *Loggia dei Lanzi*

4. Le statue del *David* e di *Ercole e Caco* sono
a. a destra di *Palazzo Vecchio*
b. nella *Loggia dei Lanzi*
c. in *Piazza Santa Croce*

5. *Giuditta e Oloferne* e il *Marzocco* sono
a. nella *Galleria degli Uffizi*
b. a sinistra dell'ingresso al *Palazzo*
c. in *Piazza del Duomo*

6. La fontana di Nettuno e la statua di Cosimo I a cavallo sono
a. nella parte sud della piazza
b. nella parte nord della piazza
c. nella parte est della piazza

4 Ascolta e leggi il testo. Controlla le informazioni nelle attività 1, 2 e 3. 18◀))

Piazza della Signoria è il centro della vita politica di Firenze; è vicino a Ponte Vecchio e a sud della *Cattedrale di Santa Maria del Fiore*, il Duomo di Firenze è la chiesa più importante della città. Piazza della Signoria è un vero museo all'aperto. Il monumento principale della piazza è *Palazzo Vecchio,* con la Torre di Arnolfo. L'architetto Arnolfo di Cambio progetta e costruisce questo palazzo fra il 1298 e il 1302 per ospitare il governo della città. Dal 1540 il Granduca Cosimo I dei Medici abita qui con la sua famiglia e chiede all'architetto Giorgio Vasari di costruire il *Piazzale degli Uffizi*, sul lato sud, perché la città deve avere uno spazio per gli uffici e il Granduca vuole un nuovo palazzo, vicino alla sua residenza. Oggi *la Galleria degli Uffizi* è un museo e se volete ammirare le opere dei più importanti artisti del Rinascimento, dovete assolutamente visitarlo. Sul lato sud del Palazzo, trovate anche la *Loggia dei Lanzi* con le sue quindici statue; fra queste statue, il *Perseo* di Benvenuto Cellini è la più importante.

A destra, davanti all'ingresso del *Palazzo*, potete vedere il *David* di Michelangelo ed *Ercole e Caco* di Baccio Bandinelli. A sinistra dell'ingresso il visitatore può ammirare due importanti statue di Donatello: *Giuditta e Oloferne* e il *Marzocco*, il leone simbolo della città. Il *David* e *Giuditta e Oloferne* sono copie; per ammirare gli originali, dobbiamo andare al Museo dell'Accademia. Anche il *Marzocco* è una copia; l'originale è al Museo del Bargello. Poco lontano potete notare la *Fontana di Nettuno* di Bartolomeo Ammannati e dietro, sul lato nord della piazza, non dovete perdere il *monumento di Cosimo I a cavallo* di Giambologna. In questa meravigliosa piazza ci sono anche i palazzi…

(Adattato da: http://www.florence-guide.it/it/arte-e-storia/monumenti/piazza-della-signoria)

Parola per parola

In città

1 Completa.

piazza / ponte / chiesa / museo / torre / palazzo / piazzale / statua

a. *La fontana*   b. La _____   c. La _____   d. Il _____   e. La _____

f. Il _____   g. Il _____   h. La _____   i. Il _____

2 Abbina **come nell'esempio.**

1. il piazzale
2. la via
3. il viale
4. il campanile

a. la torre di una chiesa con le campane
b. grande piazza, senza palazzi su almeno un lato
c. grande via generalmente con alberi
d. strada dove ci sono le case e i negozi in una città

Lo spazio

3 Completa.

nord / destra / sinistra / qui, qua / sud / centro / davanti / lontano

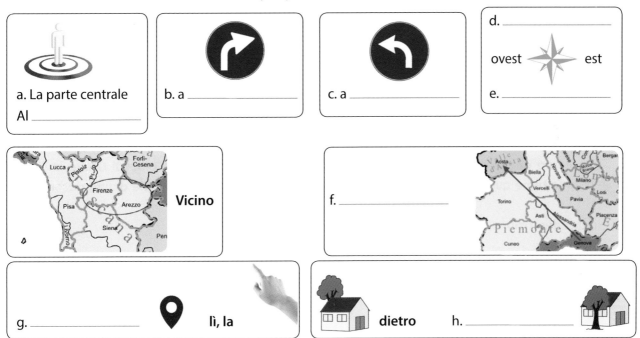

a. La parte centrale
Al _____

b. a _____

c. a _____

d. _____
ovest — est

e. _____

Vicino

f. _____

g. _____
lì, la

dietro

h. _____

4 Cerchia l'opzione corretta.

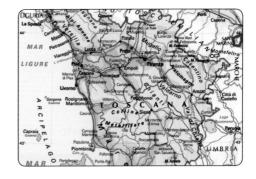

Oggi siamo **qui / lì**, a Greve in Chianti, una piccola città a **nord / sud** di Firenze, famosa per il vino. Siamo **davanti / dietro** a un bellissimo panorama! A **destra / sinistra** c'è una piccola casa e al **centro / sinistra** ci sono due alberi, due cipressi. **Davanti / dietro** ai cipressi c'è una grande casa. Dietro la grande casa, a destra vediamo le colline e **qua / là**, più **vicino / lontano**, a **destra / sinistra** possiamo vedere le montagne dell'Appennino. Siena è a **nord / sud** e Arezzo è a **est / ovest**; il mare è a **est / ovest**: dove andiamo domani?

Cosa dici per...

Collocare nello spazio	Al centro di A destra / sinistra di…
	A nord / sud / est / ovest di… Sul lato sud / nord / est / ovest di…
	Vicino a… Lontano da … Qui / qua Lì /là
	Davanti a… Dietro a…

Dentro il testo

1 Ritorna al testo *In Piazza della Signoria* a pagina 98 dove c'è la descrizione della piazza. Poi ritorna anche al testo a pagina 99 dove c'è la descrizione della città di Greve in Chianti. Osserva bene questi testi e rispondi. Qual è la caratteristica più importante di una descrizione?

In una **descrizione** ci sono molte parole ed espressioni per indicare:

a. il **tempo**

b. lo **spazio**

c. la **frequenza**

2 Ora ritorna ancora ai testi e cerchia tutte le parole ed espressioni importanti per una descrizione. Come si chiamano queste parole ed espressioni tipiche di questi testi?

Nella **descrizione** troviamo _____
e usiamo molti _____.

3 Cerca una foto di un posto interessante della tua città e fai la descrizione alla classe.

Le strutture della lingua

1 Osserva **i verbi**, ritorna **al testo a pagina 98 e** completa.

	Dovere	Potere	Volere
io	devo	posso	voglio
tu	devi	puoi	vuoi
lui, lei, Lei	_____	_____	_____
noi	_____	possiamo	vogliamo
voi	_____	_____	_____
loro	devono	possono	vogliono

2 Completa **con le forme corrette.**

1. A: Marco, _____ (dovere) studiare stasera? _____ (volere) venire al cinema con me?

    B: Mi dispiace, stasera non _____ (potere): io e Maria _____ (dovere) andare a cena da Tommaso.

2. A: Professore, mi scusi, _____ (potere) ripetere per favore?

    B: Certo, Kiril!

3. Margherita e Tommaso _____ (volere) partire per Milano, ma prima _____ (dovere) finire i compiti.

4. Khalinda _____ (volere) visitare la Galleria degli Uffizi.

5. Paolo, _____ (potere) spedire tu l'e-mail agli studenti?

6. Ho fame! _____ (dovere) mangiare e non _____ (volere) aspettare!

7. Ingrid _____ (dovere) incontrare i suoi amici alle 19.00 di sera.

8. A: (Voi) _____ (volere) vedere il *David* di Michelangelo ? Allora _____ (dovere) andare al Museo dell'Accademia, perché questo è una copia.

    B: Bene, (noi) _____ (potere) andare all'Accademia domani, perché non abbiamo lezione.

9. Le amiche di Kiril non _____ (potere) camminare più, perché sono troppo stanche.

10. Io e Giovanni _____ (volere) aprire la finestra, perché abbiamo caldo.

11. Tu e Stefano _____ (potere) fare una passeggiata in centro con me?

Scusi, dov'è la stazione?

B Un programma per il fine-settimana

1 Guarda **le immagini e** rispondi.

Il Colosseo

Piazza di Spagna
Trinità dei Monti

L'Arco di Costantino

Castel Sant'Angelo

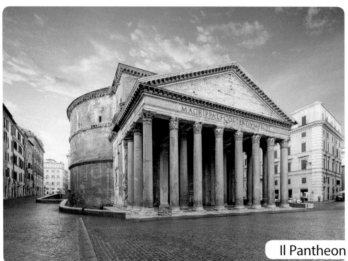

Il Pantheon

L'Altare della Patria

Piazza Navona

La Cappella Sistina

La Fontana di Trevi

a. Perché Roma si chiama anche *la città eterna*?

b. Quale monumento è il simbolo di Roma?

c. Quali sono i monumenti di Roma antica?

d. Qual è la fontana più grande e famosa di Roma?

I Fori Imperiali

2 Leggi **i fumetti e** prova **a capire di che cosa parlano Ingrid, Kiril e Khalinda.**

3 Guarda la mappa del centro storico di Roma e aiuta i tre amici a preparare l'itinerario per il viaggio a Roma. Lavora con un compagno e completa il testo.

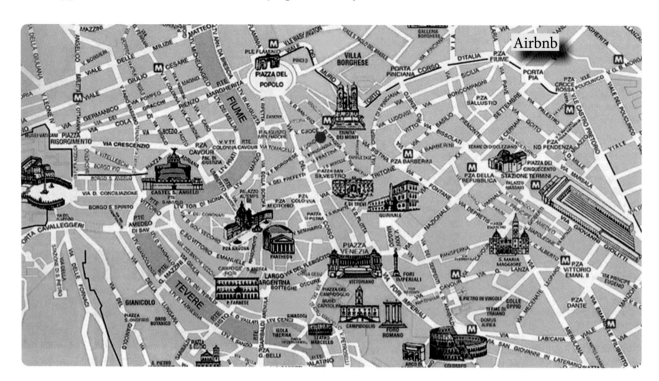

I tre amici venerdì partono in treno per Roma e arrivano nella città eterna alle sei meno un quarto del pomeriggio. Dalla Stazione Termini prendono un taxi e vanno all'Airbnb in Piazza Fiume, 34. Durante il viaggio in taxi, vedono _____.

_____. Fanno una doccia e alle sette e mezzo decidono di andare a cena in _____ e vedono

_____ di notte. Sanno che ci sono molte cose da vedere, ma alle undici e mezzo sono molto stanchi e decidono di andare a dormire.

Sabato mattina _____

_____, poi vanno a _____

con l'autobus. Sabato sera vanno a cena in _____

e poi ritornano a casa in metropolitana.

Domenica vanno con la metro in _____, mangiano

un panino e poi visitano _____.

Alle sei del pomeriggio prendono il treno per Firenze, stanchi ma felici di questa vacanza romana!

Parola per parola

I mezzi di trasporto

1 Completa **con la parola corretta.**

Il treno / il taxi / la bicicletta / la macchina, l'automobile / l'aeroplano (l'aereo)
/ la metropolitana (la metro) / l'autobus

a. _____ *la nave* _____

b. _____ *l'elicottero* _____

c. _____

d. _____

e. _____

f. _____

g. _____

h. _____

i. _____

l. _____ *il motorino* _____

2 Completa.

1. In giugno vado in _____ nel parco.
2. Prendiamo un _____ dalla stazione a casa.
3. Tom e Janet vengono da New York a Roma in _____.
4. Marco guida una Ferrari, una _____ sportiva.
5. Dovete prendere l'_____ numero 6 per andare in via Cavour.
6. Possiamo andare a Milano in due ore e mezzo con il _____ ad alta velocità.
7. A Roma la _____ ha tre linee.
8. A Firenze molti ragazzi usano il _____ per girare in città.
9. Tommaso e Margherita vanno in Sardegna in _____.
10. Puoi vedere un bellissimo panorama della città, quando viaggi in _____.

Cosa dici per...

Esprimere conoscenza	Conosci Firenze / i nuovi amici di Marco / i monumenti di Roma.
Esprimere possibilità	Possiamo andare in treno. Puoi fare la guida turistica per noi?
Esprimere permesso	Posso parlare con Lei, professore?
Esprimere capacità di fare qualcosa	Kiril sa giocare a tennis. So preparare la pizza napoletana.

Le strutture della lingua

1 Ritorna **ai testi a pagina 103 e pagina 104 e** completa.

Sapere

io	_____
tu	sai
lui, lei, Lei	sa
noi	_____
voi	sapete
loro	_____

2 Completa **con le forme di** *sapere.*

1. (Noi) _____ l'italiano.
2. Giulia, _____ dov'è il mio libro?
3. Kiril _____ giocare a tennis.
4. Margherita e Marco non _____ dov'è via Toselli. Voi lo _____?
5. Io _____ preparare la pizza napoletana.

Preposizioni di tempo (II)

2 Osserva **e completa le frasi.**

1. Oggi è giovedì e fra *tre giorni* è sabato. 2. Sono le 8.00 di mattina: _____ _____ vado a scuola. 3. Le vacanze finiscono _____.	**Fra/tra** + *tempo* ➡ l'evento/l'azione è nel **futuro**
4. In *due ore* siamo a Roma. 5. Faccio i compiti _____ e poi vado al cinema. 6. Non potete vedere tutti i monumenti di Roma _____.	**In** + *tempo* ➡ periodo di tempo **necessario** per fare un'azione

7. Stiamo a Roma per *tre giorni*. 8. Camminiamo nel parco _____. 9. Studio In Italia _____.	**Per** + *tempo* ➡ periodo di tempo **determinato**
10. Studi Storia dell'Arte da *due anni*. 11. Abito a Firenze _____. 12. Marco dorme è molto stanco: dorme _____.	**Da** + *tempo* ➡ l'evento/l'azione comincia nel **passato** e continua nel **presente**

3 Osserva e completa con l'opzione corretta.

passato / presente / futuro

In italiano usiamo il **Presente** anche per:

1. fare programmi nel _____.
2. parlare di un evento/un'azione che continua, dal _____
   al _____.

4 Completa con le preposizioni di tempo.

1. Studio italiano a Firenze _____ tre settimane e resto in Italia _____ tre mesi.
   Ritorno in Giappone _____ circa due mesi.
2. Parliamo italiano _____ tutto il giorno con la nostra famiglia ospite.
3. Mario arriva a Bologna _____ un'ora e sta con me _____ il pomeriggio.
4. Ingrid lavora al ristorante _____ sei mesi.
5. Kiril studia ingegneria _____ tre anni e _____ sei mesi finisce l'università.

Preposizioni con i mezzi di trasporto
5 Osserva e completa.

In treno **Con il** treno	**Con il** treno **ad alta velocità**
In taxi **Con il** taxi	**Con il** taxi **giallo**
In autobus **Con l'**autobus	**Con l'**autobus **numero 36**
In metropolitana / **In** metro **Con la** metropolitana / **Con la** metro	**Con la** metro / **con la** metropolitana **di Roma**
In aeroplano / **In** aereo **Con l'**aeroplano / **Con l'**aereo	**Con l'**aereo *Alitalia*
...	...

Con i mezzi di trasporto possiamo usare _____ oppure _____ + articolo. Quando il mezzo di trasporto è **più specifico o modificato** (ad alta velocità, giallo, …) si usa **solo** _____ + _____.

6 Completa **con le preposizioni. Aggiungi anche l'articolo quando è necessario.**

1. Partiamo per Napoli _____ treno e poi da Napoli andiamo _____ nave più veloce all'Isola d'Ischia.

2. Arrivate a Roma _____ aereo della notte?

3. **A:** Vieni a scuola a piedi o _____ autobus?

    B: Abito lontano da scuola e vengo in centro _____ autobus numero 11. Qualche volta vengo _____ bicicletta di Paola.

4. Oggi è venerdì e c'è molto traffico: non posso venire a casa tua _____ macchina, devo venire _____ motorino di mia mamma.

5. Perché non vieni _____ metro? È più veloce e sicuro.

7 Ora lavora **con un compagno e** fate **un programma per il prossimo fine-settimana.**

C A Roma

1 Osserva **e descrivi** l'immagine.

2 Ascolta e rispondi. 19 🔊))

- Quante persone ci sono in questo dialogo?
- Chi sono?
- Dove sono?

> **Osserva!**
> Non c'è campo = non c'è linea, non c'è connessione internet
> Il navigatore è bloccato = è fermo, non dà indicazioni

3 Sì o No? Ascolta e completa come nell'esempio.   19 🔊))

	V	F
1. I ragazzi non sanno che direzione prendere.	☐	☐
2. I ragazzi sono alla stazione.	☐	☐
3. I ragazzi partono dal Piazzale di Porta Pia.	☐	☐
4. Chiedono informazioni a un ragazzo e a una signora.	☐	☐
5. Il ragazzo non è di Roma e non può aiutarli.	☐	☐
6. Anche la signora non è di Roma.	☐	☒
7. I ragazzi non hanno una mappa di Roma.	☐	☐
8. Devono camminare per quindici minuti.	☐	☐

4 Ascolta di nuovo. Ritorna alla mappa di Roma a pagina 104.   19 🔊))
Traccia la strada che devono fare i ragazzi per arrivare alla Stazione Termini.

5 Ascolta e leggi il testo. Controlla le informazioni delle attività 2, 3 e 4.   1 🔊))

Ingrid:	Ragazzi, camminiamo da venti minuti e ancora non sappiamo dov'è la stazione!
Khalinda:	E il nostro treno è fra un'ora! Sono preoccupata…
Kiril:	Questo navigatore è bloccato, forse qui non c'è campo.
Ingrid:	Questo è un problema!
Khalinda:	Sentite, chiediamo a quel ragazzo.
Kiril:	Quello là? Mm, sembra un turista…
Khalinda:	Proviamo! Senti, scusa, sai dov'è la Stazione Termini?
Ragazzo:	No, mi dispiace, non sono di Roma!
Ingrid:	Grazie lo stesso!
Khalinda:	Sentiamo quella signora, forse lei è di Roma. Signora, scusi, sa dov'è la Stazione Termini, per favore?
Signora:	Termini? Sì… questo è il Piazzale di Porta Pia, Termini non è molto lontana, forse quindici minuti a piedi… Avete una mappa della città?
Kiril:	No e il navigatore è bloccato.
Signora:	Allora, vediamo… Andate là, sul lato sud di questo piazzale, prendete Via XX Settembre e poi girate a sinistra in Via Goito. Andate dritto fino a Piazza Indipendenza, girate a destra e andate dritto nel viale. In fondo c'è Piazza dei Cinquecento e sulla sinistra c'è la stazione.
Kiril:	Grazie mille Signora! Arrivederci!
Signora:	Di niente! Arrivederci!
Khalinda:	Forza andiamo, non voglio perdere il treno!

Parola per parola

1 Ritorna **al testo del dialogo a pagina 109 e** completa.

a. _____ a sinistra   b. Andate _____   c. _____ a destra

Cosa dici per...

A. Chiedere informazioni stradali	I. Scusa, sai dov'è... ? F. Scusi, signora, sa dov'è... ?
B. Rispondere	No, mi dispiace... I. Sì. Vai dritto, poi gira a destra / a sinistra. F. Sì. Vada dritto, poi giri a destra / a sinistra. (voi) Andate dritto, poi girate a destra / a sinistra.

Attenzione!
I. = informale
F. = formale

1 Ora ritorna **alla mappa di Firenze a pagina 97 e** lavora **con un compagno. Lo studente A è in Piazza Santa Maria Novella e non sa dov'è:**

- Piazza della Repubblica
- Il duomo
- La Galleria degli Uffizi
- Il Battistero
- Palazzo Vecchio
- La Basilica S. Trinità

- Palazzo Strozzi

Lo studente B dà indicazioni stradali e poi vi scambiate i ruoli.

Le strutture della lingua

1 Ritorna **al dialogo a pagina 109 e** completa **la tabella in modo corretto.**

a. **QUESTO ragazzo si chiama Giulio.**
b. **Questo qui è Giulio!**

c. **QUELLO là, lontano da me.**
d. **Quello là? Sembra un turista…**

Osserva!

- Quando c'è un **nome (a):**
questo cambia in **-o, -a, -i, -e** ➡ segue **il nome**
quello cambia in **-l, -llo, -lla, ….** ➡ segue **l'articolo** che va con il nome.
- Quando **NON** c'è un **nome (b, c, d):**
questo e **quello** cambiamo in **-o, -a, -i, -e** ➡ seguono **il nome che sostituiscono.**

QUESTO	QUELLO
_____ piazzale	_____ ragazzo (il ragazzo)
Questo studente	Quello studente (lo studente)
_____ strada	_____ signora (la signora)
* Questo amico * Questa amica	Quell'amico/amica (l'amico/amica)
Questi ragazzi Queste ragazze	Quei ragazzi (i ragazzi) _____ signore (le signore)
Questi studenti	_____ studenti (gli studenti)
Questi amici Queste amiche	Quegli amici (gli amici) Quelle amiche (le amiche)

* Nell'italiano parlato, colloquiale, si usa molto Quest' amico, Quest' amica, la forma con l'apostrofo.

2 Completa **le frasi con le parole della lista.**

questa / queste / questo / quell' / questi / quegli / quella / quello / quelli

1. _____ treno è sempre in orario, invece _____ delle 16.30 non è mai puntuale.
2. _____ automobile rossa è molto veloce.
3. Vuoi comprare _____ macchina o _____?
4. _____ motorini costano molto, invece _____ non sono cari.
5. _____ navi vanno in Sardegna.
6. _____ autobus sono molto pieni, chiamo un taxi.

3 Osserva **le frasi e** cerchia **l'opzione corretta.**

1. *Siamo davanti a **un** bellissim**o** panora**ma**.*
2. ***Un** program**ma** per il fine-settimana.*
3. *Questo è **un** proble**ma**.*

> *Attenzione!* **Alcuni nomi in -ma sono maschili / femminili.**

4 Ora completa **con gli articoli corretti.**

SINGOLARE (determinativo / indeterminativo)	PLURALE determinativo
__*il*__ / __*un*__ proble**ma**	__*i*__ proble**mi**
_____ / _____ program**ma**	_____ program**mi**
_____ / _____ panora**ma**	_____ panora**mi**

Le città italiane

1 **Leggi una parte del testo della canzone "Made in Italy" di Ligabue. Poi segui i numeri delle città, nella cartina, e completa gli spazi.**

1. _____ ci *accoglie* a *braccia conserte*
Un mezzo sorriso d'Europa

2. _____ ha nel cuore una vecchia stazione e canzoni d'amore del dopo

3. _____ che affonda, bellezza che abbonda

Abbonda a **4.** _____ il mistero

In centro a **5.** _____ una tipa che danza e celebra la primavera

[…]

E **6.** _____ si spacca e si ricompone
Non è come noi la pensiamo
C'è un vecchio *barbone* che ci offre da bere
Poi ride per quelli che siamo

E **7.** _____ è un'isola sempre e per sempre

[…]

E **8.** _____ e a **9.** _____ fra cielo ed inferno

Non sempre puoi fare una scelta
Il mare che spinge, la costa che stringe
L'insegna "C'era una volta"
È un treno che non ferma mai, non cambia mai, non smette mai
È un treno che non è mai stato una volta *in orario*
Tutte queste vite qui
Qui nel Made in Italy
Sotto queste lune, qui
Tutti made in Italy
Belli come il sole

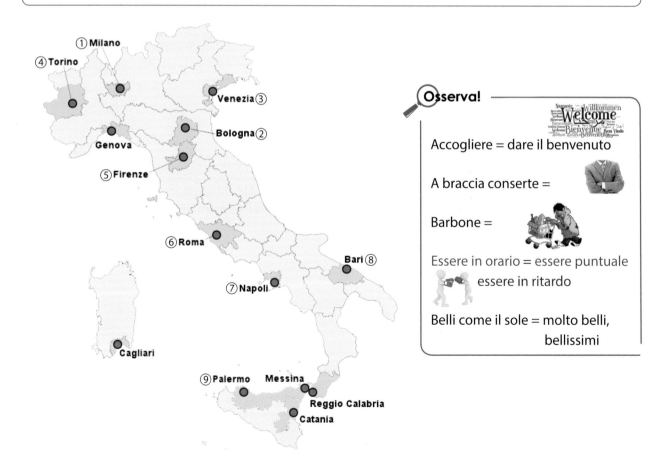

Osserva!

Accogliere = dare il benvenuto

A braccia conserte =

Barbone =

Essere in orario = essere puntuale
essere in ritardo

Belli come il sole = molto belli, bellissimi

L'Italia in pillole

2 Dove sono queste città? Collega.

1.	Palermo	a.	nord
2.	Venezia	b.	sud
3.	Firenze	c.	centro-nord
4.	Milano	d.	centro
5.	Napoli	e.	nord-ovest
6.	Bari	f.	sud
7.	Bologna	g.	centro-sud
8.	Torino	h.	sud-est
9.	Roma	i.	nord-est

3 Descrivi con parole tue le città della canzone. Puoi usare gli aggettivi della lista e se non conosci tutte le città guarda alcune foto.

grande / piccola / turistica / tranquilla / antica / moderna / famosa / bella / brutta / provinciale / rumorosa / eterna / inquinata / triste / metropolitana / marinara (= di mare)

Milano è _____

Bologna è _____

Venezia è _____

Torino è _____

Firenze è _____

Roma è _____

Napoli è _____

Bari è _____

Palermo è _____

Attenzione! In italiano tutte le città sono femminili.
Es. Milano è famosa, Torino è bella.

Adesso cerca e ascolta su internet la canzone "Made in Italy" e buon ascolto! 2 ◁))

il mio vocabolario

C R E A R E

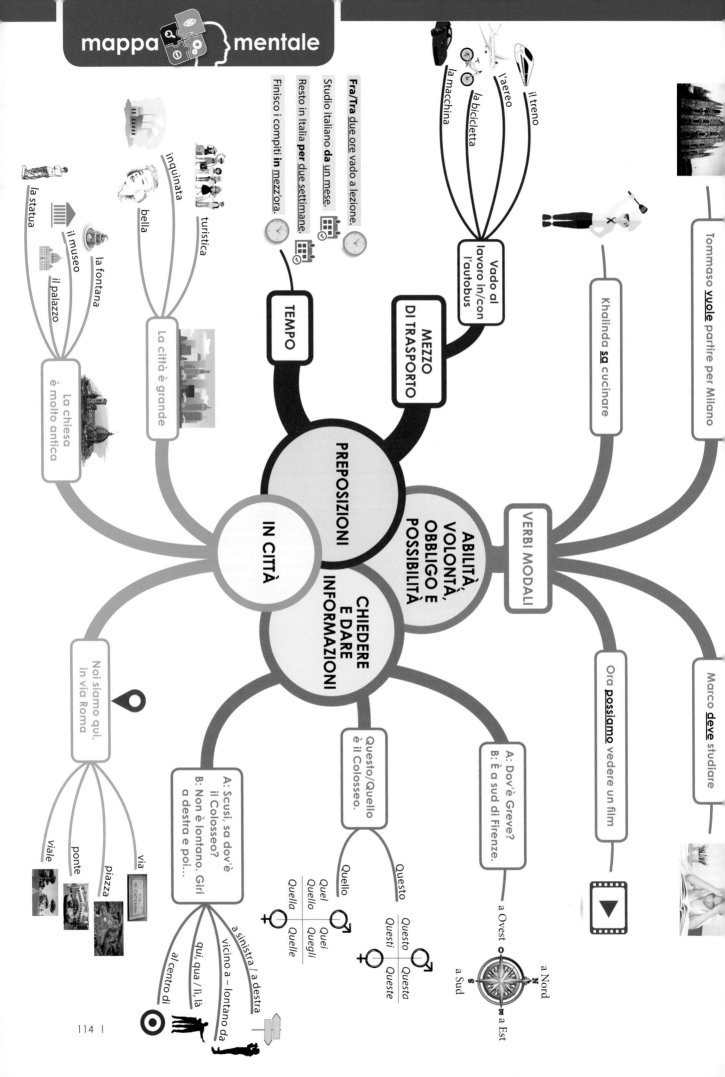
IN CITTÀ

PREPOSIZIONI

TEMPO

Finisco i compiti **in** mezz'ora.

Resto in Italia **per** due settimane.

Studio italiano **da** un mese.

Fra/Tra due ore vado a lezione.

MEZZO DI TRASPORTO

Vado al lavoro in/con l'autobus

la macchina
la bicicletta
l'aereo
il treno

ABILITÀ, VOLONTÀ, OBBLIGO E POSSIBILITÀ

VERBI MODALI

Khalinda **sa** cucinare

Tommaso **vuole** partire per Milano

Marco **deve** studiare

Ora **possiamo** vedere un film

La città è grande

bella
inquinata
turistica

La chiesa è molto antica

la statua
il museo
il palazzo
la fontana

CHIEDERE E DARE INFORMAZIONI

Questo/Quello è il Colosseo.

Questo
Questi
Questa
Queste

Quello
Quel
Quei
Quello
Quegli
Quella
Quelle

A: Dov'è Greve?
B: È a sud di Firenze.

a Nord
a Sud
a Ovest
a Est

Noi siamo qui, in via Roma

viale
ponte
via
piazza

A: Scusi, sa dov'è il Colosseo?
B: Non è lontano. Giri a destra e poi…

a sinistra / a destra
vicino a – lontano da
qui, qua / lì, là
al centro di

1 *Dire*, *bere* o *uscire*? Completa **con il verbo corretto.**

1. La mattina io _____ un caffè e dopo _____ per andare all'università.
2. Pinocchio _____ le bugie.
3. Il sabato sera io e Martina _____ con gli amici e _____ un bicchiere di vino tutti insieme.
4. "Che (voi) _____: prendiamo un caffè?"

_____ / 6

2 Completa **con il verbo** *piacere*.

1. (A me) _____ l'arte moderna.
2. (A Paola) _____ camminare in campagna.
3. (A Luigi) _____ le chiese del centro storico.
4. (A noi) Non _____ il caffè macchiato.
5. (A voi) _____ gli spaghetti alla carbonara.

_____ / 5

3 Scegli **la preposizione corretta.**

Sono in Italia **da / fra** due settimane **per / con** la mia amica Maria e torniamo a casa **in / fra** tre giorni, ma prima di partire vogliamo andare **in / per** treno a Roma. Partiamo domani alle 9 e **in / fra** un'ora arriviamo. Il nostro albergo è **fra le / sulle** colline **fra / su** Roma e Tivoli, ma possiamo arrivare in centro **in / per** autobus. Restiamo a Roma **per / fra** due giorni.

_____ / 9

4 Completa **il dialogo con i verbi fra parentesi.**

• Ciao Chiara, _____ (volere) venire con me e Paolo al cinema?
• Grazie Giulia, ma non _____ (potere), stasera _____ (dovere) andare a teatro con Simone, _____ (noi-volere) vedere "La Traviata". Ma _____ (noi-potere) vederci domani, se siete liberi!
• Non _____ (io-sapere) se Paolo c'è, ma io e te _____ (potere) andare a cena al ristorante indiano, se ti va!
• Buono! A domani sera allora, ci vediamo lì alle otto!

_____ / 7

5 Completa **il dialogo con le espressioni della lista.**

> in fondo / dritto / davanti / a sinistra / gira

• Scusi signore, sa dov'è il bar "Imperatore"?
• Certo, non è lontano, è _____ alla stazione. Vai _____ a via Mazzini, _____ a destra in via Roma e vai _____ per 500 metri. Dopo gira _____ in Piazza della Stazione e sulla destra c'è il bar.

_____ / 5

6 Completa **il dialogo con le parole corrette.**

- Buongiorno signore, volete ordinare?
- Sì grazie, io prendo un ＿＿＿＿＿＿ al limone e un ＿＿＿＿＿＿ al prosciutto.
- E per Lei, signora?
- Per me un ＿＿＿＿＿＿ macchiato e un ＿＿＿＿＿＿ alla cioccolata. Vorrei anche un bicchiere di ＿＿＿＿＿＿ gassata, per favore.

＿＿＿ / 5

7 Completa **il menù con le parole che mancano.**

＿＿＿ / 6

8 Completa **con i mezzi di trasporto.**

1. Prendiamo il ＿＿＿＿＿＿ alla stazione.
2. Prendiamo l'＿＿＿＿＿＿ all'aeroporto.
3. Prendiamo la ＿＿＿＿＿＿ al porto.
4. In città possiamo prendere l'＿＿＿＿＿＿, la ＿＿＿＿＿＿, la ＿＿＿＿＿＿ o il ＿＿＿＿＿＿.

＿＿＿ / 7

Totale ＿＿＿ / 50

Argomenti

Una giornata tipica

Il meteo

In questa unità impariamo

Comunicazione

Descrivere azioni abituali al presente

Descrivere una giornata tipica

Parlare al telefono

Chiedere e dire che tempo fa

Lessico

Attività quotidiane

Le stagioni

Il meteo

Strutture

Verbi riflessivi

Verbi in –care e –gare

Molto, poco, tanto, troppo

Espressioni di frequenza (II)

Alla fine dell'unità facciamo il punto con la mappa mentale!

Che cosa fai a Firenze?

 Un'e-mail a un'amica

1 Guarda **le immagini e** prova **a capire che cosa fa Marco durante il giorno.**

La mia giornata

2 **Che disordine!** Leggi **cosa fa Marco durante la giornata,** controlla **le immagini e** metti **in ordine come nell'esempio.**

a. studio	1. _____ *b* _____
b. mi sveglio	2. _____
c. faccio colazione	3. _____
d. faccio la doccia	4. _____
e. ceno	5. _____
f. vado all'università	6. _____
g. mi alzo	7. _____
h. torno a casa	8. _____
i. mi rilasso e guardo la tv prima di cena	9. _____
l. pranzo al bar	10. _____
m. mi vesto	11. _____
n. vado a letto e mi addormento	12. _____

3 Marco descrive la sua giornata in un messaggio e-mail, per Rossana. 21 ◁))
Ascolta il testo della mail e completa.

   a. mi sveglio _____*alle 7.00*_____
   b. mi alzo
   c. faccio la doccia
   d. mi vesto
   e faccio colazione
   f. _____ vado all'università
   g. _____ pranzo al bar dell'università
   h. torno a casa _____
   i. studio _____
   j. mi rilasso e guardo _____
   k. ceno _____ di sera
   l. vado a letto _____ e mi addormento _____

4 Leggi l'e-mail di Marco per Rossana e controlla le risposte nell'attività 3.

SCRIVI MAIL

A: Roxy95@gmail.com
Oggetto: Ciao da Firenze!

Ciao Rossana,

come stai? Tutto bene a Napoli?
Qui a Firenze le giornate sono molto piene per me e dalla mattina alla sera ho sempre tante cose da fare. La mia giornata comincia alle 7.00: mi sveglio, mi alzo e prima di tutto faccio la doccia, poi mi vesto e faccio colazione perché la mattina ho sempre fame. Bevo un caffè lungo e mangio pane e marmellata o pane e Nutella. Senza doccia e senza caffè, la mattina non mi sveglio!
Alle 8.00 sono pronto per uscire e vado all'università. Dopo le lezioni della mattina, all'una vado a pranzo al bar dell'università e lì incontro anche molti amici e molte amiche che studiano qui come me. Parliamo dei corsi, dei professori e facciamo programmi per il tempo libero. Qualche volta ho lezione anche nel pomeriggio e alle 16.30 torno a casa. In genere dalle 17.00 alle 19.00 studio: metto in ordine gli appunti, leggo quello che consigliano i professori, ecc. ecc. Poi mi rilasso un po' con un videogioco, guardo Netflix o gioco al cellulare, dopo faccio la cena e fra le 20.00 e le 20.30 mangio. Qualche volta vengono da me i miei amici e ceniamo insieme, oppure usciamo. Mi diverto troppo con loro!
Se sono da solo e non esco, verso le 23.30 vado a letto e mi addormento subito perché in genere sono molto stanco.
Tu, come passi le tue giornate? Vai all'università tutti i giorni? Sei anche tu molto stanca?

Un abbraccio e a presto,
Marco

Sans Serif ⌄ ⊤̅ ⌄ B I U A ⌄ E ⌄ ☰ ☷ ☲ ☵ 99 S X̶

INVIA ⌄   A̲ ⫏ ⚬ ☺ ⧄ ▣ ⬀

5 Leggi ancora l'e-mail e rispondi.

   a. Marco fa colazione a casa o al bar? Cosa prende per colazione?
   b. Cosa fa Marco al bar dell'università durante il pranzo?
   c. Come passa la serata Marco?

Parola per parola

Le attività quotidiane

1 Completa **con l'espressione corretta.**

vestirsi / fare la doccia / fare colazione / alzarsi / svegliarsi / lavarsi / fare il bagno / dormire / addormentarsi / divertirsi / rilassarsi

a. *farsi la barba*

b. *truccarsi*

c. *asciugarsi*

d. _____

e. _____

f. _____

g. _____

h. _____

i. _____

l. _____

m. _____

n. _____

o. _____

p. _____

2 **Ora** racconta **alla classe la tua giornata.**

Cosa dici per...

Cominciare un'e-mail a un amico/un'amica	Ciao [Rossana], Cara [Rossana], Caro [Paolo],
Chiudere un'e-mail a un amico/un'amica	Un abbraccio! Ciao, a presto! Un abbraccio e a presto!

Le strutture della lingua

1 Ricordi **il verbo *chiamarsi* (Unità 1)?** Prova **a coniugarlo.**

Chiamarsi

mi	chiamo
	_____
	_____
	_____
	_____
	_____

Come ti chiami?

1.1 **Molti verbi che usiamo per parlare delle <u>attività della giornata</u>, si coniugano come chiamarsi. Quali sono questi verbi?** Fai **una lista:**

1. _____   5. _____

2. _____   6. _____

3. _____   7. _____

4. _____

• Anche molti verbi che usiamo per parlare di <u>emozioni</u> e <u>condizioni psicologiche</u> sono come *chiamarsi*. Per esempio:

> rilassarsi
> innamorarsi
> riposarsi ⬅➡ stancarsi
> divertirsi ⬅➡ annoiarsi
> arrabbiarsi ⬅➡ calmarsi

- In genere, ma <u>NON</u> sempre, questi verbi indicano un'azione che una persona fa sul suo corpo o per se stessa ⟶ **verbi riflessivi.**
- La forma base, l'*infinito,* finisce con *-si*: rilassarsi. Questi verbi sono regolari, escluso **sedersi.**

io mi	**siedo**
tu ti	**siedi**
lui, lei, Lei si	**siede**
noi ci	sediamo
voi vi	sedete
loro si	**siedono**

1.2. Ora prova **a coniugare questi verbi regolari.**

	alzar̸si		metter̸si		vestir̸si	
io	___	_____	___	_____	___	_____
tu	___	_____	___	_____	___	_____
lui, lei, Lei	___	_____	___	_____	___	_____
noi	___	_____	___	_____	___	_____
voi	___	_____	___	_____	___	_____
loro	___	_____	___	_____	___	_____

2 Completa **con la forma corretta del verbo.**

1. Roberto _____ (asciugarsi) dopo la doccia e poi _____ (vestirsi) per uscire. _____ (mettersi) anche il cappello perché oggi è molto freddo.
2. Sono molto stanca! La mattina _____ (alzarsi) presto e la sera _____ (addormentarsi) tardi. Devo proprio riposarmi!
3. Tutte le mattine Ingrid e Khalinda _____ (truccarsi); Kiril e Marco _____ (farsi la barba).
4. (noi-sedersi) _____ qui o preferisci quel tavolo là?
5. Ragazzi, a che ora _____ (svegliarsi)?
6. Tu _____ (lavarsi) le mani prima di mangiare?

Dentro il testo

L'e-mail a un amico/un'amica

1 Ritorna **all'e-mail di Marco a pagina 119 e** scegli **l'opzione corretta.**

a. Marco scrive a Rossana per:

- **dare informazioni** su Firenze.

- **raccontare, narrare** come passa le giornate a Firenze.

- **descrivere** la città di Firenze.

b. Il testo ha molte parole ed espressioni per indicare:

- lo **spazio** (dove?)

- la **causa** (perché?)

- il **tempo** (quando?)

1.1 Ritorna **al testo dell'e-mail e** cerchia **le parole ed espressioni importanti in questo tipo di testo.**

2 **Ora lavora con un compagno.** Scrivete **la risposta di Rossana all'e-mail di Marco.** Usa **le parole ed espressioni tipiche di questo testo.**

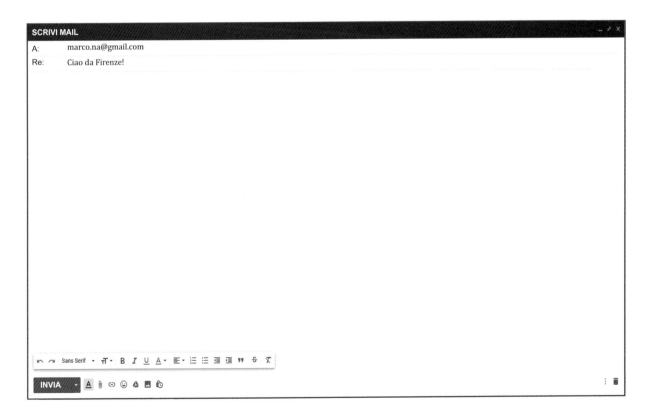

```
SCRIVI MAIL                                                          _ ⤢ ×
A:        marco.na@gmail.com
Re:       Ciao da Firenze!




↶ ↷  Sans Serif  ▾  ₸T▾  B  I  U̲  A̲ ▾  E̲ ▾  ⦂≡ ⦂≡ ⤓≡ ⤒≡  ❞  ↯  X̶

INVIA  ▾  A̲  ⬛  ⊙  ☺  △  ▣  ⬙                                    ⦂  🗑
```

Al Giardino Bardini

1 Guarda **le immagini e** rispondi:

a. In che periodo dell'anno siamo?

Siamo in _____

> **i mesi dell'anno**
>
> | | |
> |---|---|
> | gennaio | luglio |
> | febbraio | agosto |
> | marzo | settembre |
> | aprile | ottobre |
> | maggio | novembre |
> | giugno | dicembre |

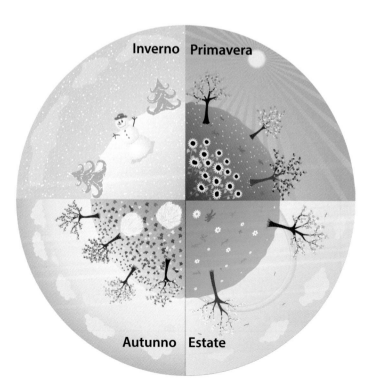

b. Cosa c'è nel Giardino di Villa Bardini?
c. Cosa pensi di questo posto?

2 Osserva e descrivi le immagini.

3 Sì o no? Ascolta e rispondi come nell'esempio.

22 ◁))

	Sì	No
1. Oggi il tempo è bello.	☐	☐
2. Tommaso invita Khalinda a uscire con lui.	☐	☐
3. Tommaso vuole vedere il Ponte alle Grazie.	☐	☐
4. Khalinda non vuole uscire con lui.	☐	☐
5. Tommaso è triste per la risposta di Khalinda.	☐	☒
6. Khalinda aspetta Tommaso davanti a casa.	☐	☐

4 Ascolta e metti in ordine le battute del dialogo.

22 ◁))

☐ Ok, ti aspetto davanti alla porta.

☐ Sì, questa idea mi piace molto. Vengo volentieri!

☐ Tutto bene. Tu come stai?

☐ Bene, grazie. Senti, oggi è una bella giornata: c'è il sole e non fa freddo.

☐ Ciao Khalinda. Come va?

☐ Benissimo, allora vengo da te fra un'ora e andiamo insieme.

☐ Dov'è?

☐ Allora: ti va di fare una passeggiata al Giardino Bardini?

☐ Sì, pronto. Ciao Tommaso

1 Pronto?

☐ Perfetto! A dopo.

14 Ciao, a più tardi!

☐ È vero, ci sono poche nuvole. Finalmente oggi non piove! È proprio primavera!

☐ È sulle colline di Firenze, vicino a Ponte alle Grazie. In primavera è molto bello, ci sono tanti fiori. Possiamo fare una passeggiata e poi prendiamo qualcosa al bar nel giardino.

5 Ora ascolta e leggi il dialogo in ordine. Controlla le risposte nelle attività 3 e 4.

22 ◁))

Parola per parola

1 Le stagioni
Completa come nell'esempio.

Stagione	Mesi
PRIMAVERA	*marzo, aprile, maggio, giugno*
ESTATE	
AUTUNNO	
INVERNO	

2 Il tempo atmosferico
Che tempo fa? Com'è il tempo?

I
Fa bel tempo / È bello
Fa caldo / È caldo
Fa fresco / È fresco

C'è il sole, il cielo è sereno

II
Non molto bello

È poco nuvoloso

È molto nuvoloso

III
Fa brutto tempo / È brutto
Fa freddo / È freddo

Piove - C'è **la pioggia**

Nevica – C'è **la neve**

Tira **vento**

C'è **un temporale**

3 Guarda **le immagini e** rispondi. **In che stagione siamo? Che tempo fa?**

1   2   3   4

4 **Ora** rispondi **alle domande.**

   a. Che tempo fa oggi?
   b. Com'è il tempo nella tua città?
   c. Quale stagione ti piace di più? Perché?

Cosa dici per...

A. Cominciare una conversazione al telefono	Pronto?
B. Rispondere al telefono	Sì, pronto!
A. Chiedere informazioni sul tempo atmosferico	Che tempo fa? Com'è il tempo oggi?
B. Rispondere	Fa bel tempo / brutto tempo C'è il sole / è sereno È (poco/molto) nuvoloso Piove /Nevica/ Tira vento Fa / È caldo/fresco/freddo

1 Lavora **con un compagno,** scegliete **una situazione,** mettetevi **di spalle e** parlate **come al telefono.**

   a. Ingrid è a Roma, tu sei a casa. Telefoni per sapere come sta e parlate del tempo.
   b. Ti alzi e la tua compagna di classe/corso dice che oggi potete solo stare a casa e studiare perché il tempo…
   c. Tu e il tuo amico volete andare a sciare e domandi se lui conosce le previsioni del tempo in montagna. Risponde che il tempo è ideale per sciare.

   d. Inviti un amico a fare una passeggiata in campagna, ma lui dice che forse non è una buona idea, perché il tempo è instabile.
   e. Chiedi a Margherita se vuole venire al mare con te, perché oggi il tempo… E lei risponde che …
   f. È inverno e non ti piace il tempo. Marco ti chiede come stai e tu dici che…
       Marco risponde che gli piace il tempo perché…

Le strutture della lingua

1 **Ritorna all'e-mail di Marco a pagina 119 e alla telefonata fra Tommaso e Khalinda a pagina 125.**
Cerchia, nei testi, queste parole: *molto, poco, tanto, troppo.* **Poi cerchia l'opzione corretta:**

a. *molto, poco, tanto, troppo* **cambiano / non cambiano** se sono <u>prima</u> di un **aggettivo** o <u>dopo</u> un **verbo.**

b. *molto, poco, tanto, troppo* **cambiano / non cambiano** se sono <u>prima</u> di un **nome.**

2 **Ora completa le frasi dell'e-mail di Marco e della telefonata, con la forma corretta delle parole in parentesi. Poi ritorna ai testi a pagina 119 e 125, per controllare se le tue risposte sono corrette.**

L'e-mail di Marco

1. Qui a Firenze le giornate sono _____ (molto) piene per me e dalla mattina alla sera ho sempre _____ (tanto) cose da fare.

2. Dopo le lezioni della mattina, alle 13.00 vado a pranzo al bar dell'università e lì incontro anche _____ (molto) amici e _____ (molto) amiche.

3. Mi diverto _____ (troppo) con loro!

4. […] in genere sono _____ (molto) stanco.

5. Sei anche tu _____ (molto) stanca?

La telefonata

1. È vero, ci sono _____ (poco) nuvole.

2. In primavera è _____ (molto) bello, ci sono _____ (tanto) fiori.

3. Sì, questa idea mi piace _____ (molto). Vengo volentieri.

(C) Al bar del Giardino Bardini

1 Rispondi.

- Cosa ti piace fare nel tempo libero, quando non devi studiare o lavorare?
- Cosa è più divertente per te?
- Sei pigro/a o attivo/a?
- Fai uno sport? Hai un hobby?

2 Ascolta e cerchia l'opzione corretta.   23 ◁))

a. Tommaso e Khalinda parlano di **cinema / attività del tempo libero / scuola.**

b. Tommaso e Khalinda sono ragazzi **attivi / pigri / studiosi.**

c. Tommaso vuole **visitare un museo / andare in palestra /viaggiare o cenare** con Khalinda.

3 Ascolta e rispondi.   23 ◁))

a. Tommaso fa uno sport? Quale? E Khalinda?

b. Tommaso e Khalinda hanno uno o più hobby? Quali?

4 Ascolta e leggi **il dialogo.** Controlla **le risposte nelle attività 2 e 3.**   23 ◁))

Tommaso: Allora Khalinda, ti piace stare a Firenze?

Khalinda: Sì, mi piace davvero. E a te, Tommaso?

Tommaso: Sì, anche a me. Sto bene qui.

Khalinda: Cosa fai nel tempo libero?

Tommaso: Sono molto sportivo. Il mercoledì io e Marco giochiamo a tennis e due o tre giorni alla settimana faccio jogging. Tu giochi a tennis?

Khalinda: No. Io faccio ginnastica per tenermi in forma. Vado in palestra il martedì e il giovedì.

Tommaso: Hai degli hobby?

Khalinda: Il mio preferito è viaggiare, ma è un po' caro!

Tommaso: Benissimo perché nel tempo libero mi piace fotografare paesaggi e panorami. Dobbiamo fare un viaggio insieme!

Khalinda:	Eh, aspetta un attimo. Mi piace anche cucinare e suono la chitarra classica.
Tommaso:	Allora dobbiamo organizzare una cena. Tu cucini, io mangio, poi suoni la chitarra e cantiamo un po' di canzoni italiane!
Khalinda:	Invitiamo anche gli altri?
Tommaso:	Chi? Ingrid, Kiril, Marco e Margherita?
Khalinda:	Sì!
Tommaso:	Mah, forse prima facciamo una prova io e te, poi invitiamo anche gli altri, no?
Khalinda:	Vediamo… Adesso è tardi, dobbiamo andare.
Tommaso:	Va bene. Paghiamo e usciamo subito.

Parola per parola

1 Completa **con l'attività corretta.**

fare una passeggiata / suonare la chitarra / fotografare / leggere / cucinare / fare jogging
/ fare ginnastica / guardare la TV / telefonare / viaggiare

Le attività del tempo libero

a. _____

b. _____ *andare al cinema* _____

c. _____

d. _____

e. _____

f. _____

g. _____

h. _____ *fare shopping* _____

i. _____

l. _____ *andare in bicicletta* _____

m. _____ *ascoltare musica* _____

n. _____ *navigare su internet* _____

o. _____

p. _giocare a scacchi_

q. _incontrare amici_

r. _visitare un museo_

s. _____

t. _____

u. _ballare_

2 **Secondo te, che cosa fanno Ingrid, Kiril e Margherita?** Leggi **le descrizioni e** scrivi **che cosa fanno nel tempo libero.**

- **Ingrid** è una ragazza un po' pigra, ma vuole tenersi in forma. Le piacciono molto la moda e i vestiti e adora parlare con gli amici.

_____

- **Kiril** è un ragazzo molto attivo. Gli piacciono la musica e il movimento.

_____

- **Margherita** è una ragazza pigra, ma le piacciono molto i film e non le piace stare da sola. Solo con gli amici può essere attiva.

_____

Cosa dici per...

A. Chiedere informazioni sulle attività del tempo libero	- Cosa fai nel tempo libero? - Cosa ti piace fare quando non studi /lavori? - Fai uno sport? - Hai un hobby?
B. Rispondere	- Gioco a tennis/calcio/… - Faccio ginnastica - Mi piace viaggiare/cucinare/fotografare…
Esprimere la frequenza esatta di un'azione	- una volta/due/tre… volte alla settimana/al mese/ all'anno… - Il lunedì/martedì/mercoledì…

Le strutture della lingua

1 **Ricordi i verbi in –*are*?** Osserva **il dialogo a pagina 125 e** completa.

	Giocare	Pagare
io	gioco	_____
tu	_____	_____
lui, lei, Lei	_____	_____
noi	giochiamo	_____
voi	_____	_____
loro	_____	_____

Attenzione

Cercare, dimenticare, pregare, navigare, legare, ecc… si coniugano come giocare e pagare.

2 Completa **con la forma corretta del verbo.**

1. ● Paolo, cosa _____ (cercare) nello zaino?
   ● (io) _____ (cercare) una penna.
2. Ci piace molto navigare su Internet. La sera _____ (navigare) sempre per cercare informazioni turistiche.
3. Spesso Tommaso _____ (dimenticare) di prendere il dizionario di italiano.
4. Gli studenti _____ (pregare) il professore di non fare il test, oggi.
5. Ingrid _____ (legare) i capelli a Margherita.
6. (Noi) _____ (pregare) i visitatori del museo di stare in silenzio.
7. (Tu) _____ (giocare) a calcio con gli amici, il pomeriggio?
8. Sì, (noi) _____ (giocare) sempre al parco.

Gli italiani e le vacanze

1 Leggi **il testo e** rispondi.

Gli italiani vanno in vacanza principalmente in due momenti dell'anno: in inverno, durante il periodo di Natale e in estate, specialmente in agosto. In questi periodi infatti tutte le scuole sono chiuse e anche molti uffici, negozi e fabbriche chiudono per ferie.

Durante le vacanze di Natale, la meta preferita è la montagna e molti italiani partono per andare a sciare sulle Alpi o sugli Appennini. In estate invece gli italiani preferiscono il mare. La scelta della destinazione per le vacanze estive dipende generalmente dall'età delle persone: i giovani amano località come Rimini e Riccione sulla costa adriatica, o la Versilia sulla costa tirrenica, perché ci sono moltissimi locali, pub e discoteche; le famiglie con bambini e gli anziani invece preferiscono posti più tranquilli, con spiagge e pinete.

Negli ultimi anni sempre più persone scelgono di fare viaggi internazionali, per visitare importanti città straniere.

1. Quando vanno in vacanza gli italiani?
_____

2. Dove vanno?
_____
_____

3. Quando e dove passano le vacanze, le persone nel tuo paese?
_____
_____

4. E a te, dove piace passare le vacanze e perché? Scrivi un breve testo (almeno 60 parole).
_____
_____
_____
_____

il mio vocabolario

C
R
E
A
R
E

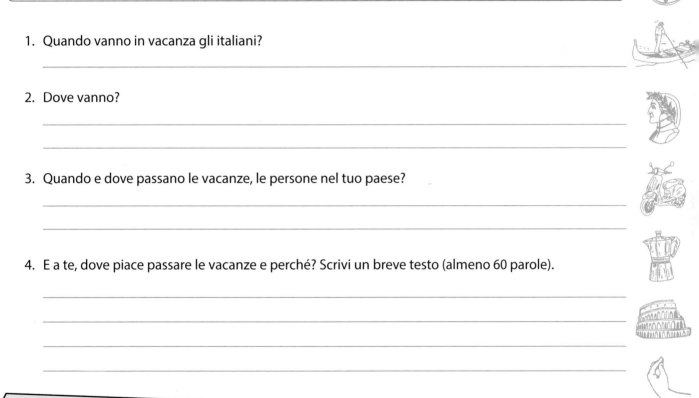

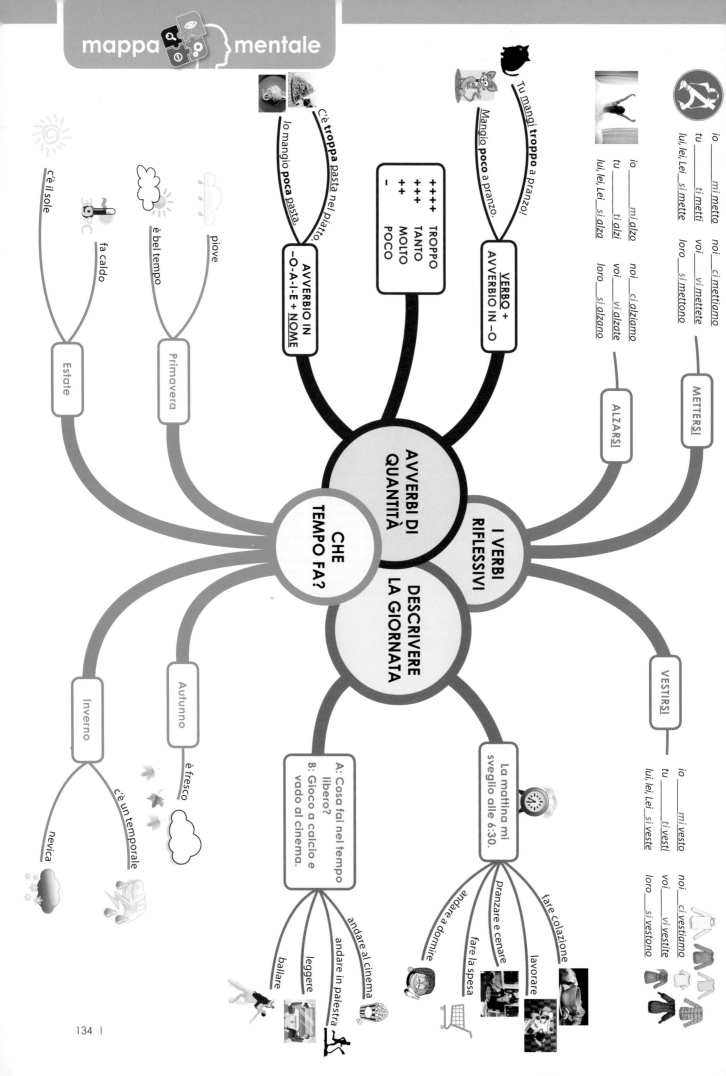

CHE TEMPO FA?

- Estate
  - c'è il sole
  - fa caldo
- Primavera
  - è bel tempo
  - piove
- Autunno
  - è fresco
- Inverno
  - c'è un temporale
  - nevica

AVVERBI DI QUANTITÀ

- AVVERBIO IN –O-A-I-E + NOME
  - Io mangio **poca** pasta.
  - C'è **troppa** pasta nel piatto.
- ++++ TROPPO
- +++ TANTO
- ++ MOLTO
- – POCO
- VERBO + AVVERBIO IN –O
  - Mangio **poco** a pranzo.
  - Tu mangi **troppo** a pranzo!

I VERBI RIFLESSIVI

- METTERSI
  - io ___ mi metto — noi ___ ci mettiamo
  - tu ___ ti metti — voi ___ vi mettete
  - lui, lei, Lei ___ si mette — loro ___ si mettono
- ALZARSI
  - io ___ mi alzo — noi ___ ci alziamo
  - tu ___ ti alzi — voi ___ vi alzate
  - lui, lei, Lei ___ si alza — loro ___ si alzano
- VESTIRSI
  - io ___ mi vesto — noi ___ ci vestiamo
  - tu ___ ti vesti — voi ___ vi vestite
  - lui, lei, Lei ___ si veste — loro ___ si vestono

DESCRIVERE LA GIORNATA

- La mattina mi sveglio alle 6:30.
  - andare a dormire
  - fare la spesa
  - Pranzare e cenare
  - lavorare
  - fare colazione
- A: Cosa fai nel tempo libero?
  B: Gioco a calcio e vado al cinema.
  - ballare
  - leggere
  - andare in palestra
  - andare al cinema

1 Valuta e indica **con una X cosa sai fare in italiano:**

Azioni Linguistiche	😄	😊	😠
So descrivere un luogo.			
So chiedere e dare informazioni stradali.			
So parlare di azioni abituali al presente.			
So parlare delle attività preferite.			
So raccontare una giornata tipica.			
So parlare al telefono.			
So parlare del tempo atmosferico e delle stagioni.			
Conosco alcune città italiane e la geografia dell'Italia.			
So scrivere un'e-mail a un amico.			

2 Quando <u>ascolti</u> o <u>leggi</u> un testo in italiano, cosa è più utile fare se non capisci una parola?

Azione	😄	😠
Fermarsi sulla parola che non capisco e cercarla sul vocabolario.		
Cercare di capire la parola dal contesto (nella frase).		
Cercare solo di capire il significato generale del testo.		
Chiedere a un compagno.		
Chiedere all'insegnante.		

Perché _____

_____

_____

3 Quando parli italiano in classe, cosa preferisci?

- L'insegnante deve correggere tutti gli errori mentre parlo.
- L'insegnante deve correggermi solo quando lei/lui non capisce o i compagni non capiscono.
- Le attività di correzione a coppie o in piccoli gruppi.
- Le attività di correzione anonima, con tutta la classe.

Perché _____

_____

_____

4 Quando capisco che faccio degli errori ....

- mi sento frustrato/a.
- mi sembra di non imparare abbastanza.
- penso che per imparare devo fare anche degli errori.
- penso che l'importante è comunicare, non parlare in modo perfetto.

Perché _____

_____

_____

Argomenti

La mia
famiglia

La mia casa

In questa unità impariamo

Comunicazione
Descrivere la famiglia
Descrivere una casa
Descrivere una stanza
Collocare nello spazio (II)

Lessico
La famiglia
La casa

Strutture
Preposizioni articolate
Aggettivi possessivi
Indicatori spaziali (II)
Numeri ordinali

**Alla fine dell'unità
facciamo il punto con
la mappa mentale!**

A **Una situazione difficile**

1 Rispondi.

○ Ti ricordi dove abitano i nostri amici Ingrid, Kiril e Khalinda? (*Unità 3*)
○ E i loro amici italiani, Tommaso e Marco, ti ricordi dove abitano? (*Unità 3*)
○ Guarda l'immagine: cosa significa **la casa** per te?

2 Osserva **queste parole ed espressioni.**

○ Il coinquilino = una persona che abita con me
○ Fare casino (*informale*) = fare confusione
○ C'è sempre casino (*informale*) = c'è sempre confusione
○ Come ti trovi? = Come stai? (in una situazione)
○ Il contratto = il documento legale con le regole di un accordo
○ La scadenza = la data quando finisce un accordo

3 Vero o falso? Ascolta **il dialogo e** completa <u>solo</u> le colonne Vero e Falso, come nell'esempio.   24 ◁))

	V	F
1. Marco e Tommaso non sono contenti nella loro casa. Perché _____	☐	☐
2. Kiril sta bene nella sua casa. Perché _____	☐	☐
3. Marco e Tommaso non vogliono cambiare casa. Perché _____	☐	☐
4. Marco e Tommaso possono cambiare casa fra un anno. Perché _____	☐	☐
5. Kiril abita con una famiglia italiana. Perché *Kiril abita a Firenze con la famiglia Bruni.*	☐	☒

Ora ascolta **di nuovo il dialogo e** completa **gli spazi** *Perché*: spiega perché le risposte   24 ◁))
sono vere o false, poi confronta le tue risposte con quelle del tuo compagno.

4 Ascolta e leggi il dialogo. Controlla le risposte nell'attività 3.   24 ◁))

Kiril:	Ciao ragazzi, come state?
Marco:	Eh… oggi siamo arrabbiati con i nostri coinquilini!
Kiril:	Perché?
Tommaso:	Massimo e Valerio sono terribili: sempre a fare casino.
Marco:	Per loro è sempre festa! E non fanno niente in casa!
Kiril:	E come fate a studiare?
Marco:	Questo è un grosso problema! Non posso studiare neanche nella mia camera, c'è sempre casino con quei due!
Tommaso:	Kiril, tu abiti con una famiglia italiana, vero?
Kiril:	Sì.
Marco:	Come ti trovi con la tua famiglia ospite?
Kiril:	Benissimo! Ho una bella camera, grande e silenziosa e Marta, la madre, cucina benissimo!
Tommaso:	Fortunato! Senti Marco, noi in quella casa non possiamo più stare, invece!
Marco:	Hai ragione, ma che facciamo?
Tommaso:	Troviamo un'altra casa e andiamo via. Mi dispiace per Gianni, ma Massimo e Valerio…
Kiril:	Sì, per voi questo è il momento di cercare un altro appartamento!
Tommaso:	E poi questo appartamento è al terzo piano, non c'è l'ascensore e cucina e soggiorno sono insieme: non mi piace, c'è sempre troppa gente per rilassarsi.
Marco:	Ma come facciamo con il contratto?
Tommaso:	La scadenza è fra due mesi. Cominciamo a cercare una stanza in un altro appartamento!
Marco:	Hai ragione, è una buona idea.
Tommaso:	Kiril, la tua famiglia ospite com'è? Sono persone tranquille?
Kiril:	La famiglia Bruni? Ahahah!!! Ora vi dico tutto.

Parola per parola

La casa in Italia

1 Abbina le parole alle immagini come nell'esempio.

palazzo storico / villetta
/ villa / grattacielo

a. _____

b. _____

c. _Appartamento in condominio_

d. _____

e. _____

! Attenzione

In italiano, quando diciamo *sono
/ vado* **a casa** / **in casa** significa *il
posto dove abito*, <u>non</u> il tipo di casa.

2 Completa **con la parola corretta.**

ville / appartamento / grattacieli / palazzi / villette / condomini

La maggior parte degli italiani vive in città, in un _____. Nel centro delle città di solito ci sono _____ storici e antichi molto belli, ma gli appartamenti spesso sono cari, non molto grandi e non hanno uno spazio esterno. Fuori dal centro invece ci sono case indipendenti: _____ e _____ più grandi e con balconi o un giardino, perfette anche per gli animali domestici come cani e gatti. In periferia (la zona della città più lontana dal centro) ci sono spesso _____ con molti piani e gli appartamenti sono più economici. Nelle metropoli italiane, come Milano, Roma, Torino e Napoli, ci sono anche i _____, con più di trenta piani, ma in Italia non sono molto comuni.

Le stanze

1 Guarda **la pianta dell'appartamento dove abitano Marco e Tommaso.** Abbina **le parole alle stanze, come negli esempi.** Non dimenticare gli articoli!

cucina / camera (da letto) matrimoniale / camera (da letto) singola / giardino / bagno / camera (da letto) doppia

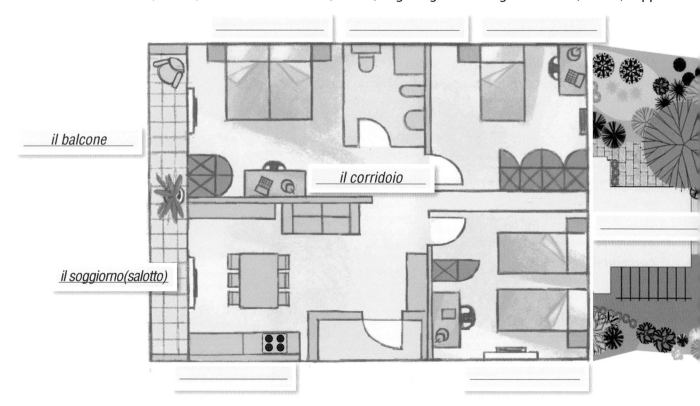

il balcone

il corridoio

il soggiorno(salotto)

2 Guarda **l'immagine e descrivi** cosa vedi.

Cosa dici per...

Chiedere di descrivere	Com'è... ?
A. Chiedere come sta una persona in una situazione.	F. Signora, come si trova a Firenze /nella nuova casa? I. Kiril, come ti trovi con la tua famiglia ospite?
B. Rispondere	Mi trovo bene/benissimo/male...

> **Attenzione!**
> I. = informale
> F. = formale

Le strutture della lingua

I Possessivi (I)

1 Osserva **gli esempi e guarda la tabella. Poi** cerchia **e** completa **le regole.**

Esempi:

a. [...] oggi (<u>noi</u>) siamo arrabbiati con <u>i nostri</u> coinquilini.

b. (<u>Io</u>) Non posso studiare neanche nel<u>la mia </u>camera [...]

c. (<u>Tu</u>) Come ti trovi con <u>la tua</u> famiglia ospite?

d. <u>Kiril</u>, <u>la tua</u> famiglia ospite com'è?

Regole

1. **I Possessivi** indicano una relazione di **appartenenza** e in genere sono **prima del / dopo** il nome.

2. Sono maschili, femminili, singolari e plurali: fanno l'accordo con **la persona (a chi appartiene?) / il nome dopo (cosa appartiene?)**

3. Prima del possessivo **c'è / non c'è** l'articolo.

4. *Il/la/i/le loro* **cambia / non cambia.**

Ora completa **la tabella!**

	SINGOLARE		PLURALE	
	Maschile	Femminile	Maschile	Femminile
io	_____	La mia	I miei	_____
tu	_____	La tua	I tuoi	_____
lui, lei, Lei	_____	_____	I suoi	_____
noi	_____	_____	I nostri	_____
voi	_____	_____	_____	_____
loro	Il loro	La loro	I loro	Le loro

2 Completa **con la forma corretta del possessivo.**

1. Vedo tutti i giorni _____ amici italiani. Vengono al bar con _____ biciclette.

2. A: Tu e Roberto vivete con _____ famiglia?

   B: No, _____ famiglia vive a Roma e noi stiamo a Firenze.

3. Paola porta _____ quaderno e _____ matite a scuola.

4. Viaggi spesso con _____ coinquilini?

5. Roberto, qual è _____ ristorante preferito a Firenze?

6. Scusa, posso prendere _____ libri per studiare fisica? Devo dare l'esame fra due settimane.

I numeri ordinali

1 Completa **con il numero del piano:** *diciassettesimo, secondo, tredicesimo, quindicesimo, quarto, sedicesimo, primo, diciottesimo, terzo, quattordicesimo.*

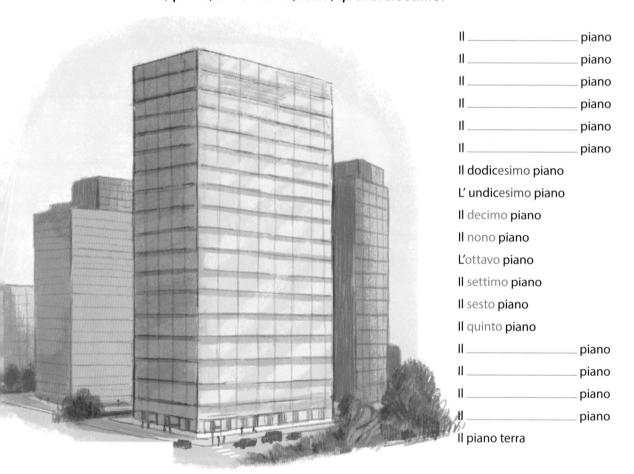

Il _____ piano

Il _____ piano

Il _____ piano

Il _____ piano

Il _____ piano

Il _____ piano

Il dodicesimo piano

L' undicesimo piano

Il decimo piano

Il nono piano

L'ottavo piano

Il settimo piano

Il sesto piano

Il quinto piano

Il _____ piano

Il _____ piano

Il _____ piano

Il _____ piano

Il piano terra

2 Ora scrivi **la regola.**

a. I **numeri ordinali** sono <u>aggettivi</u> e cambiano in accordo con il nome (➠ -o /-a /-i /-e)

b. Dal 1° al 10° sono _____

c. Dall'11° in poi sono _____: aggiungiamo - _____ al numero cardinale <u>senza</u> la vocale finale.

3 Completa **con i numeri ordinali. Attenzione all'accordo!**

1. Luglio è il _____ mese dell'anno.
2. Maria studia molto ed è bravissima: è la _____ studentessa della sua classe!
3. Vincenzo e Paola hanno quattro figli: due figli, Leonardo e Alberto, e due figlie, Alice e Viola. Leonardo è il _____ figlio, Alberto è il _____ figlio, Alice è la _____ figlia e Viola è la _____.
4. Questa è la _____ (4ª) settimana del corso di italiano.
5. John lavora in un grattacielo a New York. Il suo ufficio è al _____ (30°) piano.
6. Stasera andiamo a teatro a vedere *La _____ (12ª) notte* di William Shakespeare.
7. L'Alaska è il _____ (50°) stato degli Stati Uniti.

B **La famiglia Bruni**

1 Guarda **la foto della famiglia Bruni e** rispondi.

a. Quante persone ci sono in questa famiglia?
b. Sono giovani o anziani?
c. Ci sono dei bambini?

2 Ora ascolta **e** rispondi. **Kiril descrive la famiglia Bruni, la sua famiglia ospite, e la sua famiglia in Russia, ai suoi amici Marco e Tommaso.**   25 ◁))

a. La famiglia Bruni è una famiglia tranquilla o vivace? Perché?
b. La famiglia Bruni è simile o differente dalla sua famiglia in Russia?
c. Kiril è figlio unico? Perché? Cosa significa *figlio unico*?

3 Ascolta **ancora la descrizione di Kiril e** scrivi **sotto, per ogni persona della famiglia, la loro relazione di parentela, come nell'esempio.**   25 ◁))

Marta, 35 anni. Insegnante.

Davide, 9 anni. Scuola elementare.

Mario, 68 anni. Pensionato.

Roberto, 38 anni. Avvocato.

Luisa, 65 anni. Pensionata.

Filippo, 7 anni. Scuola elementare.

Giulia, 4 anni. Scuola materna.
figlia

4 Ascolta e leggi le descrizioni. Controlla le risposte nelle attività 2 e 3. 25 ◁))

Kiril: Allora, nella mia famiglia ospite ci sono cinque persone: Roberto, il padre; Marta, la madre e tre figli, Davide, Filippo e Giulia. Sono tutti molto simpatici, ma non è certo una famiglia tranquilla, con tre bambini! Davide e Filippo vanno alla scuola elementare e Giulia, la più piccola, va ancora alla scuola materna. Nel fine-settimana i genitori di Marta vengono a pranzo o a cena da noi. I genitori di Roberto abitano a Perugia e non vengono molto spesso; qualche volta vengono per il fine-settimana. Quando ci sono anche i nonni, siamo in otto e tutti parlano molto. Ai bambini piace molto stare con il nonno, perché costruiscono sempre qualcosa insieme e la nonna racconta spesso storie fantastiche che i bambini adorano. Questi sono i soli momenti di calma. La mia camera però è tranquilla e lì posso riposare e studiare in pace. È una famiglia vivace, insomma, ma tutti rispettano la mia *privacy* e per questo mi piace molto.

Tommaso: In Russia hai una famiglia così grande?

Kiril: No, siamo solo in tre a casa: mia madre, mio padre ed io.

Marco: Sei figlio unico?

Kiril: No. Ho anche un fratello e una sorella più grandi, ma i miei fratelli non vivono con noi. Mio fratello Dimitri è il primo, ha 32 anni, è sposato e vive con sua moglie e i loro due figli abbastanza vicino a noi. Beatrisa, mia sorella, è la seconda, ha 29 anni, è un medico e vive a Mosca con suo figlio perché è divorziata.

Marco: E i tuoi nonni?

Kiril: Purtroppo i nostri nonni sono morti. E la vostra famiglia com'è?

Parola per parola

I parenti

1 Guarda l'albero genealogico della famiglia di Marco a pagina 143 e completa la descrizione con la parola corretta.

fratello / marito / figli / moglie / madre / figlio / padre / figlia / sorella

Questa è la famiglia di Marco. Sua nonna e suo nonno hanno quattro _____: Carla, Andrea, Luca e Giovanni. Giovanni e Nicoletta sono _____ e _____. Giovanni è il _____ di Marco e di sua _____ Valentina e Nicoletta è la loro _____. La zia Carla è *single*; lo zio Luca è separato e ha una fidanzata, Matilde. Lo zio Luca e la sua fidanzata Matilde convivono. La zia Carla e lo zio Luca non hanno figli. Lo zio Andrea e la zia Anna hanno un _____ e una _____, Adele e suo _____ Antonio, i suoi cugini e i nipoti dei suoi genitori, dello zio Luca e della zia Carla. I suoi nonni, Maria e Giuseppe, sono molto felici di avere quattro figli e quattro nipoti!

La famiglia di Carlo

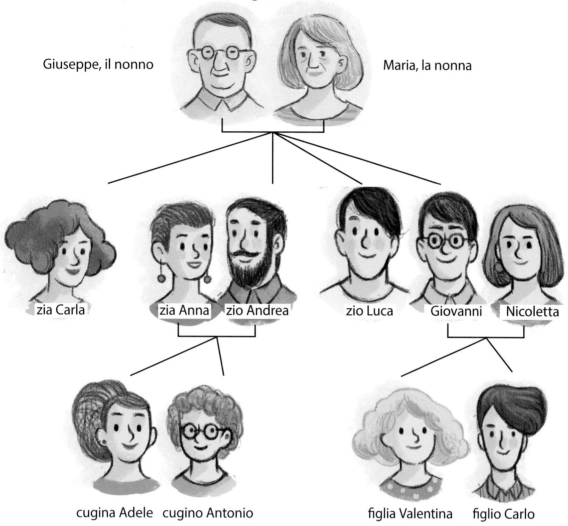

Giuseppe, il nonno   Maria, la nonna

zia Carla   zia Anna   zio Andrea   zio Luca   Giovanni   Nicoletta

cugina Adele   cugino Antonio   figlia Valentina   figlio Carlo

Attenzione

Nell'italiano contemporaneo **fidanzato/a** significa avere un rapporto affettivo stabile con una persona, ma senza il matrimonio.

Osserva!

➠ i figli del **figlio** e/o della **figlia**
   (**Marco è il nipote di Giuseppe, il nonno**)
a. Il/la nipot**e** – i/le nipot**i**
➠ i figli del **fratello** e/o della **sorella**
   (**Marco è il nipote di Anna, la zia**)
b. La zia Carla è *single*: non ha un **fidanzato.**
c. Lo zio Luca è **separato** e ha una **fidanzata,** Matilde.
d. I genitori di Marco e Valentina sono **sposati** e sono marito e moglie.
e. Lo zio Luca e Matilde non sono sposati, ma **convivono** ➠ vivono insieme.

2 Una foto di Tommaso, con la sua famiglia a Napoli, diversi anni fa. Chi sono queste persone con lui? **Prova** a immaginare le relazioni di parentela e **disegna** l'albero genealogico della famiglia, poi scrivi la descrizione della sua famiglia sul tuo quaderno.

Albero genealogico

Tommaso

Le strutture della lingua

I Possessivi (II)

1 **Ritorna** a pagina 144 alla descrizione della famiglia di Kiril in Russia e **cerchia** in blu i possessivi <u>senza</u> articolo e in rosso i possessivi <u>con</u> l'articolo.

2 Ora **completa** le colonne qui sotto.

Possessivi senza articolo	Possessivi con articolo
mia madre	i miei fratelli

3 Ora **completa** le regole.

a. Quando usiamo un **possessivo** con i nomi dei parenti <u>singolari</u> _____

b. Quando usiamo un **possessivo** con i nomi dei parenti <u>plurali</u> _____

c. Con il **possessivo** *loro* usiamo <u>sempre</u> l'articolo.

4 Completa con il possessivo corretto.

1. A: Dove abiti ?

   B: _____ città è Milano.

2. A: Dove andate in vacanza ?

   B: Andiamo con _____ nonni e _____ cugina al mare.

3. A: Dove è il tuo libro?

   B: _____ libro è a casa.

4. I miei amici hanno una bella casa, _____ casa si trova in campagna. Hanno anche un cane, _____ cane si chiama Tom. E voi, avete un cane? Come si chiama _____ cane?

5. Io sono venuta a Ginevra con _____ famiglia. _____ padre lavora e _____ madre sta a casa con _____ sorelle.

6. A: Signora Giannini, con chi stanno _____ figli?

   B: _____ figlio sta a Roma con _____ moglie e _____ figlie stanno con me.

C Una nuova stanza

1 Osserva le immagini e descrivi le due camere da letto.

2 Osserva queste parole.

Affitto = soldi che paghiamo per avere un appartamento, una stanza, una macchina, etc... per un periodo di tempo.

Utenze = i servizi (acqua, gas, luce, riscaldamento) usati in una casa.

Caparra = soldi dati in anticipo per garanzia.
Mensilità = soldi per un mese di affitto.

3 Leggi l'annuncio che Marco e Tommaso hanno trovato in un post di Facebook.

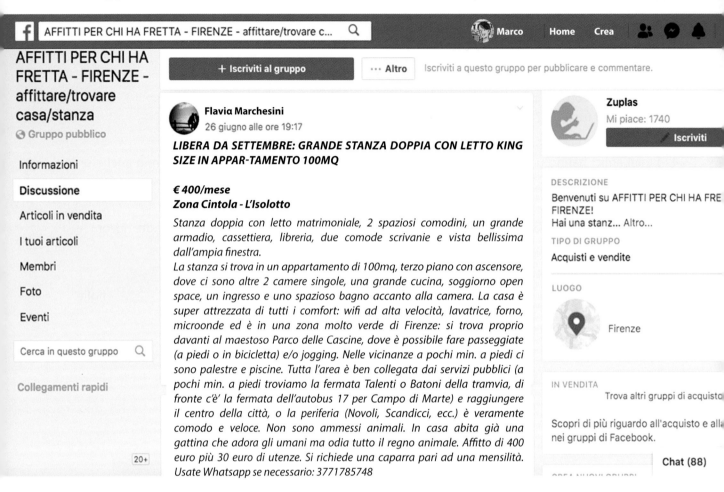

Ora rispondi e spiega il perché delle tue risposte.

a. L'appartamento si trova in una zona dove è possibile fare sport?

b. L'appartamento è in una zona comoda della città? Perché?

c. Possono portare un cane o un gatto in questo appartamento?

d. La stanza in affitto va bene per Marco e Tommaso?

e. L'appartamento va bene per Marco e Tommaso?

Parola per parola

I mobili

1 Abbina **ad ogni oggetto il nome corretto, come nell'esempio.**

1. _____

2. _____

3. _____ *la libreria* _____

4. _____

5. _____

6. _____

7. _____

8. _____

9. _____

10. _____

11. _____

a. il tavolo	f. la sedia
b. l'armadio	g. la scrivania
c. il letto	h. la poltrona
d. il comodino	i. il pouf
e. il tavolino	l. il divano

2 **Conosci questo quadro? È la camera ad Arles del pittore Vincent Van Gogh. Descrivi questa camera: i mobili, i colori e le emozioni che senti quando guardi con attenzione il quadro.**

Le strutture della lingua

Gli indicatori spaziali

1 Completa **gli spazi con le espressioni corrette.**

davanti a / a sinistra di / dietro a / accanto a

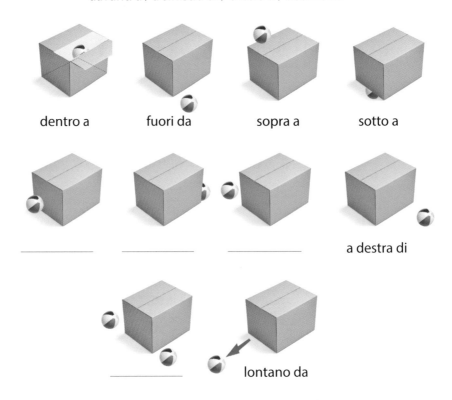

dentro a   fuori da   sopra a   sotto a

_____   _____   _____   a destra di

_____   lontano da

2 Usa **gli indicatori spaziali per descrivere questa stanza.**

Le preposizioni con articolo

1 Completa **la tabella.**

	il	lo	la	l'	i	gli	le
A	al	_____	_____	_____	ai	_____	_____
DA	_____	_____	_____	dall'	dai	_____	_____
DI (⟿ DE-)	_____	_____	della	dell'	_____	_____	_____
IN (⟿ NE-)	nel	_____	nella	_____	_____	_____	_____
CON	con il	_____	_____	_____	con i	_____	_____
PER	per il	_____	_____	_____	_____	_____	_____
FRA/TRA	_____	fra lo tra lo	fra la tra la	_____	_____	fra gli tra gli	fra le tra le

2 (Cerchia) **la preposizione corretta.**

1. Tom e Jane vengono **dai / dallo / dagli** Stati Uniti. Oggi partono **per le / per l' / per la** Francia **con il /con l' / con lo** aereo **delle / dei / della** sera.

2. Tommaso mette i libri **sulla / sul / sui** scrivania e Marco mette i vestiti **nell' / nel / nello** armadio.

3. La gatta di Flavio dorme **sul / sulla / sulle** poltrona. Quando arrivano i suoi amici, va a dormire **sui /sullo / sugli** cuscini **dello / dei / del** letto.

4. **Fra il / fra la / fra i** finestra e il letto c'è la libreria.

Dentro il testo

Nell'annuncio immobiliare a pagina 148, Flavia descrive la camera in affitto e l'appartamento. I lettori devono capire che la stanza e l'appartamento che descrive sono bellissimi e comodissimi.

1 Rileggi il testo dell'annuncio a pagina 148 e rispondi. Le caratteristiche di questo testo sono:

	Sì	No	Perché
Titolo	X		Attirare l'attenzione
Indicatori spaziali			
Aggettivi qualificativi positivi			
Aggettivi qualificativi negativi			
Divisione in paragrafi			
Foto			
Disegni			
Parole abbreviate	X		Risparmiare spazio e tempo

2 Ora prova tu!

a. Scegli un *nickname* e scrivi l'annuncio di una stanza o di un appartamento in affitto.
b. Metti il tuo annuncio insieme a quelli dei tuoi compagni.
c. Leggi tutti gli annunci e decidi quale o quali sono più interessanti.
d. Contatta le persone che offrono gli affitti per avere più informazioni.

3 Rispondi.

1. In che tipo di casa abiti?
2. Dove ti piace abitare?
3. Com'è la tua casa ideale?
4. Com'è la tua camera?
5. Descrivi una famiglia che conosci bene e che ti piace.

I Cesaroni

I Cesaroni è una serie TV molto popolare, cominciata nel 2006 e finita nel 2014. Racconta la storia di una famiglia allargata che vive a Roma, nel quartiere della Garbatella. Due ex fidanzati, Giulio e Lucia, dopo molti anni si ritrovano per caso a un semaforo. Giulio è vedovo, vive con i figli Marco, Rudi e Mimmo e lavora con il fratello Cesare nella *Bottiglieria Cesaroni;* Lucia è divorziata e fa l'insegnante in una scuola media. Dopo venti anni a Milano, ora Lucia vive a Roma con la madre e le sue due figlie, Eva e Alice. Giulio e Lucia riscoprono il loro amore, si sposano e vanno a vivere a casa di lui, con i figli di Giulio e le figlie di Lucia. I Cesaroni sono circondati da parenti e amici: Cesare, la madre di Lucia, Elisabetta e la famiglia Masetti, Ezio e Stefania con il loro figlio Walter.

Questa *fiction* dimostra il cambiamento della famiglia italiana: i protagonisti si lasciano, si sposano e creano famiglie allargate sempre nuove. Oggi infatti sono sempre più comuni anche le famiglie di fatto: una coppia non sposata con dei figli.

1 Rispondi.

a. Come è la famiglia nel tuo paese? È diversa dalla famiglia del passato?

b. Le abitudini della famiglia nel tuo paese sono simili a quelle degli italiani?

c. A quanti anni i giovani lasciano la famiglia nel tuo paese?

il mio vocabolario

C
R
E
A
R
E

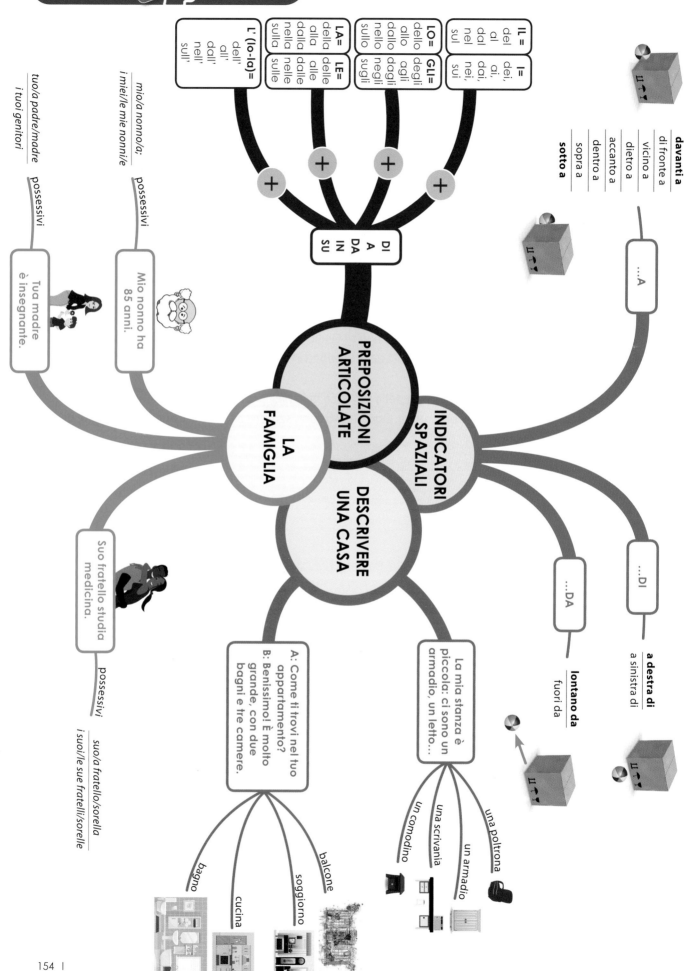

LA FAMIGLIA

PREPOSIZIONI ARTICOLATE

DI
A
DA
IN
SU

IL =		I =
del,		ai,
al,		dai,
dal,		nei,
nel,		sui
sul		

LO =		GLI =
dello		degli
allo		agli
dallo		dagli
nello		negli
sullo		sugli

LA =		LE =
della		delle
alla		alle
dalla		dalle
nella		nelle
sulla		sulle

L' (lo-la) =
dell'
all'
dall'
nell'
sull'

INDICATORI SPAZIALI

davanti a
di fronte a
vicino a
dietro a
accanto a
dentro a
sopra a
sotto a

...A

...DI

a destra di
a sinistra di

...DA

lontano da
fuori da

DESCRIVERE UNA CASA

A: Come ti trovi nel tuo appartamento?
B: Benissimo! È molto grande, con due bagni e tre camere.

- bagno
- cucina
- soggiorno
- balcone

La mia stanza è piccola: ci sono un armadio, un letto...

- un comodino
- una scrivania
- un armadio
- una poltrona

possessivi
mio/a nonno/a;
i miei/le mie nonni/e

possessivi
tuo/a padre/madre
i tuoi genitori

possessivi
suo/a fratello/sorella
i suoi/le sue fratelli/sorelle

Tua madre è insegnante.

Mio nonno ha 85 anni.

Suo fratello studia medicina.

1 Completa l'e-mail con i verbi della lista.

> studiare / incontrarsi / fare / ritornare / svegliarsi / andare
> addormentarsi / vestirsi / uscire / lavarsi / riposarsi / divertirsi

Caro Sandro,

come stai? Io sono a Perugia con Giorgia per studiare. Ogni mattina _____ alle sette e mezzo.

_____ i denti, _____ la doccia, _____ e _____

all'università. Dopo le lezioni _____ in biblioteca oppure _____ un po' a

casa prima di cena. La sera spesso, _____ con i nostri amici. Noi _____ da-

vanti al Duomo e _____ sempre molto, ma quando _____ a casa siamo

stanchissimi e _____ subito!

A presto,
Mauro

_____ / 12

2 Scegli l'opzione corretta.

1. Mi piace **molto / molta** questa canzone.
2. Filippo mangia sempre **troppo / troppe** caramelle.
3. Oggi fa **tanto / tanti** freddo, c'è **poco / poche** sole e **tanto / tanta** pioggia.
4. Ho sempre **troppo / troppi** compiti da fare.

_____ / 6

3 Scegli l'opzione corretta.

Quella è **mia / la mia** casa e questa è **mia / la mia** famiglia: **miei / i miei** genitori Anna e Marco, **mio /il mio** fratello Giacomo e **mia / la mia** sorella Marietta, la più piccola. C'è anche **mio / il mio** cane Lollo. **Mia / La mia** vita con loro è bellissima!

_____ / 7

4 Completa le frasi con le preposizioni articolate della lista.

> negli / dalla / all' / allo / alle / al / dal

1. La lezione di storia inizia _____ dieci e finisce _____ una.
2. Il mercato è aperto _____ lunedì _____ sabato.
3. Miguel viene _____ Spagna.
4. Justin abita _____ Stati Uniti.
5. Noi abitiamo davanti _____ stadio.

_____ / 7

5 Completa **con le parole della lista.**

> piove / primavera / inverno / caldo / nevica / autunno / temporale / estate

1. In _____ fa molto freddo e in montagna _____ .
2. L'_____ inizia a settembre, fa fresco e spesso _____ .
3. In _____ , molte persone vanno al mare, perché il tempo è bello e fa molto

   _____ .
4. La _____ inizia a marzo, spesso è sereno ma qualche volta c'è qualche

   _____ .

_____ / 8

6 Leggi **l'annuncio e** scegli **l'opzione corretta.**

Piccolo appartamento in centro
L'appartamento è al secondo **palazzo / piano** senza ascensore. Ha una **cucina / camera** con soggiorno, una camera matrimoniale con un **salotto / bagno**. È molto silenzioso e luminoso, perché ha un **balcone / corridoio** con una bella vista sul **garage / giardino**.

_____ / 5

7 Completa **con il nome corretto.**

1. Il papà del papà ➠ _____
2. La moglie dello zio ➠ _____
3. Il marito della mamma ➠ _____
4. La figlia della zia ➠ _____
5. Il figlio del figlio ➠ _____

_____ / 5

Totale _____ / 50

Argomenti

La spesa

Ricette italiane

In questa unità impariamo

● **Comunicazione**

Chiedere informazioni su un prodotto

Chiedere ed esprimere un'opinione

Parlare della cultura alimentare

● **Lessico**

Negozi

Frutta e verdura

Alimenti

Pesi e misure

Numeri da 101 in poi…

● **Strutture**

Ci (luogo)

Preposizioni semplici e articolate

Alla fine dell'unità facciamo il punto con la mappa mentale!

A Vado a fare la spesa!

1 Osserva e abbina **le parole alle immagini. Dove possiamo fare la spesa?**

su Internet / al supermercato / in un negozio / al mercato

a. _____   b. _____   c. _____   d. _____

2 Osserva **le immagini e** rispondi. **Dove facciamo la spesa a Firenze?**

Macelleria   San Lorenzo   Sant'Ambrogio   Negozio di frutta   Forno/Panetteria
                      (Mercato Centrale)   e verdura

3 Ascolta **il dialogo e** cerchia **la risposta corretta.**   27

1. Khalinda è in Francia da sua sorella e…
   a. ritorna in Italia domani.   b. ritorna a Firenze stasera.   c. arriva a Firenze alle 12.00.

2. Khalinda va a casa di Marco e Tommaso per…
   a. pranzo.   b. cena.   c. colazione.

3. Tommaso vuole…
   a. stare da solo con Khalinda.   b. stare con Marco e Khalinda.   c. stare con Khalinda e i loro coinquilini.

4. Tommaso cucina con Khalinda…
   a. spaghetti alla carbonara.   b. melanzane alla parmigiana.   c. pollo.

5. Per dolce preparano…
   a. tiramisù.   b. cornetti.   c. panna cotta.

6. Tommaso va a fare la spesa…

   a. al centro commerciale.   b. al supermercato.   c. al mercato.

4 Ascolta e abbina.   27 ◁))

☐ 1. Marco vuole restare da solo con Khalinda,

☐ 2. Gli spaghetti alla carbonara non sono una buona idea,

☐ 3. Il menù per la cena è

☐ 4. Per dolce, Tommaso decide di preparare

☐ 5. Tommaso va a fare la spesa al Mercato di Sant'Ambrogio

   a. il tiramisù.

   b. melanzane alla parmigiana, formaggi tipici, verdure crude e tiramisù.

   c. perché c'è il maiale e Khalinda non mangia maiale per motivi religiosi.

   d. dove il cibo è più fresco.

   e. perché è un po' innamorato di lei.

5 Ascolta e leggi il dialogo. Controlla le risposte nelle attività 3 e 4.   27 ◁))

Tommaso: Allora, Marco, stamani Khalinda parte dalla Francia e arriva in Italia a mezzogiorno.

Marco: È in Francia? Perché?

Tommaso: È a Parigi, da sua sorella Amina, con la sua amica Sophia.

Marco: Ok. E arrivano a Firenze?

Tommaso: Sì, ma Sophia non resta a Firenze. Alle 13.30 lei prende un altro aereo dalla Toscana e va in Grecia, a trovare la sua famiglia.

Marco: Che giro!

Tommaso: Eh sì! Khalinda invece viene a cena qui stasera.

Marco: Bene! Per fortuna Massimo, Valerio e Gianni sono a casa loro per il fine-settimana. Siamo soli!

Tommaso: Sì, infatti… Senti… ti dispiace uscire anche tu? Vorrei stare da solo con Khalinda…

Marco: Ah, capisco! Certo, vado da Margherita.

Tommaso: Grazie, sei un amico!

Marco: Khalinda ti piace proprio, eh? Mi sa che sei un po' innamorato di lei… Cosa vuoi preparare per cena?

Tommaso: Mmm… A Khalinda piace cucinare e vuole fare un piatto italiano con me, per imparare qualcosa sulla cucina italiana. Che ne dici degli spaghetti alla carbonara?

Marco: Per me, non è una buona idea. Khalinda è musulmana e nella carbonara c'è la pancetta o il guanciale: maiale, insomma…

Tommaso: È vero! Devo pensare a un altro piatto, allora.

Marco: Melanzane alla parmigiana? Secondo te, vanno bene?

Tommaso: Sì, bravo! Melanzane alla parmigiana: sono un piatto perfetto! Poi prendo un po' di formaggi tipici da magiare con miele e marmellate e con della verdura cruda.

Marco: E per finire, preparate il tiramisù!

Tommaso: Ottima idea! Ora devo fare la spesa.

Marco: Ma… Sai cucinare questi piatti?

Tommaso: No, cerco le ricette su Internet.

Marco: Ah, ok. Vai alla Coop o all'Esselunga?

Tommaso: Vado a Sant'Ambrogio: mi sembra meglio, è tutto fresco.

Marco: Sì, giusto. Quando ci vai?

Tommaso: Subito! È tardi! Domani poi ti racconto tutto!

Parola per parola

1 Guarda **le immagini e** completa **gli insiemi, come negli esempi.**

Dal fruttivendolo

		Frutta
		l'anguria

 i ceci   l'anguria    i fagioli   il fungo

 i piselli   le carote   la lattuga   i pomodori

 le patate   il cavolo   le ciliegie   le prugne

 l'ananas   la banana   il melone   il limone

 le arance   l'albicocca   le pesche   le fragole

 l'uva   la pera    la mela

Verdura
il cavolo

Legumi
i ceci

2 Completa **con la parola corretta, come negli esempi. Cosa compriamo?**

Il cibo e gli alimenti

il pane / il pollo / il burro / il miele / la pasta / la marmellata / lo zucchero / il latte / il formaggio / l'olio d'oliva / la bistecca / i biscotti / lo yogurt

_____ _il sale_ _____ _la farina_

le uova *

> *__Attenzione!__ Nome irregolare
> __Singolare__: l'uovo (maschile)
> __Plurale__: le uova (femminile)

2.1 Completa **con la parola corretta come negli esempi.**

La carne: _____

I carboidrati: _la farina_ _____

Alimenti dolci: _il miele_ _____

I latticini: _____

Altri: _____

Conosci altri alimenti? In quale insieme li metti?

3 Guarda **l'immagine e** descrivi **le abitudini alimentari tipiche della dieta mediterranea.**

Cosa dici per...

A. Chiedere di esprimere un'opinione	I. - Cosa ne dici, Marco? F. - Cosa ne dice, signora? I. - Secondo te, ...? F. - Secondo Lei, ...? I. - Per te, ...? F. - Per Lei, ...?
B. Rispondere	- Mi sa che ... - Secondo me... - Per me... - Mi sembra una buona/cattiva idea.

1 Rispondi.

a. Per te, la dieta mediterranea è corretta? Perché?

b. Secondo te, gli italiani seguono la dieta mediterranea?

c. Quali sono le abitudini alimentari nel tuo Paese?

d. Tu segui la dieta mediterranea?

Le strutture della lingua

1 Ritorna al dialogo a pagina 159. Osserva e cerchia le parole e le espressioni che indicano quantità indefinite, non precise.

[...] prendo un po' di formaggi tipici da mangiare con miele e marmellate e con della verdura cruda.

Ora completa gli spazi e le regole.

a. _____ formaggi, pane, vino, acqua, pizza, arance...

Regola: _____ + nome

b. _____ verdura

c. _____ pane, vino...

d. _____ zucchero

e. _____ patate, mele...

f. _____ piselli, limoni...

g. _____ spaghetti

Regola: ____, ____, ____, ____, ____, ____ + nome

2 Osserva e completa la regola.

Marco: Ah, ok. Vai alla Coop o all'Esselunga?

Tommaso: Vado a Sant'Ambrogio: mi sembra meglio, è tutto fresco.

Marco: Sì, giusto. Quando ci vai?

a. Regola: Ci si riferisce a un luogo (➡ dove?).

Quale? _____

3 Rispondi alle domande con una frase completa. Usa *ci*, come nell'esempio.

1. A che ora vai a casa?   (alle 7.00 – se l'autobus arriva in orario)

   Ci vado alle 19.00, se l'autobus arriva in orario.

2. Vai spesso in palestra?   (tre volte alla settimana)

   _____

3. Ragazzi, venite a cena da noi, sabato sera?   (volentieri – se viene anche Giorgio)

   _____

4. Marta, ritorni nella tua città il prossimo fine-settimana?   (no – alla fine del mese)

   _____

5. Giovanni resta a casa oggi?   (tutto il giorno – perché è malato)

   _____

6. Vieni anche tu a studiare in biblioteca?   (no – vado domani)

   _____

7. Andate a giocare a tennis di solito?   (una volta alla settimana)

   _____

B **Buon Appetito!**

Osserva!

1 Che cosa facciamo, quando cuciniamo?
Prova a dire con un compagno che cosa fai quando cucini: Giro la pasta...

| girare | stendere, spianare | friggere | bollire |

| grigliare | arrostire | cuocere al forno | cuocere a fuoco lento |

| montare, sbattere | affettare | pelare, sbucciare | versare |

| grattugiare | mescolare |

Osserva! **Cosa usiamo in cucina?**

| i fornelli | il forno | la pirofila | la teglia |

| la pentola | la padella | la ciotola | la carta assorbente |

| la carta da forno | la carta di alluminio | il frigo(rifero) |

2 Sai preparare le melanzane alla parmigiana e il tiramisù? Leggi le ricette qui sotto.

Melanzane alla parmigiana

Ingredienti per 4 persone
- 1 kg di melanzane
- 1 kg di pomodori
- 1 cipolla, una carota, un po' di sedano
- 3 cucchiai di olio d'oliva
- farina qb
- 500 gr di mozzarella
- 100 gr di formaggio parmigiano grattugiato
- olio per friggere qb
- sale qb
- basilico qb

- Lavare, asciugare e affettare le melanzane (1). Mettere le fette in una ciotola con un po' di sale. Coprire con un piatto e lasciare così per 30 minuti.
- Preparare il sugo: mettere un po' di olio di oliva e dei pomodori in una casseruola con cipolla, carota e sedano. Mettere sul fuoco e cuocere a fuoco lento per circa mezz'ora.
- Passare nella farina le fette di melanzane (2) e friggere in olio caldo. Quando sono cotte, mettere ad asciugare su carta assorbente (3).
- Prendere una teglia e mettere un po' di sugo alla base (4) e sopra uno strato di melanzane fritte, del sugo, del parmigiano grattugiato (5) e un po' di mozzarella a fette. Mettere un altro strato di melanzane e ricoprire sempre con parmigiano, sugo e mozzarella; continuare così fino ad esaurimento degli ingredienti.
- Cuocere in forno a 200 °C per 30 minuti, gratinare bene la superficie, lasciare raffreddare e mettere sopra un po' di basilico fresco (6).

Tiramisù

Ingredienti per 8 persone
- 3 uova
- 100 gr di zucchero
- 500 gr di mascarpone
- 300 gr di biscotti Savoiardi o Pavesini
- 250 ml di caffè
- cacao amaro q.b.

- Preparare il caffè, aggiungere un cucchiaio di zucchero e raffreddare in una ciotolina.
- Separare gli albumi dai tuorli delle uova e montare bene i tuorli con 3 cucchiai di zucchero.
- Aggiungere il mascarpone (1) e mescolare fino ad avere una crema (2). Utilizzare uova e mascarpone a temperatura ambiente.
- Montare gli albumi e aggiungere alla crema di mascarpone (3). Aggiungere un po' di sale agli albumi, per facilitare l'operazione.
- Nella pirofila alternare strati di crema al mascarpone a strati di biscotti Pavesini o Savoiardi, passati nel caffè (4, 5, 6). Coprire la pirofila con carta di alluminio e mettere in frigorifero per 2 ore.

(Adattati da: https://www.ricettedellanonna.net/)

3 Ora aiuta Tommaso a preparare la lista della spesa, per la cena con Khalinda. Scrivi qui sotto cosa deve comprare, poi ritorna al dialogo a pagina 159 e alla lista degli ingredienti. Controlla se c'è tutto.

LISTA della SPESA

Uova _____

_____

_____

_____

Verdure _____

_____

_____

_____

Cosa dici per...

Dare istruzioni (per esempio in una ricetta di cucina)

Lavare, asciugare, tagliare, coprire…. mettere… aggiungere…

Parola per parola

I numeri da 101 in poi

101 centouno	250 duecentocinquanta	1.000 mille	20.000 ventimila
102 centodue	300 trecento	2.000 duemila	100.000 centomila
103 centotre	400 quattrocento	3.000 tremila	1.000.000 un milione
200 duecento	500 cinquecento	10.000 diecimila	1.000.000.000 un miliardo

1 Completa con i numeri scritti in lettere.

1. Per il tiramisù ho bisogno di (500) _____ grammi di mascarpone.
2. Abito in via Mascagni (133) _____.
3. Dante nasce nel (1265) _____.
4. Cristoforo Colombo scopre l'America nel (1492) _____.

5. Questa Ferrari costa (220.000) _____ euro.

6. A Firenze vengono (15.000.000) _____ di turisti ogni anno.

7. In Italia ci sono circa (60.000.000) _____ di abitanti.

8. In Asia vivono più di (4.000.000.000) _____ di persone.

Dentro il testo

1 Ritorna **alle ricette a pagina 165.**
La ricetta di cucina è un testo regolativo, **per** dare istruzioni: **spiegare come fare qualcosa e quali azioni sono necessarie per fare bene qualcosa.**

Le caratteristiche di questo testo sono:

Forme verbali	Lessico	Organizzazione del testo
-	- parole comuni di oggetti in cucina -	- lista degli ingredienti - elenco delle azioni

2 Ora scrivi **una ricetta di cucina tipica del tuo paese.** Inserisci **anche delle foto, se possibile. Quando tutte le ricette sono pronte, potete fare un libro di ricette e scegliere quali preparare, per la prossima festa della scuola.**

 Al mercato di Sant'Ambrogio

Il Mercato di Sant'Ambrogio è un mercato coperto. Dentro ci sono i negozi e fuori i banchi di frutta e verdure, di vestiti e scarpe.

Facciamo la spesa

1 Guarda **le immagini qui sotto e** indica **che cosa puoi comprare in ogni negozio.**

macelleria

panetteria

salumeria

drogheria

pescheria

negozio di frutta
e verdura

pasticceria

gelateria

2 Ascolta **i tre dialoghi e** cerchia **l'opzione corretta.**   28-29-30 ◁))

  a. Tommaso va prima **in gelateria / alla pescheria / al negozio di alimentari.**

  b. Poi Tommaso va **dal fruttivendolo / dal macellaio / dal pasticcere.**

  c. Alla fine Tommaso va **dal salumiere / dal fornaio / dal droghiere.**

3 **Cosa compra Tommaso?** Ascolta **i tre dialoghi e** cerchia **le parole corrette.**   28-29-30 ◁))

salumi	formaggi	carne	vino	frutta	verdura
	torta	biscotti	pane	pesce	

4 Ascolta **i dialoghi e** leggi**. Controlla le risposte delle attività 2 e 3.**   28-29-30 ◁))

1. *Al negozio di alimentari*

Droghiere: Buongiorno, prego!

Tommaso: Buongiorno! Vorrei della mozzarella,
           per favore!

Droghiere: Quanta?

Tommaso: Due etti.

Droghiere: Eccola. Poi?

Tommaso: Un po' di formaggio stagionato da
           mangiare con il miele.

Droghiere: Questo è ottimo. È pecorino.

Tommaso: È un prodotto locale?

Droghiere: Certo.

Tommaso: Va bene.

Droghiere: Quanto?

Tommaso: Un pezzetto, per due persone.
           Ha anche del mascarpone?

Droghiere: Ho una confezione da 250 grammi.

Tommaso: Benissimo. Mi dà anche un pezzo di
           parmigiano, per favore?

Droghiere:	Così va bene?
Tommaso:	Un po' meno: è troppo… Sì, ecco: così.
Droghiere:	Dopo?
Tommaso:	È tutto, grazie. Quant'è?
Droghiere:	Sono 24 euro e 50.
Tommaso:	Ecco.
Droghiere:	Grazie. Non ha spiccioli?
Tommaso:	No, mi dispiace…
Droghiere:	Va bene, 50 centesimi di resto e questa è la spesa.

2. Dalla fruttivendola

Tommaso:	Buongiorno, signora!
Fruttivendola:	Buongiorno!
Tommaso:	Ho bisogno di due melanzane abbastanza grandi.
Fruttivendola:	Queste vanno bene?
Tommaso:	Sì, sì. Poi vorrei due chili di pomodori maturi, per fare il sugo. Questi sono freschi?
Fruttivendola:	Di oggi, freschissimi!
Tommaso:	Perfetto, prendo questi. Vorrei anche un po' di carote e due o tre cetrioli da mangiare crudi.
Fruttivendola:	Vuole queste carote e questi cetrioli? Sono più cari, ma sono prodotti locali.
Tommaso:	Sì, preferisco questi. Poi mi servono tutti gli odori.
Fruttivendola:	Cipolla, carota, sedano, prezzemolo e basilico… Va bene?
Tommaso:	Sì. Quanto spendo in tutto?
Fruttivendola:	8 euro e 25.
Tommaso:	Eccoli, precisi!
Fruttivendola:	Grazie mille. Arrivederci!
Tommaso:	Arrivederci!

3. Dal fornaio

Tommaso:	Buongiorno! Mi dà mezzo chilo di pane ai cereali, per favore?
Commessa:	Eccolo! Vuole anche dei panini al latte?
Tommaso:	No, va bene così.
Commessa:	Un po' di pasticcini?
Tommaso:	Ah, sì, mi dà un po' di savoiardi per il tiramisù, per favore?
Commessa:	Questi sono quattro etti. Bastano?
Tommaso:	Sì, bene, grazie. Sono a posto.
Commessa:	Allora, pane e savoiardi fanno 4,50 €.
Tommaso:	Ecco. Arrivederci!
Commessa:	Arrivederci!

Parola per parola

In Italia, usiamo il sistema metrico decimale. I pesi e le misure più usati per fare la spesa sono qui sotto.

1 Il peso. Guarda la tabella e scrivi cosa puoi comprare come nell'esempio.

PESO	COSA POSSO COMPRARE?
Grammo ➡ g	
Etto(grammo) ➡ hg = 100 g	
Chilo(grammo) ➡ Kg = 1.000 g/10 hg	2 chili di pomodori,

2 Completa **con la parola corretta.**

bottiglia / fetta / pezzo, pezzetto / litro (l.) / cartone / confezione / vasetto

Quantità e Contenitori

a. una _____ di torta

b. un _____ di formaggio

c. una tavoletta di cioccolato

d. una dozzina di uova

e. un _____ di succo di frutta

f. una _____ di vino

g. un _____ di miele

h. una _____ di mascarpone

i. un _____ di latte

Cosa dici per...

Chiedere informazioni su un prodotto	- È un prodotto locale? - Sono freschi?
Parlare del prezzo	-È caro/a - Sono cari/e ◀▥▥ ▥▥▶ -È economico/a – Sono economici /economiche
Pagare	- Non ha spiccioli? - Ecco il resto! - Precisi

1 Facciamo teatro!

Lavora con un tuo compagno. Scrivete un dialogo in un negozio e poi recitatelo davanti alla classe. Gli altri compagni devono indovinare in quale negozio siete.

Le strutture della lingua

1 **Le preposizioni con e senza articolo.** Osserva e scrivi le regole.

Khalinda è in Francia con Sophia. Stamani parte dalla Francia, da Parigi e arriva in Italia, a Firenze. Poi Sophia prende l'aereo dalla Toscana per andare in Grecia.

a. IN + _____

b. A + _____

c. DA + ARTICOLO + _____

- Khalinda è da Amina.
- Tommaso va a fare la spesa dalla fruttivendola e dal fornaio.

d. DA + _____

e. DA + ARTICOLO + _____

- A che ora arrivano Khalinda e Sophia?
- A mezzogiorno. Alle 13.30 Sophia prende un altro aereo.

Con le **ore** si usa…

f. A + _____ / mezzanotte.

g. ALLE + _____

ESPRESSIONI IDIOMATICHE	
a scuola	*in classe*
a casa	*in casa (dentro)*
a piedi (camminare)	*in piedi (non seduto/a)*
a teatro	*in città; in centro; in via/piazza/…*
al mare	*in montagna, in campagna*
al bar/cinema/ristorante/mercato	*in trattoria*

2 Osserva **le differenze.**

DESTINAZIONE

a. Luogo non specifico ◀▬ ▬▶ Luogo specifico

VADO/SONO...	VADO/SONO...
IN BIBLIOTECA	ALLA/NELLA BIBLIOTECA NAZIONALE
IN PISCINA	ALLA/NELLA PISCINA BELLARIVA
IN BANCA	ALLA/NELLA BANCA TOSCANA
IN DISCOTECA	ALLA/NELLA DISCOTECA "TWICE"
IN TRATTORIA/PIZZERIA/FARMACIA....	ALLA/NELLA TRATTORIA DA MARIO

b. Luogo frequentato da una persona = a casa di... al negozio di... all'ufficio di...

VADO/SONO...	VADO/SONO...
DA PAOLO / LUI	DAL SALUMIERE DALL' AVVOCATO

3 Completa **con le preposizioni necessarie.**

1. L'aereo parte _____ Roma _____ 9.05 e arriva _____ Zurigo _____ 10.35.

2. Le chiavi _____ casa sono _____ tavolo _____ cucina.

3. Giulio va _____ cena _____ una trattoria e poi _____ cinema _____ i suoi amici.

4. Paolo viene _____ me e poi insieme andiamo _____ dentista.

5. Roma è _____ Lazio, una regione _____ Italia centrale. È la capitale _____ Italia ed è _____ Firenze e Napoli.

6. Non vedo i miei amici _____ tre mesi. Arrivano oggi _____ treno _____ 6.00.

7. In luglio andiamo in vacanza _____ mare, ma in agosto preferiamo andare _____ montagna.

8. Voglio bere un caffè. Vieni _____ bar _____ me?

La tradizione culinaria italiana

1 **Guarda** queste immagini della pubblicità della Cirio, poi rispondi alle domande.

Parliamo di cibo, sempre, perché per noi italiani mangiare non è mai solo mangiare.
E Cirio lo sa.

Cirio: cuore italiano dal 1856

a. *Cirio* è un *brand* italiano molto famoso. Quale prodotto vediamo in questa pubblicità?
b. Per quali piatti possiamo usare questo prodotto?
c. Secondo te, cosa vuol dire "perché per noi italiani mangiare non è mai solo mangiare"?
d. Cosa significa lo *slogan* "Cirio: cuore italiano"?

2 **Ora** **leggi** il testo e **rispondi** alle domande.

...ucina italiana è molto semplice e usa ingredienti freschi ... stagione, tipici della dieta mediterranea: molta frutta e ...ura, pane e cereali, olio di oliva e poi un po' di formaggio, ...e e carne. Infatti per gli italiani è molto importante la ...ità e la varietà dei prodotti.

...izza e la pasta sono diffuse dal nord al sud e sono sicura...te i piatti italiani più conosciuti e amati in tutto il mondo, ...n generale la cucina italiana è molto varia e ogni regione ...suoi piatti tipici.

...ucina del nord usa più burro, latticini e spezie come il ro...rino e la salvia e al posto della pasta è comune mangiare ...o polenta (a base di mais). Al centro sono molto comuni ...umi come prosciutto, salame o mortadella e i piatti tipi...tordano la cucina povera come le zuppe a base di pane ...o tipiche della Toscana. La cucina del sud usa olio d'oliva, ...to pomodoro, basilico, origano e peperoncino.

...n pasto completo poi non manca mai un po' di vino per... il buon cibo deve essere accompagnato con del buon ..., rosso o bianco, secondo i piatti serviti. In Italia mangia...un evento sociale, un'occasione per stare con la famiglia ... amici, per parlare e conoscersi meglio. Per questo la ...ità dei piatti e delle bevande è fondamentale.

1 **Rispondi.** **Vero o Falso?**

	V	F
1. La cucina italiana usa ingredienti semplici.	☐	☐
2. Qualità e freschezza degli ingredienti non sono importanti.	☐	☐
3. Il piatto unico è tipico della cucina italiana.	☐	☐
4. Pizza e pasta sono comuni in tutto il mondo.	☐	☐
5. Ogni regione ha i suoi piatti tipici.	☐	☐
6. Al nord la cucina usa formaggio, riso e mais.	☐	☐
7. Al centro non mangiano molto pane.	☐	☐
8. Al sud usano le stesse spezie del nord.	☐	☐

2 **Rispondi** alle domande.

1. Quali sono i piatti tipici del tuo Paese?
2. Esiste una cucina regionale?
3. Che significato hanno i pasti nel tuo Paese?
4. Qual è il piatto della cucina italiana che preferisci? Scrivi la ricetta.

il mio vocabolario

_____

_____

_____

_____

_____

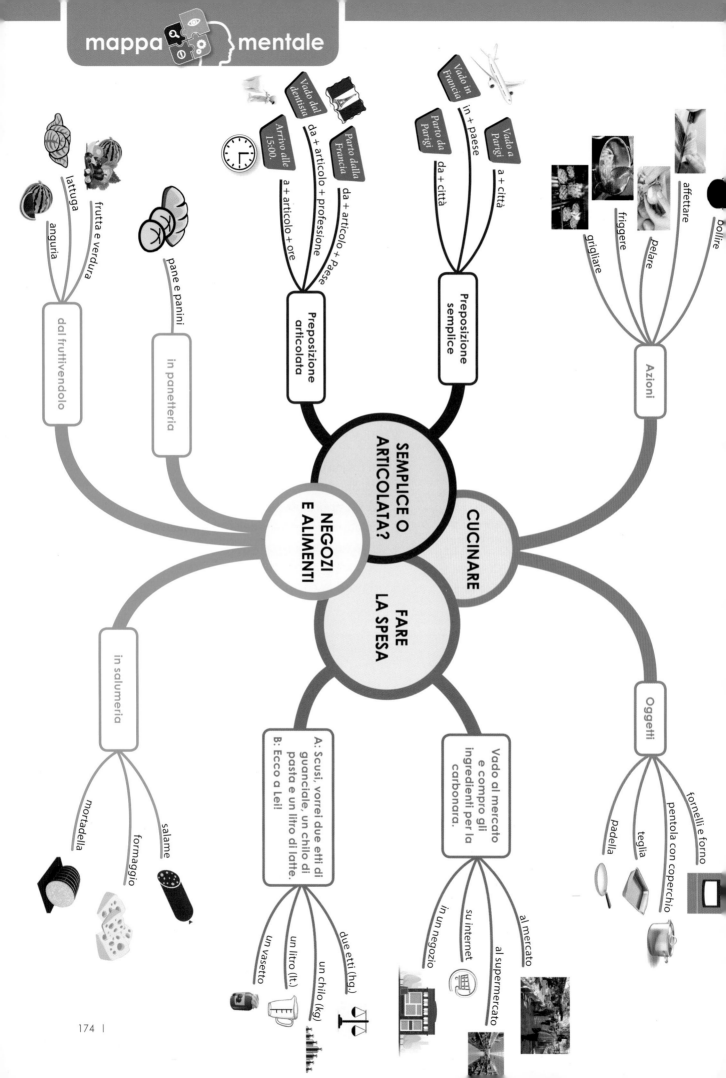

SEMPLICE O ARTICOLATA?

Preposizione articolata

- Arrivo alle 15:00. → a + articolo + ore
- Vado dal dentista → da + articolo + professione
- Parto dalla Francia → da + articolo + paese

Preposizione semplice

- Vado in Francia → in + paese
- Parto da Parigi → da + città
- Vado a Parigi → a + città

CUCINARE

Azioni

- grigliare
- friggere
- pelare
- affettare
- bollire

Oggetti

- padella
- teglia
- pentola con coperchio
- fornelli e forno

NEGOZI E ALIMENTI

dal fruttivendolo

- lattuga
- anguria
- frutta e verdura

in panetteria

- pane e panini

in salumeria

- mortadella
- formaggio
- salame

FARE LA SPESA

- A: Scusi, vorrei due etti di guanciale, un chilo di pasta e un litro di latte.
- B: Ecco a Lei!
  - due etti (hg.)
  - un chilo (kg)
  - un litro (lt.)
  - un vasetto

- Vado al mercato e compro gli ingredienti per la carbonara.
  - in un negozio
  - su internet
  - al supermercato
  - al mercato

1 Valuta e indica con una **✗** cosa sai fare in italiano:

Azioni linguistiche			
So descrivere una famiglia e parlare delle relazioni nella famiglia.			
So descrivere una casa.			
So descrivere la mia stanza.			
So esprimere il possesso.			
So capire e rispondere a un annuncio immobiliare.			
So fare la spesa.			
So esprimere la mia opinione.			
So parlare della cultura alimentare.			
Conosco alcuni piatti tipici della cucina italiana.			
Capisco le differenze fra la cultura alimentare italiana e quella del mio paese.			

2 Quanto pensi di essere migliorato/a in queste abilità?

Abilità	Per niente -	Un po' +	Abbastanza +++	Molto +++++
ascoltare				
parlare				
dialogare				
leggere				
scrivere				

Scheda di autovalutazione
unità 8-9

4

3 Cosa fai, quando parli e capisci che non conosci una parola in italiano?

- Mi blocco e mi sento frustrato/a. ☐
- Dico la parola nella mia madre lingua o in inglese. ☐
- Cerco di spiegare la parola che non conosco in italiano. ☐
- Uso i gesti e/o un disegno. ☐

4 Per me è utile...

ATTIVITÀ	😄	😐	😠
Avere una mappa mentale alla fine di ogni unità.			
Costruire il mio vocabolario.			
Costruire la mia grammatica.			
Lavorare con la Videogrammatica.			
Variare molto le attività in classe.			
Conoscere la cultura italiana.			
Giocare in italiano.			

Perché _____

_____

5 Vuoi continuare a studiare italiano?

- Sì, perché _____
- No, perché _____

Argomenti

Il passato

Svago e divertimento

In questa unità impariamo

Comunicazione

Parlare e raccontare al passato

Riferire azioni ed eventi in ordine cronologico

Lessico

Espressioni temporali

Le attività del fine settimana

Strutture

Il passato prossimo

Ausiliare essere o avere?

Concordanza del participio passato

Già e ancora

Alla fine dell'unità facciamo il punto con la mappa mentale!

A Un fine-settimana bellissimo

1 Rispondi.

- Cosa ti piace fare nel fine-settimana?
- Preferisci uscire con gli amici o stare con la famiglia?
- Ti riposi e resti a casa o ami stare all'aria aperta?

2 Ascolta **Tommaso e Marco che parlano del loro fine settimana e** cerchia **l'opzione corretta.** 32 ◁))

- Il sabato sera di Tommaso e Khalinda è stato **divertente / noioso**.
- Hanno guardato un film **moderno / vecchio**.
- Marco ha passato un fine-settimana **in casa / fuori**.

3 Ascolta **di nuovo e** collega **le immagini ai nomi corretti.** 32 ◁))

Marco ———, ———, ———   Tommaso ———, ———, ———,

1.

2.

3.

4.

5.

6.

4 Ascolta **il dialogo e** controlla **le risposte delle attività 2 e 3.** 32 ◁))

Marco: Ehi, Tommy, allora come è andata sabato sera con Khalinda?

Tommaso: È andata benissimo e abbiamo passato una serata perfetta: Khalinda è arrivata presto e ha cucinato una cena deliziosa, è una cuoca fantastica!

Marco: E dopo…?

Tommaso: …e dopo cena siamo rimasti un po' qui a parlare, mi ha raccontato tante cose della sua famiglia in Marocco e dei viaggi che vuole fare, poi ha suonato la chitarra e io ho cantato "Azzurro"…

Marco: Sì, sì, ora ti piace anche Adriano Celentano, ho capito. E poi?

Tommaso: E poi abbiamo guardato *"La dolce vita"*, perché Khalinda ama i film di Fellini. Io mi sono addormentato dopo 10 minuti, ma la serata è stata perfetta lo stesso.

Marco:	Ma come Tommy, ti sei addormentato? Sei sempre lo stesso!
Tommaso:	Lo sai che mi piacciono solo i film moderni! E tu invece cosa hai fatto?
Marco:	Io sono uscito con Margherita, Kiril e Ingrid. Prima abbiamo mangiato una pizza in pizzeria, poi dopo cena abbiamo conosciuto il fidanzato di Ingrid, Luca, siamo andati a ballare tutti insieme, in quella discoteca nuova in centro e siamo tornati a casa tardissimo. Abbiamo dormito tre ore e domenica mattina siamo partiti per le terme di Saturnia. Niente musei questo fine-settimana per fortuna, solo divertimento all'aria aperta!
Tommaso:	Davvero? E come sono le terme di Saturnia?
Marco:	Sono davvero uniche e rilassanti!
Tommaso:	Mmh, magari vado con Khalinda il prossimo fine-settimana…
Marco:	Da soli???

Parola per parola

Le attività tipiche del fine-settimana

1 Completa con le espressioni corrette. Poi scrivi nelle ultime caselle altre attività che fai di solito nel fine-settimana.

andare allo stadio / stare con la famiglia / visitare un museo, una mostra / andare al cinema, a teatro / riposarsi, rilassarsi / mangiare al ristorante, in pizzeria / ballare in discoteca

_____

andare ad un concerto

_____

fare una gita, un'escursione

_____

uscire con gli amici

Altre attività che faccio nel fine-settimana:

_____

_____

2 Che cosa fanno queste persone nel fine-settimana?

Giacomo
"Amo lo sport e in particolare il calcio. Non è domenica senza la partita della mia squadra del cuore"

_____

Luca
"Il fine-settimana perfetto per me è ascoltare un po' di musica dal vivo"

_____

Lucia
"Per me il sabato sera vuol dire una bella poltrona rossa, pop corn e l'ultimo film uscito nelle sale"

_____

Martina
"Amo la montagna e passo la domenica sempre nello stesso modo: una lunga passeggiata con il mio cane Balù"

_____

Giuseppe
"Dopo una lunga settimana di lavoro, il fine-settimana per me è passare del tempo con mia moglie, i miei figli e il nostro cane"

_____

Francesco
"Faccio un lavoro molto stressante, e durante il fine-settimana mi piace rimanere a casa, a leggere un buon libro sul divano o a dormire fino a tardi"

_____

3 Ora racconta alla classe cosa ami fare nel fine-settimana.

Cosa dici per...

Chiedere informazioni su un evento passato	Come è andata …? Cosa hai fatto?
Rispondere e dare informazioni su un evento passato	È andata … È stato/a … Ho fatto … Ho passato…

Le strutture della lingua

Il Passato Prossimo

1 Rileggi **il dialogo fra Marco e Tommaso a pagina 178-179 e** cerchia **i verbi al passato prossimo. Poi** completa **la tabella come mostrano gli esempi.**

	Passato prossimo con avere	Passato prossimo con essere
-ARE	passare ⟹ abbiamo pass**ato**	andare ⟹ è and**ata**
-ERE	⟹	
-IRE	⟹	
	⟹	
Irregolari	⟹	rimanere ⟹ siamo rimasti

2 Osserva **gli esempi,** cerchia **l'opzione corretta e** completa **le regole.**

Khalinda (1) <u>è arrivata</u> presto e (2) <u>ha cucinato</u> una cena deliziosa […]

Io (3) <u>mi sono addormentato</u> dopo 10 minuti […]

[…] dopo cena (4) <u>abbiamo conosciuto</u> il fidanzato di Ingrid […]

(5) <u>Abbiamo dormito</u> tre ore e domenica mattina (6) <u>siamo partiti</u> per le terme di Saturnia.

a. Usiamo il **passato prossimo** per parlare di un'azione **presente/passata**.
   Il passato prossimo è formato da due verbi: il presente di _____ o _____ (verbi ausiliari) + il participio passato del verbo principale.

b. Questi verbi formano il participio passato:
   cucin**are** ⟹ cucin_____
   conosc**ere** ⟹ conosci_____
   dorm**ire** ⟹ dorm_____
   perché sono verbi **regolari/irregolari**.

c. Il participio passato **si accorda (cambia) / non si accorda (non cambia)** con il soggetto quando usiamo l'ausiliare AVERE (vedi esempi 2-4-5).

d. Il participio passato **si accorda (cambia) /non si accorda (non cambia)** con il soggetto quando usiamo l'ausiliare ESSERE (vedi esempi 1-6).

Essere o Avere?

a. Con i verbi che hanno un nome che viene direttamente dopo il verbo senza una preposizione (oggetto diretto) o indicano un'attività (vedi esempi 2-4-5), usiamo SEMPRE l'ausiliare **avere/essere**.

b. Con i verbi riflessivi (vedi esempio 3) usiamo SEMPRE l'ausiliare **avere/essere**.

c. Con i verbi che hanno un nome che viene dopo il verbo con una preposizione (oggetto indiretto) o indicano un movimento (vedi esempi 1-6), usiamo l'ausiliare **avere/essere**.

3 Ora prova a coniugare questi verbi.

	SUONARE		CONOSCERE		USCIRE	
io	ho	suon**ato**	___	___	sono	usc**ito/a**
tu	___	___	___	___	___	___
lui/lei/Lei	___	___	___	___	___	___
noi	___	___	abbiamo	conosc**iuto**	___	___
voi	___	___	___	___	siete	usc**iti/e**
loro	___	___	___	___	___	___

4 Completa con la forma corretta del passato prossimo.

1. Domenica i miei amici _____ (andare) allo stadio per vedere la partita Fiorentina-Juve.

2. A New York io e Carlo _____ (visitare) una mostra al Metropolitan Museum.

3. Anna _____ (uscire) con gli amici e _____ (mangiare) una pizza in pizzeria.

4. Ieri, tu e Gianni _____ (giocare) a tennis per due ore.

5. A giugno, Sara e Giulia _____ (andare) al concerto di Jovanotti.

6. In estate, tu _____ (fare) una bellissima escursione in montagna.

7. Durante la settimana _____ (io-lavorare) molto, così domenica _____ (riposarsi) tutto il giorno.

5 Leggi di nuovo il dialogo a pagina 178-179 e racconta: cosa hanno fatto nel fine-settimana Tommaso e Marco?

Tommaso _____

_____

Marco _____

_____

B Una domenica alle terme di Saturnia

1 Guarda la foto delle terme di Saturnia che Ingrid ha mandato a Khalinda e rispondi.

a. Secondo te, come sono le terme di Saturnia?

b. Sei mai stato alle terme?

c. Ci sono terme nel tuo paese?

2 Ascolta la telefonata fra Margherita e Khalinda e rispondi. 33 ◁))

a. Perché sabato sera, Khalinda non è andata con Margherita e gli altri?

b. Khalinda è mai stata alle terme?

c. A che ora sono arrivati alle terme i ragazzi?

d. Perché sono arrivati a casa alle 11?

3 Ascolta di nuovo e riordina la giornata dei ragazzi alle terme. 33 ◁))

_____	Siamo arrivati a Saturnia all'ora di pranzo.
_____	Poi siamo andati alle terme.
_____	Dopo siamo ripartiti per tornare a casa.
_____	Siamo partiti verso le 10.00.
_____	Ci siamo rilassati per qualche ora.
_____	Siamo arrivati a casa alle 11.00.
_____	Abbiamo fatto il bagno nelle piscine naturali di acqua calda.
_____	Prima abbiamo mangiato in un ristorante tipico.
_____	Abbiamo trovato molto traffico in autostrada.

4 Ascolta e leggi il dialogo. Controlla le risposte nelle attività 2 e 3. 33 ◁))

Khalinda:	Pronto?
Margherita:	Pronto Khalinda, sono Margherita. Come stai? È un sacco che non ci vediamo!
Khalinda:	Davvero! Sabato scorso non sono venuta con voi, perché sono andata a cena a casa di Tommaso.
Margherita:	Sì, sì, lo so, Marco mi ha già detto tutto. Tu però non sai ancora della nostra domenica alle terme.
Khalinda:	Ho visto le foto che ha fatto Ingrid e sembra un posto bellissimo!
Margherita:	Sì, è davvero bello! Sei mai stata a Saturnia?
Khalinda:	Sì, sono stata a Saturnia sei mesi fa con la mia famiglia, ma non sono mai andata alle terme. Dai, racconta!
Margherita:	Domenica mattina quando ci siamo alzati abbiamo deciso di passare una giornata di relax e di andare alle terme. Siamo partiti verso le 10:00 e siamo arrivati a Saturnia all'ora di pranzo. Prima abbiamo mangiato in un ristorantino tipico e poi siamo andati alle terme. Abbiamo fatto il bagno nelle piscine naturali di acqua calda, ci siamo rilassati per qualche ora e dopo siamo ripartiti per tornare a casa. Peccato che abbiamo trovato molto traffico in autostrada e siamo arrivati a casa alle 11.00, ma ci siamo divertiti tantissimo ed è stata una domenica davvero diversa e speciale.
Khalinda:	Che bello, la prossima volta che organizzate una gita nel fine-settimana dovete portare anche me! Avete già dei piani?
Margherita:	Non ancora, ma ci sentiamo presto!

Parola per parola

Osserva!

Espressioni di tempo per parlare al passato.

Ieri	mattina pomeriggio sera notte

Due/tre/quattro… giorni Due/tre/quattro… settimane Due/tre/quattro… mesi Due/tre/quattro… anni	fa

Lunedì Martedì Mercoledì Giovedì Venerdì Sabato Il fine-settimana Il mese L'autunno L'inverno L'anno	scorso /passato
Domenica La settimana L'estate La primavera	scorsa /passata

1 Fai **le domande a un compagno e prendi** appunti, **poi racconta alla classe.**

1. Cosa hai fatto prima di venire a lezione di italiano?
   _____

2. Cosa hai fatto ieri sera?
   _____

3. Cosa hai fatto il fine-settimana scorso?
   _____

4. Cosa hai fatto l'estate passata?
   _____

5. Cosa hai fatto per il tuo 18° compleanno?
   _____

6. Cosa hai fatto il Natale passato?
   _____

Cosa dici per...

Chiedere a qualcuno se ha fatto qualcosa	Hai/Sei mai…? Hai/Sei già…?
Rispondere per dire se hai fatto qualcosa	Sì, ho/sono già… No, non ho/sono ancora... No, non ho/sono mai...

Le strutture della lingua

1 Osserva **gli esempi,** (cerchia) **l'opzione corretta e** completa.

- Marco mi ha <u>già</u> detto tutto. Tu però non sai <u>ancora</u> della nostra domenica alle terme.
- Sei <u>mai</u> stata a Saturnia?
- […] non sono <u>mai</u> andata alle terme.
- Avete <u>già</u> dei piani?
- Non <u>ancora</u> […]

a. Usiamo **già** nelle frasi **positive/negative** e nelle _____.

b. Usiamo **ancora** nelle frasi **positive/negative**.

c. Usiamo **mai** nelle frasi **positive/negative** e nelle _____.

2 Scrivi **dei mini-dialoghi, come nell'esempio.**

Esempio: (essere – a Milano)
A. *Sei mai stato a Milano?*
B. *Sì, sono già stato a Milano. / No, non sono mai stato a Milano.*

1. Dormire – nel deserto

   _____

2. Cucinare – il tiramisù

   _____

3. Mangiare – la pizza napoletana

   _____

4. Fare – una foto alla Basilica di S. Pietro

   _____

5. Visitare – gli Uffizi

   _____

6. Andare – allo stadio

   _____

7. Compare – un regalo speciale a qualcuno

   _____

8. Andare – a un concerto rock

   _____

Il Passato prossimo irregolare

1 Leggi **di nuovo i dialoghi fra Marco e Tommaso a pagina 178-179 e fra Margherita e Khalinda a pagina 184. Poi completa la tabella.**

Aprire	→	Ho aperto	Mettere	→	Ho messo
Bere	→	Ho bevuto	Prendere	→	Ho preso
Chiudere	→	Ho chiuso	Rimanere	→	_____
Decidere	→	_____	Rispondere	→	Ho risposto
Dire	→	_____	Scrivere	→	Ho scritto
Essere	→	_____	Vedere	→	_____
Fare	→	_____	Venire	→	_____
Leggere	→	Ho letto			

2 Completa **con il passato prossimo. Usa i verbi della lista.**

aprire / bere / chiudere / dire / fare / leggere / mettere
prendere / rimanere / rispondere / scrivere / venire

1. Io _____ un messaggio a Lara per sapere se vuole venire con noi in pizzeria, ma lei non _____ ancora _____ .

2. L'estate scorsa noi _____ un bellissimo libro di Elsa Morante.

3. Giorgio _____ la finestra per far entrare un po' d'aria fresca.

4. Ieri pomeriggio tu e Angela _____ un caffè insieme.

5. Giulio, _____ la porta?

6. Marta e Alessio _____ il treno alle 11 per andare a Roma.

7. Io _____ a casa perché non mi sento bene.

8. Ragazzi, dove _____ le chiavi di casa?

9. Sabato scorso io e Barbara _____ jogging per due ore.

10. Perché ieri sera tu non _____ con noi al cinema?

11. Anna e Marco _____ che arrivano alle 8.

Dentro il testo

La narrazione (I)

1 Leggi **di nuovo i dialoghi fra Marco e Tommaso a pagina 178-179 e fra Margherita e Khalinda a pagina 184 e** cerchia **le parole** *prima*, *poi* e *dopo*.

2 Ora cerchia **l'opzione corretta e** completa.

a. Il racconto dei ragazzi sul loro fine-settimana è una **narrazione / descrizione**. Infatti **narrare / descrivere** vuol dire "raccontare".

b. Per collegare le frasi quando parliamo di eventi in ordine **cronologico e / o sequenziale** (una dopo l'altra), possiamo usare il passato prossimo + _____, _____, _____ .

3 Metti insieme le foto della stessa storia e racconta quello che hanno fatto prima e dopo, Marco, Tommaso e Khalinda. Usa *prima – dopo/poi*.

4 Il fine-settimana più bello. Racconta un fine-settimana speciale che hai passato. Scrivi almeno 150 parole. Puoi rispondere anche alle domande qui sotto.
Poi confronta la tua storia con quella dei tuoi compagni e votate la storia più bella.

- Dove sei andato/a?
- Con chi sei andato/a?
- Qual è la cosa più interessante o divertente che hai fatto/visto?
- È stato un fine-settimana interessante? Avventuroso? Rilassante? Romantico?

_____

_____

_____

_____

_____

Il tempo libero in Italia

1 **Ricordi** la canzone che Tommaso e Khalinda cantano dopo cena? **Leggi** una breve parte del testo della canzone "Azzurro" di Adriano Celentano.

Adriano Celentano

Cerco l'estate tutto l'anno
e all'improvviso eccola qua.
Lei è partita per le spiagge
e sono solo quassù in città,
sento fischiare sopra i tetti
un aeroplano che se ne va.
Azzurro,
il pomeriggio è troppo azzurro
e lungo per me.
Mi accorgo*
di non avere più risorse,
senza di te,
e allora
io quasi quasi prendo il treno
e vengo, vengo da te,
ma il treno dei desideri nei miei pensieri all'incontrario va.
Sembra quand'ero* all'oratorio*,
con tanto sole, tanti anni fa.
Quelle domeniche da solo
in un cortile, a passeggiar
ora mi annoio più di allora,
neanche un prete* *per chiacchierar*
…

* Mi accorgo ➡ capisco

* ero ➡ forma di passato abituale del verbo essere.

* L'oratorio è un'istituzione cattolica creata dal sacerdote Giovanni Bosco nel 1859 per educare i ragazzi più poveri. È ancora oggi un posto di incontro per i ragazzi più giovani.

* prete ➡ un ministro cattolico, come Giovanni Bosco.

Questa canzone è uno dei simboli dell'Italia nel mondo. Nel 1968 l'Italia è un paese industriale e molti italiani cominciano ad andare in vacanza al mare, anche per un mese, come la ragazza che è partita per le spiagge. Oggi è comune andare al mare o in montagna anche per il fine-settimana, oppure andare a visitare piccole città come Greve in Chianti (➡ Unità 6) o località termali come Saturnia.

2 **Rispondi** alle domande.

- Cosa è comune fare nel tuo paese nel fine settimana?
- Dove vanno le persone nel fine-settimana?

- Che cosa hai fatto lo scorso fine-settimana?
- Come hai passato la tua ultima vacanza?

3 **Adesso** **cerca** e **ascolta** su Internet la canzone "Azzurro" e divertiti!

il mio vocabolario

C
R
E
A
R
E

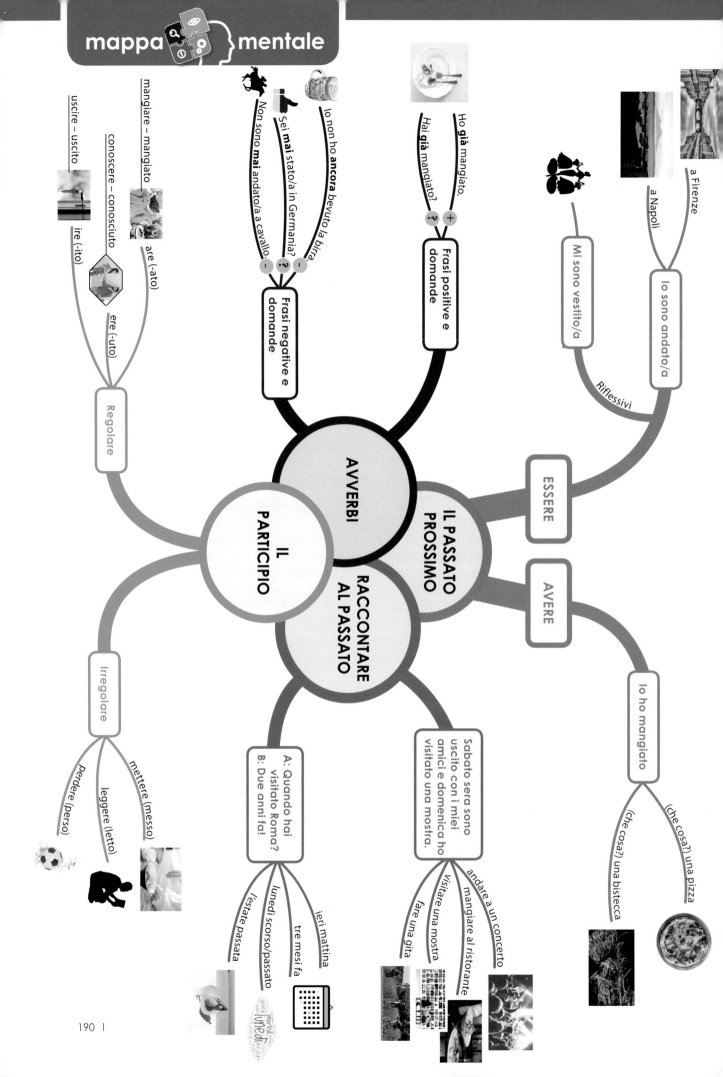
IL PARTICIPIO

Regolare

- conoscere – conosciuto
- mangiare – mangiato
  - are (-ato)
- uscire – uscito
  - ire (-ito)
- conoscere – conosciuto
  - ere (-uto)

Irregolare

- perdere (perso)
- leggere (letto)
- mettere (messo)

AVVERBI

Frasi negative e domande

- Sei **mai** stato/a in Germania?
- Non sono **mai** andato/a a cavallo.
- Io non ho **ancora** bevuto la birra

Frasi positive e domande

- Ho **già** mangiato.
- Hai **già** mangiato?

IL PASSATO PROSSIMO

ESSERE

- Mi sono vestito/a — Riflessivi
- Io sono andato/a
  - a Firenze
  - a Napoli

AVERE

- Io ho mangiato
  - (che cosa?) una bistecca
  - (che cosa?) una pizza

RACCONTARE AL PASSATO

- A: Quando hai visitato Roma?
  B: Due anni fa!
  - ieri mattina
  - tre mesi fa
  - lunedì scorso/passato
  - l'estate passata

- Sabato sera sono uscito con i miei amici e domenica ho visitato una mostra.
  - fare una gita
  - Visitare una mostra
  - mangiare al ristorante
  - andare a un concerto

1 Completa **il dialogo con le parole della lista.**

mezzo chilo / una confezione / un etto / un litro / una bottiglia / un pezzo / un vasetto

- Buongiorno, Antonio!
- Buongiorno, signora Rossi! Cosa prende oggi?
- Vorrei _____ di prosciutto di Parma.
- Ma certo, signora. Questo va bene?
- Perfetto! Poi prendo _____ di pecorino, circa _____.
- Benissimo. Dopo?
- _____ di latte intero, _____ di marmellata e _____ di mascarpone.
- Vuole altro?
- Sì, ho bisogno anche di _____ di prosecco. Quant'è?
- 28 euro e 50.

_____ / 7

2 Riscrivi **il testo con la particella** *ci* **quando è necessario.**

Andrea ama andare allo stadio. Di solito va allo stadio due volte al mese. La sua squadra preferita è a Milano e ieri è andato a Milano per vedere la partita Inter-Milan. Sicuramente torna a Milano anche la prossima settimana, perché c'è una partita importante.

_____

_____

_____

_____ / 3

3 Completa **il testo con i verbi al passato prossimo.**

Lo scorso fine-settimana Robert e Claudia _____ (fare) una gita a Venezia per il Carnevale. _____ (loro-prendere) il treno da Milano e _____ (arrivare) a Venezia per pranzo. Prima _____ (mangiare) un panino in Piazza San Marco, poi _____ (comprare) le maschere in un negozio e _____ (andare) sul Canal Grande, per vedere il Carnevale. La sera _____ (tornare) in albergo e _____ (addormentarsi) subito. _____ (essere) un'esperienza bellissima e i ragazzi _____ (decidere) di tornare anche l'anno prossimo.

_____ / 10

4 Trasforma **i verbi al passato prossimo.**

Di solito il sabato sera Paolo <u>invita</u> i suoi amici a cena a casa sua. Lui <u>cucina</u> lasagne e pollo arrosto con patate e gli amici <u>portano</u> una bottiglia di vino. Dopo cena, <u>vedono</u> un film alla TV, poi <u>giocano</u> a carte e <u>parlano</u> fino a tardi. <u>Si divertono</u> molto insieme.	Lo scorso sabato Paolo _____ i suoi amici a cena a casa sua. Lui _____ lasagne e pollo arrosto e gli amici _____ una bottiglia di vino. Dopo cena _____ un film alla TV, poi _____ a carte e _____ fino a tardi. _____ molto insieme.

_____ / 7

5 **Cosa hanno fatto lo scorso fine settimana?** Scegli **l'espressione dalla lista e** usa **il passato prossimo.**

> andare a un concerto / ballare in discoteca / andare allo stadio / visitare una mostra / fare un'escursione

1. Luisa e Anna studiano Storia dell'Arte e domenica scorsa _____.
2. Io e Martina amiamo le canzoni di Jovanotti e sabato sera _____.
3. Marta ama camminare in montagna e il fine-settimana passato _____.
4. Giorgio è tifoso della Juventus e domenica pomeriggio _____.
5. Mi piace la musica dance e lo scorso fine-settimana _____.

_____ / 5

6 Scegli **l'opzione corretta.**

Ingredienti
- Aglio
- Rosmarino
- Salvia
- Sale
- Olio di oliva
- 1 kg di patate
- 1 pollo intero

Pollo arrosto con patate
- **Affettare / Tritare** l'aglio, il rosmarino e la salvia.
- Mettere il pollo in una teglia, **mescolare / montare** le erbe con il sale, **versare / girare** un po' di olio sul pollo e **affettare / condire** con il mix di sale.
- **Sbucciare / sbattere** e **grattugiare / tagliare** in 4 pezzi le patate.
- Mettere le patate nella teglia con il pollo e **grigliare / cuocere** in forno per 40 minuti. **Girare / Montare** il pollo e le patate dopo 20 minuti.

_____ / 8

7 Unisci **le frasi al negozio.**

a. Macelleria
b. Panetteria
c. Salumeria
d. Pescheria
e. Pasticceria
f. Negozio di frutta e verdura

1. / _____ "Vorrei 2 etti di prosciutto, per favore."
2. / _____ "Buonasera, prendo delle mele rosse."
3. / _____ "Buongiorno, mi dà 3 cornetti alla marmellata?"
4. / _____ "Buongiorno, vorrei una bistecca."
5. / _____ "Prendo un chilo di pane integrale, grazie."
6. / _____ "Buonasera, ha del pesce fresco?"
7. / _____ "Buongiorno, ha del guanciale?"
8. / _____ "Ho bisogno di mezzo chilo di piselli, grazie."
9. / _____ "Buonasera, mi dà mezzo chilo di tacchino?"
10. / _____ "Ho bisogno di una torta piccola, per favore."

_____ / 10

Totale _____ / 50

Quaderno degli esercizi

1 Abbina **i nomi alle immagini e** scrivi **come saluti.**

a. sera / b. mattina / c. notte / d. pomeriggio

1._____ 2._____ 3._____ 4._____

Saluto: _____ Saluto: _____ Saluto: _____ Saluto: _____

2 Completa **il dialogo con le parole della lista.**

studenti / Lei / piacere / professoressa / ecco / sono / giornata

- Buongiorno, _____ Giani, _____ il direttore Antonio Masi.
- Buongiorno, direttore Masi! _____!
- _____ la classe di italiano: ci sono 8 _____.
- Grazie! Arrivederci direttore e buona _____.
- Arrivederci e buona giornata anche a _____.

3 Riordina **le parole e** scopri **la parola finale.**

ORREITEDT
☐☐☐☐☐☐☐☐☐
3

SETUENTD
☐☐☐☐☐☐☐☐
2

BORLI
☐☐☐☐☐
4

SARPSFEOSORES
☐☐☐☐☐☐☐☐☐☐☐☐☐
1

ULAA
☐☐☐☐
5

☐ C ☐☐☐☐
1 2 3 4 5

4 Collega **le domande con le risposte.**

1. Come ti chiami?	a. Dalla Russia.
2. Come si scrive il tuo nome?	b. No, sono americana.
3. Di dove sei?	c. Sì, di Milano.
4. Da dove vieni?	d. Di Barcellona.
5. Sei inglese?	e. Pietro Giomi.
6. Sei italiano?	f. M-I-C-H-E-L-E

5 Completa i dialoghi con le parole giuste.

Dialogo 1
- Ciao, io _____ Amanda. Tu _____ ti chiami?
- _____, mi _____ John.

Dialogo 2
- Di dove _____ Nick?
- Sono _____. E tu, Grazia?
- Sono _____.

Dialogo 3
- Come si _____ la tua amica?
- Angelique.
- Come, scusa? Puoi _____?
- Angelique. È _____.

Dialogo 4
- Da _____ vieni?
- _____ dal Portogallo.
- Come si _____ in italiano "del Portogallo"?
- Sono _____.

| piacere | sono |
| chiamo | come |

| italiana |
| sei |
| inglese |

| ripetere |
| francese |
| chiama |

| dice |
| dove |
| portoghese |
| vengo |

6 Trova le 9 nazionalità e poi scrivi il paese.

	F	W	X	I	T	A	L	I	A	N	O	N
ITALIANO	A	A	M	E	R	I	C	A	N	O	T	M
FRANCESE	L	S	V	I	Z	Z	E	R	O	O	G	U
GRECO	Q	G	V	Y	I	N	G	L	E	S	E	X
RUSSO	E	R	U	S	S	O	S	T	F	F	I	T
TEDESCO	P	H	M	O	Q	C	C	C	N	C	X	E
AMERICANO	F	P	O	R	T	O	G	H	E	S	E	D
SVIZZERO	Q	C	F	S	X	E	C	I	N	E	S	E
INGLESE	T	N	I	F	R	A	N	C	E	S	E	S
CINESE	W	N	F	Z	K	Z	I	I	F	T	P	C
PORTOGHESE	D	D	M	F	Z	B	O	G	R	E	C	O
	O	X	T	G	T	K	C	U	X	D	J	H

1. _____italiano_____ ⟶ _____Italia_____
2. _____ ⟶ _____
3. _____ ⟶ _____
4. _____ ⟶ _____
5. _____ ⟶ _____
6. _____ ⟶ _____
7. _____ ⟶ _____
8. _____ ⟶ _____
9. _____ ⟶ _____
10. _____ ⟶ _____

7 Scegli c'è o ci sono.

In classe **c'è / ci sono** 7 studenti. **C'è / Ci sono** uno studente americano, **c'è / ci sono** due studentesse greche, **c'è / ci sono** tre studenti tedeschi e **c'è / ci sono** una studentessa spagnola.

8 Ascolta e completa.

Completa **il testo della canzone con le nazionalità e con un verbo. Poi ascolta la canzone su youtube e controlla: "Siamo indiani" dei Santarosa.**

Siamo indiani, _____ (GLE-IN-SI) e singalesi, zingari, africani e siamo _____ (TA-NI-I-LIA)

Eh sì, siamo afghani, _____ (SI-RUS), americani, _____ (BA-CU-NI) e pakistani

Di certo c'è che io _____ come te.

9 Completa le frasi.

> sono / ci chiamiamo / sei
> / mi chiamo / sono / vi chiamate
> / ti chiami / siete

1. Io _____ Giorgio Scali. E Lei?
2. Voi _____ greci?
3. Di dove _____ loro?
4. _____ Anna e Luca, e voi come _____ ?
5. Mi chiamo Annik e _____ tedesca. Tu di dove _____ ?
6. Come _____ ?

10 Quante domande! Ordina le frasi.

Gli studenti d'italiano	è	la professoressa d'italiano?
Martin, tu	sono	tedesco?
Signora, Lei	ci sono	il laboratorio?
In classe	sei	americani?
Tu e Khalinda	c'è	i computer?
A scuola	siete	russe?

1. _____
2. _____
3. _____
4. _____
5. _____
6. _____

11 Scrivi i numeri che senti   6 ◁))

_____ _____ _____ _____ _____

_____ _____ _____ _____ _____

12 Ricapitoliamo. Come si dice?

Leggi e completa gli spazi in modo logico.

A: _____   B: Piacere! Io sono Mario.

A: _____   B: Prego!

A: _____   B: Mi chiamo Stefania.

A: _____   B: Sono italiano, di Palermo.

A: _____   B: Vengo da Firenze.

A: _____   B: Io sono la Signora Rossi.

13 Le frasi scombinate.

- L'insegnante fa una copia del foglio, per ogni gruppo.
- Poi ritaglia le singole parti e le consegna alla rinfusa ad ogni gruppo.
- Ogni gruppo deve ricostruire le frasi nel minor tempo possibile.
- Vince chi riordina più frasi nel minor tempo possibile.

Gli studenti	sono	tedeschi
La professoressa	si chiama	Anna Giomi
Karim	è	marocchino
I ragazzi	si chiamano	Marco e Michele
Angela e Caroline	sono	americane
Josephine	è	francese
Io e Gianni	siamo	italiani
Il direttore	si chiama	Mauro Santini

La mia Grammatica

Completa la Scheda grammaticale:

• A1 Nomi regolari, pagina 249.

1 Completa il cruciverba.

1.

2.

3.

4.

5.

6.

7.

8.

9.

10.

2 Scrivi le parole nella colonna giusta.

scuola / direttore / ragazzo / temperamatite / scrivania / professoressa / banco / matita / zaino
sedia / computer / professore / studente / porta / quaderno / orologio / signore / ragazza
/ aula / lavagna / finestra / libro / penna / gomma / astuccio / laboratorio / signora

UN / IL	UN / L'	UNO / LO	UNA / LA	UN' / L'

3 Cosa hanno nello zaino? Scrivi delle frasi come nell'esempio.

Khalinda

√ libro
√ quaderno
X computer
X penna
√ matita

Annika
e Laura

√ astuccio
√ computer
X matita
X libro
√ penna
X quaderno

Es. Khalinda ha il libro. Annika e Laura non hanno il libro.

1. _____
2. _____
3. _____
4. _____
5. _____
6. _____

4 Scrivi **gli articoli per completare le frasi.**

una / il / la / la / il / un

1. Livia Mansani è _____ professoressa di italiano.
2. Nello zaino ho _____ matita e _____ quaderno.
3. Avete _____ libro di italiano?

   Sì, ma non abbiamo _____ penna.
4. Il signor Romei è _____ direttore della scuola.

5 Completa **con le espressioni della lista.**

stai / bene / mal / dispiace / Lei / sto / state / tu / stanca

• Buongiorno ragazzi, come _____?

• Molto _____, grazie! E _____ come sta?

• Sto abbastanza bene, ma sono un po'_____.

• Ciao Carmen, come _____?

• Così così.

• Perché?

• Oggi ho _____ di stomaco. E _____?

• Mi _____! Io _____ molto bene.

6 *Essere o avere?*

1. Alessia _____ contenta.	5. Io e Giulio _____ mal di testa.
2. Voi _____ paura.	6. Tu _____ arrabbiato.
3. Magda _____ 22 anni.	7. Jake e Anton _____ sonno.
4. Sasha _____ russo.	8. Io _____ di Milano.

7 Scrivi **il contrario.**

1. Andrea è triste.

   _____

2. Pablo è pessimista.

   _____

3. Silvia è stanca.

   _____

4. Yuri è annoiato.

   _____

5. Alexandra è preoccupata.

   _____

6. John è arrabbiato.

   _____

8 Descrivi le immagini.

1. Giacomo _____

2. Maria _____

3. Marco _____

4. Lucia _____

5. Simone _____

6. Sandra _____

9 Collega le frasi alle immagini. Poi coniuga i verbi in parentesi.

1. _(C)_ Loro _____ (cenare) al ristorante.	6. _____ Noi _____ (studiar all'università.
2. _____ Voi _____ (ballare) in discoteca.	7. _____ Io _____ (mangiar un gelato.
3. _____ Tu _____ (ascoltare) la musica.	8. _____ Laura _____ (parlar con le amiche.
4. _____ (lei- visitare) un museo con un'amica.	9. _____ I ragazzi _____ (giocare) calcio.
5. _____ Voi _____ (cucinare).	10. _____ (io-viaggiare

A

B

C

D

E

F

G

H

I

L

10 La Tombola con 100 numeri.

Il tabellone dell'insegnante

1	2	3	4	5	6	7	8	9	10
11	12	13	14	15	16	17	18	19	20
21	22	23	24	25	26	27	28	29	30
31	32	33	34	35	36	37	38	39	40
41	42	43	44	45	46	47	48	49	50
51	52	53	54	55	56	57	58	59	60
61	62	63	64	65	66	67	68	69	70
71	72	73	74	75	76	77	78	79	80
81	82	83	84	85	86	87	88	89	90
91	92	93	94	95	96	97	98	99	100

La mia tabella

Crea la tua tabella. Scegli e scrivi **15 numeri** in questa tabella.

Come si gioca?

- L'insegnante ha il suo tabellone e chiama a caso dei numeri. Ogni volta che chiama un numero, deve coprirlo.
- Tutte le volte che uno studente riesce a mettere insieme dei numeri in orizzontale, nella sua tabella, vince un premio o acquista dei punti:

  Ambo (2 numeri insieme sulla stessa riga): 2 punti;

  Terno (3 numeri insieme sulla stessa riga): 3 punti;

  Quaterna (4 numeri insieme sulla stessa riga): 4 punti;

  Cinquina (5 numeri insieme sulla stessa riga): 5 punti.
- Dopo la cinquina, bisogna completare l'intera tabella. Chi completa l'intera tabella, ottiene 15 punti.
- Attenzione! Durante un turno (dall'ambo alla tombola), è possibile fare ambo, terno, quaterna e cinquina una sola volta.
- La stessa persona può fare più cose: ambo, terno, quaterna, cinquina e tombola.
- Alla fine, ognuno fa la somma dei punti ottenuti. Vince chi ha più punti.

Buon divertimento!

1 Inserisci le parole interrogative della lista e unisci le colonne.

dove / perchè / chi / quando / dove / come / che / cosa

1. _____ vediamo Anton?

2. _____ ti chiami?

3. _____ abiti?

4. Con _____ abiti?

5. _____ studi?

6. _____ sei in Italia?

7. Di _____ sei?

a. In via Roma 25.

b. Per studiare italiano e conoscere nuove persone.

c. Con una famiglia italiana.

d. Sono di Barcellona.

e. Domani, dopo la lezione.

f. Italiano e informatica.

g. Mi chiamo John.

1. _____ / 2. _____ / 3. _____ / 4. _____ / 5. _____ / 6. _____ / 7. _____

2 Riordina il dialogo fra Silvia e Francesca.

	Anche io! Oggi dopo la lezione vado a cena con due amiche, ti va di venire?
	Allora va bene!
	Non lo so…
	Perfetto, Francesca! A dopo.
	Dai! Studiamo insieme domani! E poi conosci due ragazze nuove!
1	Ciao Silvia, come va?
	Allora a dopo, andiamo alla pizzeria "Bella Napoli".
	Perché?
	Ehi, ciao Francesca! Tutto bene, tu?
	Ho un esame la prossima settimana…

3 Crea **delle frasi e coniuga il verbo, come mostra l'esempio. Attenzione! Puoi usare più volte lo stesso verbo e le altre parole.**

Matteo	conoscere	un libro di Italo Calvino.
Io e Laura	vedere	un caffè al bar.
Voi	leggere	la luce perché è notte.
Gli studenti	scrivere	gli amici dopo la lezione.
Io	ripetere	molte lingue straniere.
Caterina	chiudere	una lettera a Michael.
Tu	chiedere	la lezione di italiano.
La professoressa Livi	prendere	alla professoressa di ripetere.
Filippo e Davide	accendere	la finestra.

Matteo chiude la finestra.

_____

_____

_____

_____

_____

_____

_____

_____

_____

4 Completa **con le espressioni di frequenza e** scrivi **delle frasi.**

Sempre

_____

_____

_____

_____

Es. Vado sempre a scuola la mattina.

_____

_____

_____

_____

5 "Secondo me". Scrivi **una frase.**

Secondo me...

è facile _____

è difficile _____

è divertente / interessante _____

è noioso _____

è rilassante _____

è faticoso _____

6 Completa **i dialoghi con il verbo** *andare*.

1
- Massimo, ti _____ di andare al cinema?
- Va bene, ma non (noi) _____ tardi, perché domani (io) _____ a lezione alle 8.

2
- Ragazzi, _____ al bar dopo la lezione?
- Sì, ti _____ di venire?
- Va bene, allora a dopo!

3
- Ciao Anna! Stasera Andrea e Marco _____ a ballare in discoteca, _____ anche tu?
- No, _____ a cena a casa di Angela.

unità 3 esercizi

7 Completa **il dialogo con i verbi della lista**.

abiti / vado / ho / è / visitiamo / va / andiamo / studiano / vai / sono / studiamo / abito / mangio

- Ciao Karol, come _____ a scuola?
- Insomma… la lezione _____ difficile!
- _____ sempre a scuola il pomeriggio?
- No, _____ la mattina. _____ due lezioni e poi _____ con gli amici e dopo _____ la città o _____ insieme. Poi _____ a casa.
- Dove _____?
- _____ in via Garibaldi con due ragazzi. Loro _____ di Milano, ma _____ all'università a Firenze.

8 Completa **i dialoghi con le preposizioni**.

1
- Dove abiti?
- Sono _____ Berlino, ma abito _____ Italia, _____ Milano, _____ via Mazzini 92 _____ due ragazzi italiani.

2
- Dove sei?
- Sono _____ scuola, _____ classe, ma dopo la lezione vado _____ casa.

3
- Dove è la tua scuola?
- È _____ Siena, _____ Piazza Indipendenza.

4
- Come va _____ gli altri studenti?
- Benissimo!

5
- Ti va _____ andare al bar dopo la lezione?
- Va bene!

9 Come sono? Descrivi le persone che vedi.

a.
_____
_____
_____
_____
_____

b.
_____
_____
_____
_____
_____

c.
_____
_____
_____
_____
_____

d.
_____
_____
_____
_____
_____

10 Scrivi i colori.

1. G
2. R _ S _ _
3. V _ _ A
   O
12. A
    R
5. A _ N I _ E
8. L _ _ E D
9. _ O A
    Z
11. B _ _ _ O

11 Completa con il *singolare* o il *plurale*.

Singolare	Plurale
_____	gli occhi
il ragazzo	_____
la scuola	_____
_____	le ragazze
l'amico	_____
_____	i professori
l'astuccio	_____
_____	gli orologi
la professoressa	_____
_____	le aule
l'amica	_____
_____	le lezioni

12 Indovina chi?

Ogni studente sceglie un personaggio che l'altro deve indovinare. Il primo studente comincia a fare delle domande:

Studente A: *È un uomo?*
Studente B: *Sì. È una donna?*
Studente A: *Sì. Ha la barba?*
...

Chi indovina prima il personaggio dell'altro, allora vince.

Fotocopiare questa tabella per ogni studente

Mattia — Claudia — Giovanna — Carlo
Pietro — Fabio — Caterina — Marcella
Federica — Stefano — Maria — Mario

13 La mia grammatica

Completa le Schede grammaticali:

- B1 Gli articoli determinativi, pagina 249;
- B2 Gli articoli indeterminativi, pagina 250;
- C1 Aggettivi, pagina 251;
- C2 Gli interrogativi, pagina 251;
- F2 La frequenza (avverbi e indicatori), pagina 260.

1 *Studio* o *lavoro*? Ci sono 14 parole nascoste. Trova e scrivi le parole nella colonna giusta.

```
P  P  H  G  G  I  O  R  N  A  L  I  S  T  A  L  A  D
C  C  M  P  B  F  I  L  O  S  O  F  I  A  B  I  R  N
A  H  I  N  F  E  R  M  I  E  R  E  X  E  B  N  C  M
M  E  Z  R  D  E  N  T  I  S  T  A  H  R  H  S  H  E
E  C  S  W  A  V  V  O  C  A  T  O  T  G  A  E  I  D
R  O  G  M  G  A  T  X  G  N  M  K  G  K  H  G  T  I
I  N  I  N  F  O  R  M  A  T  I  C  A  M  Z  N  E  C
E  O  G  I  U  R  I  S  P  R  U  D  E  N  Z  A  T  O
R  M  O  Z  B  M  M  X  L  I  N  G  U  E  X  N  T  Q
E  I  X  I  F  H  Q  B  A  R  I  S  T  A  Z  T  U  B
Q  A  B  Q  M  J  U  Q  T  H  S  S  I  Y  F  E  R  Q
W  V  F  I  N  G  E  G  N  E  R  I  A  R  Q  V  A  R
```

STUDIO	LAVORO
	BARISTA

2 Cosa fanno? Completa.

1. Sandro lavora in una scuola. Ha molti studenti nella sua classe.

   Fa _____.

2. Antonio lavora a Roma e guida l'autobus tutti i giorni.

   Fa _____.

3. Martina ama i quadri e le statue, soprattutto del Rinascimento.

   Studia _____.

4. Morgan lavora in tutto il mondo con la musica e fa molti concerti.

   Fa _____.

5. Giada studia per aiutare le persone che sono malate.

   Studia _____.

6. Anna ama la letteratura e legge molti libri.

   Studia _____.

7. Carlo lavora nei musei con i turisti.

   Fa _____.

8. Grazia scrive le notizie sui giornali.

   Fa _____.

3 Completa **con il plurale corretto dei nomi** *maschili* **e** *femminili*.

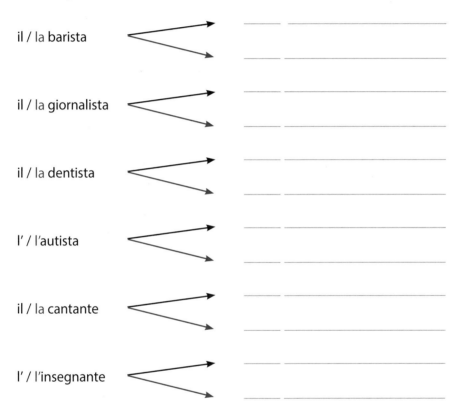

il / la barista _____

il / la giornalista _____

il / la dentista _____

l' / l'autista _____

il / la cantante _____

l' / l'insegnante _____

4 Completa **con il verbo e** unisci **le colonne.**

1 /_____ La lezione (finire) _____   A. fino a tardi nel fine settimana.
2 /_____ Tu (aprire) _____   B. un nuovo ospedale.
3 /_____ Noi (dormire) _____   C. alle 11.
4 /_____ Io (pulire) _____   D. un caffè ai loro amici.
5 /_____ Marco (spedire) _____   E. la mia camera tutte le domeniche.
6 /_____ Voi (capire) _____   F. da Boston e vado a San Diego.
7 /_____ Gli operai (costruire) _____   G. la musica pop o rock?
8 /_____ Tu (preferire) _____   H. molto bene l'italiano.
9 /_____ Nina e Sara (offrire) _____   I. una cartolina a suo fratello.
10 /_____ Io (partire) _____   J. la finestra perché è caldo.

5 Scegli **il verbo corretto.**

1. Susanna **fa / dà** la cameriera in un ristorante.
2. A luglio **fai / dai** un esame di italiano.
3. Ragazzi, non **fate / date** mai i compiti di italiano!
4. **Faccio / Do** il mio indirizzo a Michela, perché oggi pomeriggio viene da me e **facciamo / diamo** una passeggiata insieme.
5. La mamma **fa / dà** 5 euro a Lucia per la colazione.
6. Quando vanno al mare **fanno / danno** sempre il bagno.

6 Cosa fanno? Usa **le espressioni con il verbo** *fare*.

1. Io _____

2. Gli studenti _____

3. Tu _____

4. Voi _____

5. Nico _____

6. Noi _____

7. Loro _____

8. Il coniglio _____

9. Io e Antonio _____

10. In luglio _____

11. Le ragazze _____

12. Oggi _____

7 Che festa è? Quando?

1.
Festa: _____

Quando? _____

2.
Festa: _____*Ognissanti*_____

Quando? ___*Il 1° novembre*___

3.
Festa: _____

Quando? _____

4.
Festa: _____

Quando? _____

5.
Festa: _____

Quando? _____

6.
Festa: _____

Quando? _____

8 Rispondi correttamente e scopri il nome di una festa importante.

1. Il mese dopo maggio.   __ __ __ __ __

2. Il giorno prima della domenica.   __ __ __ __ __ __

3. Il numero dei giorni della settimana. __ __ __ __ __

4. Il mese con ventotto giorni.   __ __ __ __ __ __ __

5. Un mese con trentuno giorni.   __ __ __ __ __ __

6. Il giorno in mezzo alla settimana. __ __ __ __ __ __ __ __

9 Ascolta i dialoghi e scrivi le ore che senti.   13 ◁))

1. _____   4. _____

2. _____   5. _____

3. _____   6. _____

10 Guarda l'agenda di Agata e rispondi alle domande.

Lunedì **16**	**11:00** esame di Storia dell'arte
Martedì **17**	**17:00-18:00** lezione di yoga
Mercoledì **18**	**20:30** cena con Silvia
Giovedì **19**	**17:00-18:00** lezione di yoga
Venerdì **20**	**15:25** treno per Roma
Sabato **21**	**12:00** Musei Vaticani **10:15** Colosseo
Domenica **22**	**18:30** cinema con Marco

1. Quando fa ginnastica Agata?
   _____

2. Quando incontra gli amici?
   _____

3. Quando visita Roma?
   _____

4. Quando ha la mattina libera?
   _____

5. Quando ha un test all'università?
   _____

11 Completa il dialogo con le preposizioni giuste.

• Ciao, mi chiamo Hellen, sei una studentessa nuova?

• Ciao, io sono Brigitte, vengo _____ Berlino e sto in Italia _____ maggio _____ settembre.

• Io vengo _____ Olanda. Che cosa studi?

• Studio architettura, ma _____ martedì _____ giovedì faccio anche un corso _____ italiano.

• Anche io studio architettura! Ho lezione tutte le mattine _____ 9.30 _____ mezzogiorno.

• Io invece ho lezione il pomeriggio _____ tre _____ cinque e mezzo.

• Ti va di bere un caffè insieme domani?

• Certo! Sono sempre libera _____ una _____ tre. _____ che ora?

• _____ una e mezza. Allora a domani! Vado a studiare per l'esame _____ matematica.

• Ciao, a domani!

12 Chi sono?

• Pensa e scegli un personaggio famoso. Completa la scheda con i dati e le informazioni del tuo personaggio.
• Gira e fai delle domande ai tuoi compagni, per capire chi sono i loro personaggi.
• Vince chi indovina più personaggi.

Nome _____	Compleanno: _____ Professione: _____ Hobby: _____ Occhi: _____ Capelli: _____ Sesso: _____

13 La mia Grammatica

Completa le Schede grammaticali:

A2 Nomi irregolari (professioni), pagina 249;
D1 Preposizioni di luogo 1 (provenienza), pagina 252;
D2 Preposizioni di luogo 2 (movimento, stato in luogo),
   pagina 253;

E1 Presente Indicativo regolare, pagina 255.

1 Completa i dialoghi con le parole della lista.

buffet / prendo / aperitivi / spremuta / come / birra / tramezzino
quant'è / cornetto / bevete / caffè / vuoto

1
A: Buongiorno.
B: Buongiorno, vorrei un _____.
A: _____?
B: _____ grazie.
C: Per me un _____ per favore.

2
A: Buongiorno, bevete qualcosa?
B: _____ un _____
  macchiato. E tu Elena?
C: Vorrei una _____.
B: _____?
A: 3,10 euro.

3
A: Buonasera, due _____ per favore.
B: Con _____ o senza?
A: Vogliamo anche mangiare, grazie.
B: Cosa _____?
A: Una _____ e uno spritz.

2 Riordina le parole e scopri il nome di una famosa bevanda.

TOCTORNE   ☐☐☐☐☐☐☐☐
             6

TAETIPZZ   ☐☐☐☐☐☐☐☐
             3

CCSUO DI FUTRAT   ☐☐☐☐☐ ☐☐ ☐☐☐☐☐☐
                      4

RIAGUTNEFC   ☐☐☐☐☐☐☐☐☐
             5

ROOZ   ☐☐☐☐
             9

TAHMICCOA   ☐☐☐☐☐☐☐☐☐
                7

OCLIMLAMA   ☐☐☐☐☐☐☐☐☐
             1

TMOIZEZRNA   ☐☐☐☐☐☐☐☐☐☐
                    8

AUQAC   ☐☐☐☐☐
             2

☐☐☐☐☐☐☐☐☐☐☐
1   2   3   3   4   5   6   7   8   9

3 Trova l'intruso e spiega perché.

1. brioche – cornetti – torta – tramezzino   _____
2. vino – birra – acqua – liquori   _____
3. cappuccino – spremuta – macchiato – caffè corretto   _____
4. cioccolata – crema – orzo – marmellata   _____
5. pizzetta – panino – tramezzino – paste   _____
6. torta – latte – tè – centrifuga   _____

4 Completa la descrizione della colazione degli italiani e racconta com'è la colazione nel tuo Paese.

Foto 1   Foto 2

Questa è la tipica colazione italiana, al bar. (1) Gli italiani bevono un caffè normale, o un

caffè _____ e mangiano una brioche. Oppure (2) prendono un

_____ con un _____ o un _____.

La tipica colazione nel mio paese è **dolce/salata**.

Di solito le persone bevono _____ e mangiano

_____.

5 Completa con le preposizioni *con, su, tra/fra* o *per*.

1. Jane viaggia spesso _____ lavoro, ma quando è a casa esce sempre _____ gli amici.
2. La borsa è _____ una sedia _____ il tavolo e la finestra.
3. Ci sono due quaderni _____ questo banco.
4. Esci _____ noi stasera?
5. Mi piace molto questo libro _____ Leonardo da Vinci.
6. Giacomo è quel ragazzo _____ Luisa e Michelle.
7. A: Cosa prendi _____ colazione? B: _____ me un caffè e un cornetto _____ la crema.
8. A: Mi presti quella guida _____ Milano? B: Certo! È _____ mia scrivania.
9. _____ tutti i ristoranti di Milano questo è il mio preferito.
10. Non trovo il libro di italiano. Forse è _____ quel tavolo.

6 Unisci le colonne.

1 / _____ macchiato   A. caffè con latte e schiuma
2 / _____ ristretto   B. caffè molto concentrato
3 / _____ cappuccino   C. un caffè senza caffeina
4 / _____ tazzina   D. caffè con gelato
5 / _____ decaffeinato   E. il contenitore dove beviamo il caffè
6 / _____ affogato   F. un caffè con un po' di latte

7 Ascolta il dialogo e segna ✗ cosa ordina il cliente.   16 ◁))

Lungo	Ristretto	Orzo	Normale	Macchiato caldo	Macchiato freddo	In vetro	Cappuccino	Corretto	Decaffeinato

8 Completa con le forme del verbo *piacere* come nell'esempio.

1. √ a me – il gelato   ⟶ *Mi piace il gelato.*
2. ✗ a me – la pizza   ⟶ *Non mi piace la pizza.*
3. ✗ a te – le pizzette   _____
4. √ a noi – l'aperitivo   _____
5. √ a voi – i cornetti alla crema   _____
6. ✗ a Matteo – il succo di frutta   _____
7. ✗ a Giada e Mara – il tè   _____
8. √ a me – i tramezzini   _____
9. √ a Elisa – il caffè   _____
10. ✗ alla Signora Rossi – liquori   _____

9 Ti piace o no? Completa secondo i tuoi gusti e la forma corretta del verbo *piacere*.

1. _____ la colazione dolce.
2. _____ le bibite in lattina.
3. _____ i pasticcini.
4. _____ le centrifughe di frutta.
5. _____ il cappuccino.
6. _____ il caffè amaro.
7. _____ le bevande alcoliche.
8. _____ i cornetti al cioccolato.
9. _____ il tè freddo.
10. _____ il caffè ristretto.

10 Alexis e Giulio vanno al ristornate. Riordina il dialogo.

_____	Cameriere: Questo è libero. Ecco il menù ragazzi.
_____	Alexis: Prendo un antipasto anche io e poi voglio provare il risotto ai frutti di mare. Sembra buono, tu che dici?
_____	Giulio: Certo. Allora, per me un antipasto toscano e linguine al pesto.
_____	Giulio: Buonasera, avete un tavolo per due?
_____	Giulio: Non so… non mi piace il pesce.
_____	Alexis: Un antipasto toscano anche per me e risotto ai frutti di mare.
_____	Alexis: Giulio, tu cosa prendi?
_____	Cameriere: Ragazzi, volete ordinare?
_____	Giulio: Un antipasto e un primo credo. E tu?

11 Cosa manca? Sul tavolo non ci sono 4 oggetti. Chiedi al cameriere di portare gli oggetti che non ci sono.

Es. "Scusi, può portare l'acqua?"

_____

_____

_____

_____

12 Dove mangiano? Leggi le recensioni dei clienti e indica qual è il nome del locale.

Pizza ottima "Veniamo spesso in questo locale e possiamo dire che qui c'è la vera pizza napoletana con ingredienti di qualità. Il servizio è veloce e i camerieri sono gentili. Torniamo presto!" _____ <div align="right">Voto: 4/5</div>	A	Bar Lungarno
Il mio preferito "Faccio colazione qui tutte le mattine e a volte anche l'aperitivo. È piccolo ma molto carino e i cornetti sono sempre freschissimi. Se vi piacciono le torte dovete provare assolutamente quella al cioccolato, è meravigliosa!!!" _____ <div align="right">Voto: 5/5</div>	B	Trattoria da Nino
Va bene ma… "Il locale è carino e ben arredato. Il personale cordiale e gentile. Il cibo è abbondante ma non di qualità, soprattutto il pesce. Il prezzo è nella media" _____ <div align="right">Voto: 3/5</div>	C	Ristorante Mare Blu
Mai più "Non andate mai nel fine settimana! Il locale è piccolo e ci sono troppi tavoli, il servizio è lentissimo (più di 2 ore per mangiare un antipasto!) e soprattutto è davvero troppo caro: ci sono tanti vini diversi, ma costano tutti più di 35 euro" _____ <div align="right">Voto: 1/5</div>	D	Pizzeria Bella Napoli
Deludente "Il locale è informale e ha cucina regionale, ma è un posto solo per turisti. I primi non sono male, ma i secondi non mi piacciono per niente! Per fortuna non è troppo caro, ma i camerieri sono scortesi e sicuramente non torno!" _____ <div align="right">Voto: 2/5</div>	E	Osteria Pane e Vino

13 Scrivi delle frasi con il verbo giusto. Puoi usare le stesse parole più volte.

I bambini		un caffè insieme.
Sandra		alle 17:00.
Tu e Lara		la verità.
Io e Lukas	dire	sempre tardi dal lavoro.
Tu	bere	"Buonasera" al cameriere.
Io	uscire	un aperitivo con gli amici.
Gli studenti		un bicchiere di vino.
Mike		per andare al ristorante.
Io		che ha fame.
Noi		con gli amici.
Tu		che è tardi.
Voi		una centrifuga.

14 Riordina il menù del ristornate e scrivi i piatti nel posto giusto.

insalata mista / tagliatelle ai funghi / pollo arrosto / prosciutto e melone / bistecca di maiale / macedonia di frutta / patate arrosto / acqua / crostini misti / tiramisù / gnocchi al ragù / arista al forno / vino rosso / insalata di mare / patate fritte / birra / ananas / pomodoro e mozzarella / spaghetti alla carbonara / panna cotta / salmone ai ferri / bruschette al pomodoro / tagliata di manzo / vino bianco / verdure alla griglia / risotto ai frutti di mare / torta di mele / lasagne

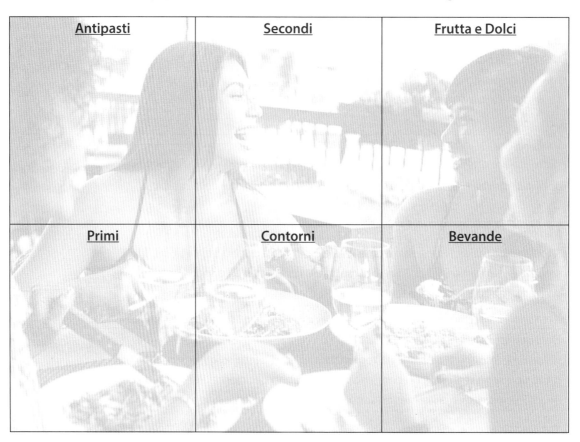

Antipasti	Secondi	Frutta e Dolci
Primi	**Contorni**	**Bevande**

15 Cosa prendono gli italiani al bar?
Ascolta i dialoghi e completa con le informazioni corrette.

17 🔊

1	Sono circa le _____ di _____. L'uomo e la donna sono al bar per _____.
2	Sono circa le _____ di _____. Le due donne sono al bar per _____.
3	Sono circa le _____ di _____. I due uomini sono al bar per _____.

16 La mia Grammatica
Completa le Schede grammaticali:

- A3 Nomi irregolari 2, pagina 249;
- E4 Presente Indicativo irregolare 1, pagina 257;
- E6 Il verbo piacere, pagina 258.

1 Guarda l'immagine e rispondi alle domande.

1. Dov'è la fontana? _____

2. Dov'è il campanile? _____

3. Dov'è il ponte? _____

4. Dov'è il palazzo del comune? _____

5. Dov'è la statua? _____

6. Dov'è il museo? _____

2 Quale città è? Descrivi cosa c'è nelle foto e indovina la città.

1. _____

_____

2. _____

3. _____

4. _____

5. _____

6. _____

7. _____

_____

8. _____

9. _____

_____

| _____ Milano | _____ Venezia | _____ Torino | _____ Bologna |
| _____ Roma | _____ Firenze | _____ Napoli | _____ Bari | _____ Palermo |

3 Scegli un'immagine a tuo piacere. Descrivi l'immagine e usa le espressioni della lista.

al centro / a destra / a sinistra / vicino a / lontano da / davanti a / dietro a

_____

_____

_____

_____

4 Guarda l'immagine per 30 secondi poi copri l'immagine e rispondi vero o falso.

		V	F
1.	A destra c'è un autobus.	☐	☐
2.	Al centro c'è un albero.	☐	☐
3.	A sinistra dell'albero c'è una donna.	☐	☐
4.	A destra dell'albero c'è una donna seduta.	☐	☐
5.	Dietro all'albero c'è un cane.	☐	☐
6.	A sinistra c'è un negozio.	☐	☐

5 Nord-Sud-Ovest-Est. Guarda la cartina e completa le frasi.

1. Torino è a _____ di Milano.
2. Venezia è a _____ di Roma.
3. Bologna è a _____ di Firenze.
4. Cagliari è a _____ di Genova.
5. Bari è a _____ di Napoli.
6. Palermo è a _____ di Messina.
7. Catania è a _____ di Reggio Calabria.

6 Scrivi **la domanda e poi** rispondi **come nell'esempio. Inventa sempre** <u>un motivo diverso</u>.

Es. (tu – venire al cinema)
A: Vuoi venire al cinema?
B: Voglio, ma non posso <u>perché devo studiare</u>.

1. (lei – andare in Messico)

   _____

2. (tu – telefonare a Marco)

   _____

3. (voi – leggere il libro di matematica)

   _____

4. (loro – mangiare al ristorante)

   _____

5. (noi – prendere un cane)

   _____

6. (lui – comprare una Ferrari)

   _____

unità **6** esercizi

7 Scrivi i nomi dei mezzi di trasporto.

1

2

3

4

5

6

7 (orizzontale)

7 (verticale)

8

9

8 *Conoscere o sapere?* Completa con il verbo *giusto*.

1. A: (Tu) _____ l'insegnante di italiano? B: No, _____ la professoressa di matematica.
2. A: (Voi) _____ suonare il pianoforte? B: Sì, _____ suonare anche il violino.
3. A: Scusi, _____ dov'è la stazione centrale? B: Mi dispiace, non lo _____.
4. A: (Voi) _____ Roma? B: No, ma _____ Venezia.
5. Luisa _____ tutte le chiese di Napoli.
6. A: (Tu) _____ cucinare le lasagne? B: No, ma _____ cucinare la pizza.
7. Gli studenti _____ parlare bene l'italiano.
8. Giacomo e Mara _____ un ristorante buonissimo.

9 Scegli la preposizione corretta.

1. Marco arriva **fra / da** due giorni e resta **in / per** tre settimane.
2. **Da / In** aereo, puoi arrivare a Parigi **in / per** due ore.
3. Viaggiare **con il / per** treno è molto comodo, invece **per / in** macchina è stressante.
4. Sandra è in Francia **in / da** un mese e torna **in / tra** due settimane.
5. Nelle grandi città è molto comodo andare **da / in** bici o **con il / fra** motorino. **Per / In** pochi minuti puoi arrivare dappertutto.
6. Aspettiamo l'autobus **da / per** mezz'ora. Uffa!
7. Tutti i giorni vado a lezione **in / per** autobus. Aspetto **da / per** mezz'ora, ma arrivo a scuola **in / tra** dieci minuti.
8. A: Aspetta! **Fra / Per** cinque minuti arrivo! B: No! È **per / da** un'ora che aspetto, vado via!

10 *Dove arrivano?* Ascolta i dialoghi e collega il nome della via o il luogo dove arrivano i ragazzi. Attenzione! C'è un nome in più.   20 ◁))

dialogo 1 (_____)   dialogo 2 (_____)   dialogo 3 (_____)   dialogo 4 (_____)   dialogo 5 (_____)

a. via Roma / b. stazione / c. via Indipendenza / d. piazza Verdi / e. cinema / f. via Larga

11 Completa come nell'esempio.

Questo libro   *Quel libro*

_____ treno	_____ treno
_____ autobus	_____ autobus
_____ bicicletta	_____ bicicletta
_____ automobile	_____ automobile
_____ aeroplani	_____ aeroplani
_____ motorini	_____ motorini
_____ navi	_____ navi

12 Questo e quello. Completa come nell'esempio.

1.

 Ponte di Rialto - Venezia

 Ponte Sant'Angelo - Roma

Questo è il Ponte di Rialto a Venezia   *e quello è il Ponte Sant'Angelo a Roma*

2.

 Palazzo Ducale - Urbino

 Palazzo Ducale – Mantova

3.

 la torre di Pisa

 le torri di S.Gimignano

4.

 le statue di Michelangelo

 la statua di Donatello

5.

 i Musei Vaticani - Roma

 i Musei Capitolini - Roma

13 Dove sei?

Lo studente A e lo studente B guardano la mappa.

Lo studente A sceglie un punto della mappa. Parte dalla Stazione Termini e dà a B le indicazioni per arrivare nel suo punto della mappa. Esempio: *"Esci e gira a sinistra, poi vai in Via…"*. Alla fine del percorso, A chiede a B: *"Dove sei?"*. Lo studente B deve seguire il percorso e capire qual è il punto dello studente A.

Poi lo studente B sceglie un punto e lo studente A segue le indicazioni di B.

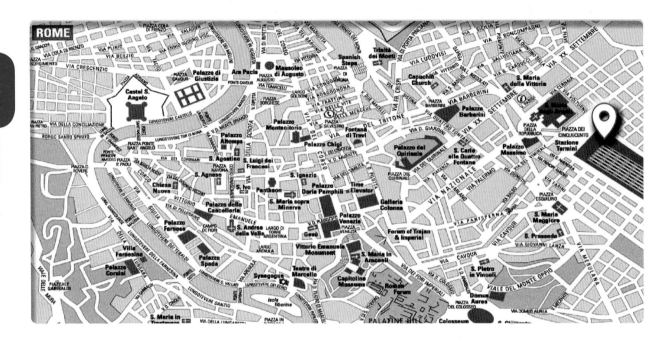

14 La mia Grammatica

Completa le Schede grammaticali:

- C4.1 I dimostrativi (aggettivi), pagina 252;
- C4.2 I dimostrativi (pronomi), pagina 252;
- D3 Preposizioni di tempo, pagina 253;
- D4 Preposizioni con i mezzi di trasporto, pagina 253;
- E5 Presente Indicativo irregolare 2, pagina 257;
- F3 Lo spazio (avverbi e indicatori), pagina 260.

1 Riordina **la giornata di Roberto.**

_____	Dopo cena legge il giornale o guarda la televisione.
_____	Ha lezione dalle nove a mezzogiorno.
_____	Va a letto a mezzanotte.
_____	Pranza alla mensa.
___1___	Si sveglia alle sette e si alza.
_____	Torna a casa verso le otto di sera.
_____	Cena con la sua famiglia.
_____	Fa colazione con cornetto e caffè, si lava, si veste e va all'università.
_____	Studia con il suo amico Gianni fino alle sei del pomeriggio.

2 Guarda **le immagini e** descrivi **la giornata di Marco.**

3 E tu cosa fai di solito?

Ora	
7:30	_____
8:00	_____
9:00	_____
12:30	_____
15:00	_____
17:00	_____
19:30	_____
21:00	_____
23:30	_____

4 Gianna è una professoressa, Alessio e Giovanni sono studenti di medicina. Coniuga i verbi e riordina le loro giornate.

1. *Si alza* e *prende* il treno per andare al lavoro.

2. _____

3. _____

4. _____

5. _____

1. *Si svegliano* tardi perché la mattina non *hanno* lezione.

2. _____

3. _____

4. _____

5. _____

> *svegliarsi* tardi perché la mattina non *avere* lezione / *alzarsi* e *prendere* il treno per andare al lavoro / *lavarsi, vestirsi* e *andare* all'università a piedi / *studiare* fino alle 19.30 con i compagni di corso / *arrivare* a scuola alle 9 e *lavorare* tutta la mattina / dopo cena *uscire* con gli amici e *divertirsi* / *andare* in palestra con una collega e *rilassarsi* un po', poi *tornare* a casa per cena / *pranzare* e dopo *preparare* la lezione per gli studenti / *andare* a letto tardi perché la mattina *potere* dormire / dopo cena *guardare* un film e spesso *addormentarsi* sul divano perché *essere* molto stanca

5 Leggi il testo e rispondi Vero o Falso, poi riempi la tabella dei verbi.

Mi chiamo Silvia, ho 22 anni, **abito** a Bologna con i miei genitori e studio Storia dell'arte all'università. Durante la settimana mi sveglio sempre alle 7:00, faccio colazione con caffè e biscotti, mi lavo, mi vesto e vado all'università. Ho lezione tutti i giorni dalle 9:00 a mezzogiorno.
Pranzo spesso alla mensa con la mia amica Anna e dopo studiamo insieme in biblioteca fino alle 17:00. Il martedì e il giovedì alle 18:00 vado in palestra perché ho lezione di yoga, poi torno a casa e ceno con la mia famiglia.
Dopo cena di solito leggo un libro o guardo un film alla televisione.

Il fine settimana dormo spesso fino a tardi e non mi alzo mai prima delle 9:00.
Il sabato mattina pulisco la mia stanza, il pomeriggio faccio shopping in centro con le mie amiche e la sera, tutte insieme, mangiamo una pizza in pizzeria e poi andiamo al cinema o a ballare in discoteca.
La domenica invece non faccio niente di speciale e mi riposo tutto il giorno.

1. Silvia fa colazione al bar.   V   F
2. Silvia ha lezione tutte le mattine.   V   F
3. Il pomeriggio di solito è libera.   V   F
4. Silvia fa sport due volte alla settimana.   V   F
5. Di solito Silvia cena a casa.   V   F
6. Il sabato e la domenica si alza presto.   V   F
7. Il sabato Silvia si diverte con le amiche.   V   F
8. La domenica esce sempre.   V   F

VERBI REGOLARI	VERBI RIFLESSIVI	VERBI IRREGOLARI
abito – abitare	mi chiamo - chiamarsi	ho – avere

6 Completa con i verbi riflessivi.

Margherita ogni mattina _____ (svegliarsi) alle sette. _____ (lavarsi), _____ (vestirsi) e va all'università. Dopo le lezioni va in biblioteca a studiare, oppure va in palestra e _____ (allenarsi). La sera, di solito, vede la sua amica Sara. Loro _____ (incontrarsi) davanti al Duomo e vanno a ballare in discoteca. _____ (Loro-divertirsi) sempre molto, ma quando ritornano a casa sono stanchissime!

7 Sei in vacanza. Scrivi un'e-mail a un/un' amico/a e racconta come passi le tue giornate.

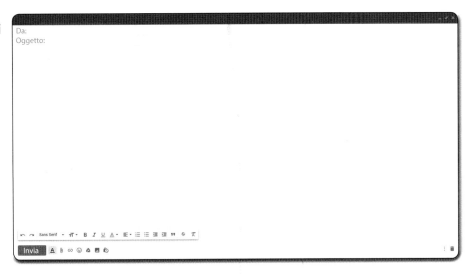

8 Che stagione è?

1. Di solito fa caldo e c'è il sole e le persone vanno in vacanza al mare. _____

2. Fa fresco, ma spesso il cielo è sereno e gli alberi hanno molti fiori. _____

3. Spesso piove o è nuvoloso, fa fresco e gli alberi perdono le foglie. _____

4. Fa freddo e se nevica, le persone vanno in vacanza in montagna. _____

9 Guarda **le immagini della settimana**, descrivi **il meteo e** prova **a indovinare che stagione è.**

Lun 13	Mar 14	Mer 15	Gio 16	Ven 17	Sab 18	Dom 19
☀	⛅	🌤	☁	🌧	⛈	🌨
5° 11°	4° 9°	4° 10°	3° 6°	2° 4°	0° 3°	-2° 1°

Lunedì 13 _____

_____ _____

_____ _____

_____ _____

_____ _____

_____ _____

_____ _____

10 Guarda **le immagini e** scrivi **le parole corrette. Alla fine scopri qual è la parola nascosta negli** spazi colorati. Rispondi **correttamente e** scopri **il nome di una stagione.**

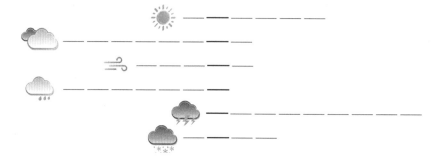

11 Collega **le due colonne per completare le frasi.**

1. In montagna, in inverno, di solito ☐   A. fa freddo.
2. Spesso in autunno e in primavera ☐   B. fa brutto tempo.
3. In dicembre ☐   C. è nuvoloso.
4. In agosto ☐   D. nevica.
5. Quando il sole è coperto ☐   E. fa caldo.
6. Se c'è il sole e non ci sono nuvole ☐   F. piove.
7. Se piove e tira vento ☐   G. fa bel tempo.

12 Completa le frasi.

1. A Venezia ci sono _____ (troppo) turisti.
2. Firenze è _____ (molto) bella.
3. In primavera ci sono _____ (tanto) fiori.
4. Visito sempre _____ (molto) città diverse.
5. Al supermercato c'è _____ (molto) frutta fresca.
6. In città, ad agosto, ci sono _____ (poco) persone.
7. Angela cucina sempre _____ (troppo) pasta.
8. Non mi piace viaggiare in inverno, perché fa _____ (troppo) freddo.
9. Non possiamo comprare quella borsa di Gucci, perché abbiamo _____ (poco) soldi.
10. Andare in montagna non ci piace, perché piove _____ (tanto).

13 Coniuga i verbi e unisci le colonne.

1. Io _____ (suonare)
2. Io e Antonio _____ (giocare)
3. Tu _____ (navigare)
4. Giulio e Marta _____ (fare)
5. Giada _____ (andare)
6. Guido _____ (guardare)
7. Tu _____ (scrivere)
8. Monica _____ (leggere)
9. Tu e Giacomo _____ (telefonare)
10. Michele e Simone _____ (incontrare)

☐ A. ginnastica.
☐ B. un'e-mail.
☐ C. al cinema.
☐ D. a calcio.
☐ E. un libro di Manzoni.
☐ F. il piano.
☐ G. Lisa.
☐ H. a Claudia.
☐ I. su internet.
☐ J. la TV.

14 Scegli l'opzione giusta.

1. Tutti gli anni visitiamo nuovi paesi, perché ci piace molto **viaggiare – incontrare amici – navigare su internet**.
2. Annik ama correre e tutti i giorni **fa shopping – fa ginnastica – fa jogging**.
3. Io e Luigi amiamo l'arte e spesso **fotografiamo paesaggi – visitiamo musei – andiamo al cinema**.
4. Amo il cibo e mi piace molto **andare in palestra – andare al ristornate – andare in bici**.
5. Olivia ascolta sempre musica dance e le piace **ballare in discoteca – suonare il piano – giocare a tennis**.

15 E tu cosa fai nel tempo libero? Scrivi almeno 4 attività in ogni colonna.

SPORT	CULTURA	DIVERTIMENTO/RELAX

16 Il meteo. A coppie guardate la cartina e fate domande al compagno sul tempo atmosferico e sulla temperatura delle città o regioni. Cominciate con le domande presenti, ma inventate anche altre domande.

1. Che tempo fa in Sicilia?

2. Che tempo fa a Genova?

3. Che tempo fa al sud Italia?

4. In quale parte d'Italia fa brutto tempo?

5. Qual è la temperatura a Firenze?

6. _____

7. _____

8. _____

9. _____

10. _____

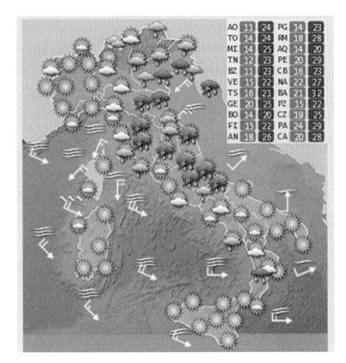

AO	11	24	PG	14	23
TO	14	24	RM	18	28
MI	14	25	AQ	14	20
TN	12	23	PE	20	29
BZ	11	23	CB	16	23
VE	15	22	NA	22	27
TS	16	21	BA	21	32
GE	20	25	PZ	15	22
BO	14	20	CZ	19	25
FI	15	22	PA	24	29
AN	18	26	CA	20	28

AO = Aosta
TO = Torino
MI = Milano
TN = Trento
BZ = Bolzano
VE = Venezia
TS = Trieste
GE = Genova
BO = Bologna
FI = Firenze
AN = Ancona

PG = Perugia
RM = Roma
AQ = L'Aquila
PE = Pescara
CB = Campobasso
NA = Napoli
BA = Bari
PZ = Potenza
CZ = Catanzaro
PA = Palermo
CA = Cagliari

17 La mia Grammatica

Completa le Schede grammaticali:

• E2 I verbi in -care e -gare, pagina 256;
• E3 I verbi riflessivi, pagina 256;
• F1 La quantità (avverbi e indicatori), pagina 260.

1 Guarda l'immagine e completa il testo con le parole giuste.

In questa casa ci sono otto _____ e un giardino.

Nel seminterrato ci sono il _____ e la

_____ .

Al primo piano ci sono la _____ , la

_____ e il _____ .

Al secondo piano ci sono una _____ , una

_____ e il _____ .

2 Leggi gli annunci poi unisci con l'immagine corrispondente.

1 Appartamento al quarto piano con ascensore. L'appartamento ha due camere, una cucina con soggiorno e un bagno. È molto luminoso e ha molto spazio esterno grazie a tre balconi.	**2** Appartamento in palazzo storico. L'appartamento ristrutturato recentemente ha una camera matrimoniale e una camera doppia, un bagno e una cucina con soggiorno. Adatto a famiglie con bambini.	**3** Appartamento per giovani coppie. L'appartamento ha una cucina con soggiorno, un bagno e una grande camera matrimoniale con balcone privato. Libero da giugno.
4 Grande appartamento in condominio tranquillo. L'appartamento è al primo piano, ha tre camere matrimoniali, due bagni, cucina e un grande soggiorno. Perfetto per studenti o per famiglie numerose.	**5** Monolocale con soppalco. L'appartamento ha una cucina con soggiorno e un bagno, sul soppalco c'è la camera con un grande armadio.	**A**
B	**C**	**D**
E	1/_____ 2/_____ 3/_____ 4/_____ 5/_____	

3 Che tipo di casa è?

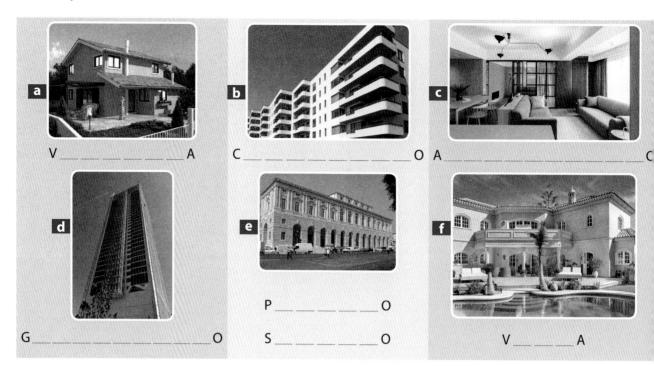

a   V_ _ _ _ _ _ _ _ _ _A

b   C_ _ _ _ _ _ _ _ _ _ _ _O A

c   A_ _ _ _ _ _ _ _ _ _ _ _C

d

e   P_ _ _ _ _ _ _O

f

G_ _ _ _ _ _ _ _ _ _ _O   S_ _ _ _ _ _ _O   V_ _ _ _A

4 Trova **8 parole della famiglia e** completa **la tabella con il nome femminile come nell'esempio.**

P	N	I	I	F	I	G	L	I	O	Y
A	F	M	N	R	N	I	P	O	T	E
D	M	A	R	I	T	O	F	C	L	R
R	O	L	R	E	Z	L	I	U	A	Q
E	S	R	K	M	Z	A	D	G	V	Z
H	O	N	G	Q	M	R	A	I	C	Z
J	H	B	H	Z	X	J	N	N	O	I
H	S	T	O	M	J	X	Z	O	K	O
W	S	N	Y	G	Y	M	A	T	X	L
I	O	S	V	Y	U	H	T	E	A	A
F	R	A	T	E	L	L	O	K	U	S

1. _____ *lo zio* _____ → _____ *la zia* _____

2. _____ → _____

3. _____ → _____

4. _____ → _____

5. _____ → _____

6. _____ → _____

7. _____ → _____

8. _____ → _____

5 Completa **con il nome corretto e** trova **la parola nascosta.**

1. È il fratello della figlia. _ _ _ _ _

2. Non è sposato o fidanzato. _ _ _ _ _

3. È la moglie del padre. _ _ _ _ _

4. È la figlia di mia madre e mio padre. _ _ _ _ _ _ _

5. È il padre del padre. _ _ _ _ _

6. È la sorella della madre o del padre. _ _ _

7. È sposato con la moglie. _ _ _ _ _

8. È la figlia del figlio. _ _ _ _ _ _

9. È la figlia del fratello del padre. _ _ _ _ _

6 Paolo parla della sua famiglia. Ascolta due volte e rispondi: Vero o Falso?   26 ◁))

1. Paolo è di Milano.   V   F
2. Paolo abita con la sua famiglia.   V   F
3. La sua famiglia abita in centro.   V   F
4. Giorgio e Nina sono i suoi genitori.   V   F
5. I suoi genitori abitano al primo piano.   V   F
6. Paolo ha un fratello.   V   F
7. Suo cugino Francesco è figlio unico.   V   F
8. Paolo vuole molto bene alla sua famiglia.   V   F

7 Guarda la famiglia di <u>Giulia</u> e completa le frasi con gli aggettivi possessivi e le parole della famiglia, come nell'esempio.

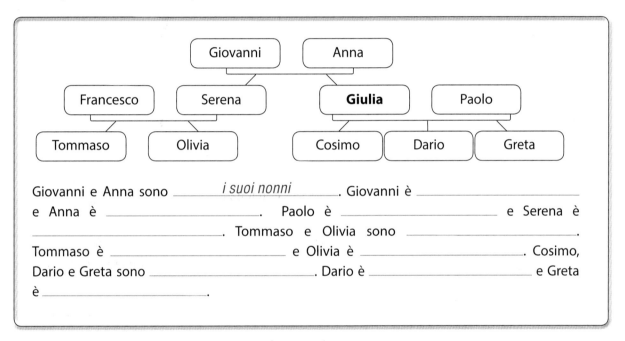

Giovanni e Anna sono _____*i suoi nonni*_____. Giovanni è _____
e Anna è _____. Paolo è _____ e Serena è
_____. Tommaso e Olivia sono _____.
Tommaso è _____ e Olivia è _____. Cosimo,
Dario e Greta sono _____. Dario è _____ e Greta
è _____.

8 Scegli la risposta corretta.

1. Come si chiama *tua/la tua* sorella?
2. Questo è *nostro/il nostro* gatto.
3. *Suoi/I suoi* genitori sono molto giovani.
4. *Mia/La mia* zia è divorziata.
5. *Nostra/La nostra* casa è in centro.
6. Giacomo è *suo/il suo* fidanzato.
7. Siete felici, perché domani arriva *vostro/il vostro* zio dall'Argentina?
8. *Loro/Il loro* appartamento non è molto grande.
9. Domani uscite con *vostri/i vostri* amici.
10. *Tuoi/I tuoi* nonni abitano in Svizzera.
11. Mara, *tuo/il tuo* marito è professore?

12. *Mia/La mia* famiglia è di origine tedesca.

9 Completa con l'aggettivo possessivo corretto.

1. A: Dove abitate?
   B e C: _____ città si chiama Graz.
2. A: Dove vai in vacanza?
   B: Vado al mare con _____ marito e _____ figli.
3. Gianna e Marco hanno una bella casa. _____ appartamento è in centro, a Roma, e hanno anche una gatta. _____ gatta si chiama Giuditta.
4. A: Signor Rossi, dove abitano _____ figli?
   B: _____ figlio Michele vive in Inghilterra, con _____ moglie Kate, e _____ figlia Angela è divorziata e abita a Perugia con _____ figlie.

10 Completa con i numeri ordinali.

1. Capodanno è _____ (1°) giorno dell'anno.
2. Gianluca frequenta _____ (3°) anno di Medicina.
3. I miei amici abitano al _____ (5°) piano di un palazzo.
4. I miei genitori fanno un bel regalo a mio fratello per il suo _____ (18°) compleanno.
5. I tuoi nonni festeggiano il loro _____ (50°) anniversario di matrimonio.
6. Giulio vince la medaglia d'argento nella gara di nuoto, perché è _____ (2°).

11 Leggi l'e-mail di Eva e rispondi.

Ciao Anna, come stai?
Io sono a Bologna da cinque settimane e studio italiano all'università.
Abito con due ragazze inglesi: Kate e Jane. Kate è molto dinamica e socievole, mi trovo bene con lei e facciamo tante cose insieme. Jane invece è pigra e non vuole mai uscire con noi!
Abitiamo al secondo piano di un palazzo vicino allo stadio. Il nostro appartamento è abbastanza grande e molto luminoso. Ci sono sei stanze: la cucina, il salotto, tre camere da letto singole e un solo bagno.
Mi piace la mia stanza perché è grande: c'è un letto, un armadio, una scrivania dove posso studiare tranquillamente e ha anche un piccolo balcone.
Quando vieni a trovarmi?

Scrivimi presto!
Eva

1. Come si trova Eva con le sue coinquiline?
   _____

2. Dove abitano le ragazze?
   _____

3. Com'è l'appartamento?
   _____

4. Quante stanze ci sono?
   _____

5. A Eva piace la sua stanza? Perché?

12 Completa **con le parole della lista.**

stanze / finestra / piano / armadio / matrimoniale / palazzo / libri / camera / scrivania / terrazzo

Abito in un _____ storico in centro a Firenze, al primo _____. Il mio appartamento è grande, ci sono cinque _____ e c'è anche un _____
dove possiamo mangiare quando il tempo è bello.
La mia _____ è bellissima e molto luminosa perché c'è una grande _____.
Ci sono anche un letto _____, un _____ di legno scuro, una
_____ dove posso studiare e una libreria per i miei _____.

13 **Le differenze.** Guarda **le immagini, trova 8 differenze e** scrivi **delle frasi con gli indicatori spaziali.**

1. *Nell'immagine B non c'è il comodino.* _____
2. _____
3. _____
4. _____
5. _____
6. _____
7. _____
8. _____

14 Completa **con le preposizioni articolate.**

1. Il quaderno di italiano è (su+la) _____ scrivania.
2. Abitiamo vicino (a+la) _____ scuola.
3. Il mio appartamento è (a+il) _____ secondo piano.
4. Questo è il cane (di+il) _____ mio amico Luca.
5. Ho lezione di italiano (da+il) _____ lunedì (a+il) _____ giovedì, (da+le)
    _____ 10 (a+le) _____ 11.30.
6. Studio (in+la) _____ mia stanza tutti i pomeriggi.
7. Fabio vive lontano (da+il) _____ centro.

15 Completa **con le preposizioni semplici o articolate.**

Sono _____ Italia _____ Alice, una mia amica, _____ studiare italiano e restiamo _____ tre mesi. Abitiamo _____ Roma, _____ via Cavour, vicino _____ Colosseo, _____ un piccolo appartamento. La scuola è _____ via Nazionale e tutte le mattine andiamo _____ lezione _____ piedi. Le lezioni cominciano _____ 9.00 e finiscono _____ una. Dopo le lezioni, pranziamo sempre _____ ristorante *La Carbonara* vicino _____ casa. Il pomeriggio studiamo, visitiamo i musei o beviamo un caffè _____ bar. La sera, dopo cena, usciamo: andiamo _____ centro oppure il sabato andiamo _____ ballare _____ discoteca, o a vedere un film _____ cinema.

16 **Giochiamo insieme!**
   Intrecci di famiglia. Leggi le frasi e ricostruisci l'albero genealogico, prima dei tuoi compagni.

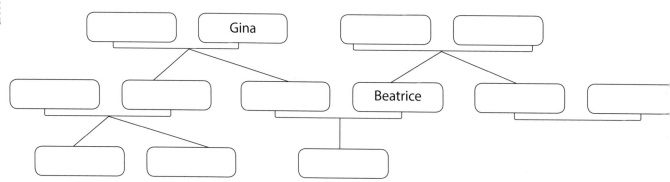

1. Carlo è il marito di Gina.
2. Roberta non ha figli.
3. Stefano e Mauro sono fratelli.
4. Elisa è la zia di Francesca.
5. Giovanni è il padre di Piero.
6. Mauro ha due figli.
7. Lina è la madre di Beatrice.
8. Francesca è figlia unica.
9. Federico e Giulio sono nipoti di Beatrice.

17 **La mia Grammatica**
   Completa le Schede grammaticali:

• C3 I possessivi, pagina 251;
• D5 Le preposizioni articolate, pagina 254.

1 **Dove fanno la spesa?** Leggi le descrizioni e rispondi.

1. *"Lavoro molto e non voglio usare il tempo libero per andare a fare la spesa al supermercato. Compro tutto quello che voglio con un click e arriva direttamente a casa".*

   Fa la spesa _____

2. *"Non c'è un mercato vicino a casa mia e non mi piacciono i supermercati, perché i prodotti non sono abbastanza freschi, preferisco fare la spesa mentre cammino per le vie del mio quartiere".*

   _____

3. *"I negozi di alimentari sono troppo cari e la mattina, quando il mercato del mio quartiere è aperto, io sono già al lavoro, e poi c'è molta scelta e posso sempre trovare tutto in un solo grande negozio".*

   _____

4. *"Preferisco i prodotti molto freschi e di stagione e mi piace avere un rapporto con i negozianti. Tutte le mattine, prima di andare in ufficio, esco e faccio la spesa perché il pomeriggio è chiuso".*

   _____

2 Completa i dialoghi con le parole della lista.

pasta / ananas / formaggio / patate / salame / pere / pollo / banana
/ marmellata / mele / pane

1

A: Buongiorno Carlo, devo fare la macedonia di frutta.

B: Buongiorno signor Verdi, che frutta vuole?

A: Prendo un _____ grande e maturo, una _____, tre _____ e mezzo chilo di _____ rosse.

B: Altro?

A: Sì, vorrei anche un chilo di _____ integrale e un vasetto di _____ di fragole, grazie.

2

A: Ciao Marta. Stasera ceno con mia sorella e cucino io. Che posso fare?

B: Ciao Luis. Puoi fare un antipasto, con del _____, pecorino o parmigiano, e salumi, un po' di _____ e prosciutto. Per primo _____ al pomodoro e per secondo _____ arrosto con un contorno di _____ fritte o al forno.

A: Grazie Marta, è perfetto!

3 Trova l'intruso e spiega perché.

1. lattuga - mela - carote - pomodori   _____
2. farina – riso – yogurt - pasta   _____
3. latte - burro - formaggio - uova   _____
4. zucchero - miele - pane - biscotti   _____
5. pesce - pollo - tacchino - maiale   _____
6. prosciutto - salame - coniglio - guanciale   _____

4 Trova le 13 parole del cibo e completa la tabella.

D	P	F	O	Z	K	K	P	E	U	J	A	K	R
Z	M	F	F	L	Q	M	O	M	C	S	O	K	B
S	G	O	Q	A	N	U	C	I	I	B	X	I	K
B	U	R	O	T	N	J	O	E	L	A	B	V	S
I	A	M	S	T	T	F	N	L	I	F	S	S	R
S	N	A	O	E	U	A	I	E	E	I	Y	F	O
C	C	G	T	X	O	C	G	T	G	E	P	A	I
O	I	G	H	M	A	K	L	M	I	T	D	G	Y
T	A	I	N	K	A	L	I	X	E	A	W	I	L
T	L	O	C	Y	K	F	O	Q	J	O	U	O	A
I	E	R	T	A	C	C	H	I	N	O	S	L	Q
X	F	R	A	G	O	L	E	C	E	C	I	I	J
O	G	W	R	L	A	T	T	U	G	A	M	R	N
C	K	I	I	P	R	O	S	C	I	U	T	T	O

Frutta	Verdura
- _____	- _____
- _____	

Carne	Latticini
- _____	- *latte*
- _____	- _____

Legumi	Dolci
- _____	- _____
- _____	- _____

Salumi	
- _____	
- _____	

5 Leggi la piramide della dieta mediterranea e indica i cibi che sono nel posto sbagliato.
Controlla il disegno a pagina 161.

Carne rossa
Olio
Uova
Frutta
Legumi
Latte e latticini
Carne bianca
Pesce | Dolci | Verdure
Cereali, pasta, riso, pane...

6 Trasforma le frasi come nell'esempio.

Es. Vorrei *un po' di pane.* ⟶ Vorrei del pane.

1. Vorrei un po' di fagioli. ⟶ _____
2. Vorrei un po' di patate. ⟶ _____
3. Vorrei un po' di marmellata. ⟶ _____
4. Vorrei un po' di zucchero. ⟶ _____
5. Vorrei un po' di anguria. ⟶ _____
6. Vorrei un po' di burro. ⟶ _____
7. Vorrei un po' di spaghetti. ⟶ _____
8. Vorrei un po' di yogurt. ⟶ _____

7 Quando ci vai? Rispondi e usa la particella *ci*.

Quando vai... a lezione? _____

in vacanza? _____

al cinema? _____

dai tuoi amici? _____

in discoteca? _____

al supermercato? _____

in biblioteca? _____

a cena al ristorante? _____

al mare? _____

a fare shopping? _____

8 Unisci le parole alla loro descrizione.

1. Lessare	A. Cuocere in olio bollente.
2. Grigliare	B. Scaldare l'acqua a 100°.
3. Friggere	C. Togliere la buccia a frutta o verdura.
4. Pelare	D. Cuocere in acqua bollente.
5. Far bollire	E. Tagliare a fette.
6. Affettare	F. Cuocere sulla griglia.

9 Riordina le parole e scopri la parola finale.

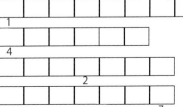

RIORORERIFGF

RONOF

NIFLOLRE

PORLAIFI

TALIGE

PALLEDA

TOOLIAC

10 Completa **la ricetta con le parole della lista.**

grattugiare / fuoco / padella / pentola / pepe / ingredienti / mescolare / spaghetti / sbattere / versare

> **Spaghetti alla carbonara** (_____ *per 4 persone*)
> - 320 g di spaghetti
> - 150 g di guanciale
> - 3 uova
> - 50 g di pecorino romano
> - Pepe nero qb
> - Sale qb

- Mettere sul fuoco una _____ con l'acqua per la pasta e quando bolle mettere il sale e gli _____.

- Tagliare a pezzettini il guanciale e cuocere in una padella a _____ medio per 15 minuti.

- _____ il pecorino. In una ciotola _____ le uova e aggiungere il pecorino e il _____.

- Quando la pasta è al dente, scolare e mettere nella _____ con il guanciale. Poi _____ le uova e il formaggio e _____ bene. Servire ben calda.

11 Ascolta le frasi e cerchia **il numero che senti.**

31 ◁))

1.	a. 2270	b. 2770	c. 2760
2.	a. 4.400.000	b. 4.050.000	c. 4.500.000
3.	a. 1968	b. 1978	c. 1988
4.	a. 490.000	b. 390.000	c. 49.000
5.	a. 1946	b. 1966	c. 1906
6.	a. 260.000	b. 206	c. 206.000

12 Completa **la tabella.**

IL NEGOZIO	IL NEGOZIANTE	IL CIBO
in macelleria	_____	compro…
_____	dal panettiere/dal fornaio	compro…
in salumeria	_____	compro…
_____	dal droghiere	compro…
in pescheria	_____	compro…
nel negozio di frutta e verdura	_____	compro…
_____	dal pasticcere	compro…

13 Unisci le colonne.

Una bottiglia	di succo	Margherita.
Una fetta	di mele	al cioccolato.
Un cartone	di vino	di frutta.
Un vasetto	di biscotti	di fragole.
Due etti	di pizza	toscano.
Una confezione	di prosciutto	rosse.
Mezzo chilo	di marmellata	rosso.

14a Che piatto è? Scrivi gli ingredienti di un piatto italiano che conosci. A coppie leggete uno alla volta gli ingredienti e provate a indovinare qual è il piatto scelto dal compagno. Vince chi indovina per primo.

I miei ingredienti

I suoi ingredienti

14b Con il tuo compagno immagina di fare la spesa per comprare gli ingredienti che servono per le vostre ricette.

1. *A casa, trova su google i siti di questi supermercati:*
   - Esselunga
   - Coop
   - Conad

2. *Con il tuo compagno create un dialogo con i prodotti e i prezzi che sono online, sui siti dei negozi.*

15 La mia Grammatica

Completa la Scheda grammaticale:

- D6 Preposizione semplice o articolata? (1), pagina 254;
- D7 A oppure IN? pagina 254;
- D8 Preposizione semplice o articolata? (2), pagina 255.

10 unità | esercizi

1 Scrivi le parole corrette e scopri, con le lettere degli spazi in blu, un'attività tipica del fine-settimana.

1. ___ ___ ___ ___

2. ___ ___ ___ ___ ___ ___

3. ___ ___ ___ ___ ___

4. ___ ___ ___

5. ___ ___ ___ ___ ___

1	2	3	4	5	6	7	8	9	10

6. ___ ___ ___ ___

7. ___ ___ ___ ___

8. ___ ___ ___ ___ ___ ___

9. ___ ___ ___ ___ ___

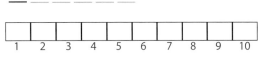

10. ___ ___ ___ ___ ___ ___

2 Scegli il verbo dalla lista e completa le frasi con il verbo al presente.

andare / stare / visitare / riposarsi / mangiare / ballare / uscire / fare

1. Io e Marco _____ una mostra di arte contemporanea al Museo del Novecento.
2. (Io) _____ con i miei amici e (noi) _____ una pizza da *Sorbillo*.
3. Tu e Antonio _____ allo stadio per la partita Juventus-Napoli.
4. Giulia e Michele non vengono perché _____ con la loro famiglia.
5. Marta ama la musica dance e _____ in discoteca con le sue amiche.
6. Giada, _____ una gita ai Castelli Romani?
7. Gianni dorme tutto il giorno e _____.

3 Cosa hanno fatto Alessio e Sara? Inserisci le frasi nella tabella corretta.

sono stata a Venezia / ho visto piazza S.Marco / sono andato a S.Gimignano / ho fatto un giro in gondola / ho mangiato cucina tipica toscana / ho visitato le isole di Murano e Burano / ho visto le famose torri / ho fatto molte foto alla campagna / ho cenato in un ristorante sui canali / ho dormito in un agriturismo / sono stata a casa di un amico che vive lì

Sara	_____
	_____
	_____
	_____
	_____

Alessio	_____
	_____
	_____
	_____

4 Scegli il verbo e completa la frase con il passato prossimo.

Mangiare Cucinare Uscire	1. Matteo e Lucia _____ con gli amici sabato scorso.
	2. Ieri (io) _____ un dolce buonissimo.
	3. Il fine-settimana passato (noi) _____ in una pizzeria in centro.
Visitare Stare Incontrare	4. Tu e Filippo _____ Luisa in un bar di Milano.
	5. Gabriele, perché _____ a casa ieri sera?
	6. L'anno scorso i miei amici _____ Madrid.
Ritornare Andare Ballare	7. Angela _____ a Genova dalla sua amica Clara. Sabato sera (loro) _____ in discoteca e _____ a casa molto tardi.
Andare Ritornare Ballare	8. Pietro _____ a Napoli dal suo amico Gennaro. Venerdì sera (loro) _____ in discoteca e _____ alle 5:00 di mattina.

5 Completa il dialogo con i verbi della lista al passato prossimo.

dormire / cenare / uscire / stare / divertirsi / guardare / fare / andare

Mauro: Ehi Giorgio, come stai? Cosa _____*hai fatto*_____ nel fine-settimana?

Giorgio: Ciao, Mauro! Mah… Nulla di speciale, _____ a casa con Claudia: _____ un film e _____ perché io lavoro la domenica mattina e non posso fare tardi. E tu, invece?

Mauro: Io invece _____ tantissimo: _____ con i miei compagni di università, _____ in quel nuovo ristorante e poi _____ al concerto di Jovanotti. Troppo forte!

6 Trasforma le frasi dell'esercizio 2 e usa le espressioni *ieri*, *fa*, *scorso/a*, *passato/a*.

1. _____
2. _____
3. _____
4. _____
5. _____
6. _____
7. _____

7 Racconta cosa hai fatto.

Ieri _____

Tre giorni fa _____

Il fine-settimana passato _____

L'inverno scorso _____

Due anni fa _____

8 Rispondi alle domande. Quando…

…hai telefonato ai tuoi genitori? _____

…hai comprato un regalo a qualcuno? _____

…hai passato un fine-settimana speciale? _____

…sei uscito/a con i tuoi amici? _____

…hai cenato in un ristorante elegante? _____

…hai visitato un paese nuovo? _____

9 Completa con il presente o il passato prossimo.

Simona _____ (fare) l'insegnante di inglese e di solito non _____ (lavorare)
il sabato, ma la scorsa settimana _____ (andare) a teatro con i suoi studenti.
Simona _____ (amare) le commedie di Shakespeare, così un mese fa_____
(comprare) i biglietti online e sabato pomeriggio _____ (lei-portare) la sua classe a
vedere *"Sogno di una notte di mezz'estate"* in lingua originale.
I ragazzi _____ (divertirsi) molto e _____ (decidere) di tornare di nuovo
a teatro.

10 Riordina l'e-mail che Marco ha scritto al suo amico Massimo.

Caro Massimo,

Il giorno dopo siamo andati al mare, perché a Barcellona c'è una spiaggia bellissima.

_____

Poi da Madrid siamo tornati in Italia stanchi, ma molto felici!

_____

Abbiamo prenotato i biglietti per l'aereo, abbiamo fatto le valigie e con il treno siamo arrivati all'aeroporto di Pisa.

_____

Il terzo giorno siamo andati in treno a Madrid e ci siamo rimasti 2 giorni.

_____

una settimana fa io e Anna abbiamo fatto un piccolo viaggio.

_____

Siamo arrivati a Barcellona, abbiamo visitato la città, abbiamo mangiato tapas spagnole e dopo cena siamo tornati in albergo.

_____

E tu, come stai? Che fai?
Scrivi presto,
Marco

11 Scrivi le domande, poi rispondi in base alla tua esperienza e usa *già/mai/ancora*. Dopo fai le
stesse domande a un compagno.

Es.

Abitare con una famiglia italiana	• Hai *mai* abitato con una famiglia italiana? • Sì, ho *già* abitato con una famiglia italiana / No, non ho *mai/ancora* abitato con una famiglia italiana.

Vivere con dei coinquilini	Stare in campeggio	Passare un fine-settimana speciale
Guardare un film in italiano	Mangiare un cibo particolare	Giocare a calcio
Bere un caffè macchiato	Cucinare per i tuoi amici	Fare un'escursione in montagna

12 Trova e usa i 10 participi al passato irregolare per completare le frasi come nell'esempio.

Es. Giulia ha messo il libro nello zaino.

1. Michela, _____ mai _____ a Lisbona?
2. Domenica scorsa io e Nina _____ il nuovo film di Virzì.
3. Lorenzo _____ colazione al bar.
4. Nicola e Marzia _____ l'aereo per andare in Germania.
5. Tea _____ un'e-mail alla sua amica giapponese.
6. Dopo pranzo (io) _____ un caffè macchiato.
7. Perché tu e Silvia non _____ al concerto con me?
8. Mirko _____ la finestra perché ha freddo.
9. I miei genitori _____ di andare in vacanza in India.
10. (Tu) _____ l'ultimo libro di Elena Ferrante?

P	K	M	E	W	L	Z	M	S	S	V
T	H	X	N	M	B	L	R	M	T	E
V	H	C	F	P	O	I	F	K	A	N
I	M	C	P	R	E	S	O	Q	T	U
S	E	H	C	R	M	G	W	F	O	T
T	S	I	Q	H	K	F	Q	A	C	O
O	S	U	R	P	B	E	V	U	T	O
I	O	S	S	C	R	I	T	T	O	W
T	R	O	H	D	E	C	I	S	O	Q
I	K	F	P	T	U	F	A	T	T	O
L	E	T	T	O	U	E	L	M	K	C

13 Cosa ha fatto ieri Fabio? Usa prima, poi e dopo.

esercizi · unità 10

14 Il cruciverba dei participi.

- Create delle squadre.
- Attaccate solo il cruciverba alla lavagna.
- La prima squadra chiede all'insegnante una definizione: es. 3 verticale.
- L'insegnante dice il verbo e la squadra di turno prova a coniugare il verbo al participio.
- Ogni squadra guadagna un punto, per ogni participio indovinato.

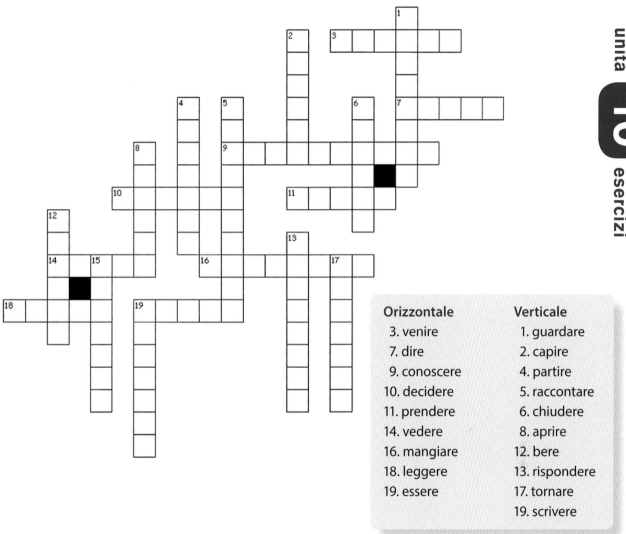

Orizzontale	Verticale
3. venire	1. guardare
7. dire	2. capire
9. conoscere	4. partire
10. decidere	5. raccontare
11. prendere	6. chiudere
14. vedere	8. aprire
16. mangiare	12. bere
18. leggere	13. rispondere
19. essere	17. tornare
	19. scrivere

15 La mia Grammatica

Completa le Schede grammaticali:

- E 7.1 Il passato prossimo: essere o avere? pagina 258;
- E 7.2 Il passato prossimo (participio regolare), pagina 259;
- E 7.3 Il passato prossimo (participio irregolare), pagina 259;
- F4 Il tempo (avverbi e indicatori), pagina 260.

La mia Grammatica

 A Nome

1 Nomi regolari

	Maschile	Femminile	Maschile / Femminile
Singolare	-_____	-_____	-_____
Plurale	-_____	-_____	-_____

Ora guarda la **Videogrammatica** animata:
• **A1 Nomi regolari** e controlla le risposte.

2 Nomi irregolari 1 (professioni)

Nomi in...	Maschile	Femminile
-ista	_____ _____ _____	_____ _____ _____
-nte	_____ _____ _____	_____ _____ _____
-_____	lo studente il professore il dottore l'avvocato	_____ _____ _____ _____

Ora guarda la **Videogrammatica** animata:
• **A2 Nomi irregolari 1** e controlla le risposte.

3 Nomi irregolari 2

Non cambiano al *PLURALE*...

nomi irregolari...	Singolare	Plurale
con _____		
_____		
_____		

Ora guarda la **Videogrammatica** animata:
• **A3 Nomi irregolari 2** e controlla le risposte.

 **B** Articoli

1 Gli articoli determinativi

	Singolare	Plurale
Maschile	_____ _____ l'	_____ _____
Femminile	_____ l'	_____

2 Gli articoli indeterminativi

	Singolare	
Maschile	_____	_____
Femminile	_____	_____

• **Nomi** maschili **con s +** *consonante*, **z-:**

Singolare (determinativi / indeterminativi)		Plurale (determinativi)	
_____ / _____ *st*udente		_____ / _____ *st*udenti	
_____ / _____ *sp*ecchio		_____ / _____ *sp*ecchi	
_____ / _____ *z*aino		_____ / _____ *z*aini	

Altri esempi: _____

_____

_____

• **Nomi** maschili / femminili **con** *a-e-i-o-u* **(***vocale***):**

Singolare (determinativi / indeterminativi)		Plurale (determinativi)
_____ / _____ *o*rologio		_____ *o*rologi
_____ / _____ *a*ula		_____ *a*ule

Altri esempi: _____

_____

_____

• **Alcuni nomi in -ma sono** _____:

Singolare (determinativi / indeterminativi)		Plurale (determinativi)
_____ / _____ problema		_____ problemi
_____ / _____ programma		_____ programmi
_____ / _____ panorama		_____ panorami
_____ / _____ sistema		_____ sistemi

Altri esempi: _____

_____

_____

Ora guarda la **Videogrammatica** animata:
• **B1 Gli articoli determinativi**
• **B2 Gli articoli indeterminativi** e controlla le risposte.

La mia Grammatica

C Aggettivi e Pronomi

1 Aggettivi

	Maschile	Femminile	Maschile / Femminile
Singolare	-_____	-_____	-_____
Plurale	-_____	-_____	-_____

Attenzione!

L'**aggettivo** si accorda con _____ e _____.

Altri **esempi:** _____

Ora guarda la **Videogrammatica** animata:
• **C1 Aggettivi** e controlla le risposte.

2 Gli interrogativi

Interrogativo	Domanda
	su una persona
	su una cosa, un oggetto
	su una qualità, un modo, una forma
	su un luogo
	sul tempo
	sulla causa

Ora guarda la **Videogrammatica** animata:
• **C2 Gli interrogativi** e controlla le risposte.

3 I possessivi (aggettivi)

Soggetto	Singolare		Plurale	
	Maschile	Femminile	Maschile	Femminile
io				
tu				
lui, lei, Lei				
noi				
voi				
loro				

• Prima del possessivo <u>in genere</u> **mettiamo** l'articolo (il, lo, la…).

• **NON mettiamo** l'articolo _____.

• Con il **possessivo _loro_** usiamo <u>sempre</u> l'articolo (il, lo, la…).

Esempi: _____

Ora guarda la **Videogrammatica** animata:
• **C3 I possessivi** e controlla le risposte.

4.1 I dimostrativi (aggettivi)

Quando C'È un nome...

	Questo		Quello	
	Maschile	**Femminile**	**Maschile**	**Femminile**
Singolare			_____ Quell'	_____ Quell'
Plurale				

• Quando **c'è** un nome → **questo** + nome. **Questo** cambia in **–o, -a, -i, -e.**
→ **quello** + nome. **Quello** cambia come l'**articolo determinativo**
(**il, lo, l', la, i, gli, le**) che va con il nome.

Ora guarda la **Videogrammatica** animata:
• **C4.1 I dimostrativi (aggettivi)** e controlla le risposte.

4.2 I dimostrativi (pronomi)

Quando NON c'è un nome...

	Quest-		Quell-	
	Maschile	**Femminile**	**Maschile**	**Femminile**
Singolare				
Plurale				

• Quando **non c'è** un nome, **questo** e **quello** seguono **il nome che sostituiscono** e cambiano in **–o, -a, -i, -e.**

Esempi: _____

_____

Ora guarda la **Videogrammatica** animata:
• **C4.2 I dimostrativi (pronomi)** e controlla le risposte.

D Le preposizioni

1 Preposizioni di luogo 1 (provenienza)

Esempi	Struttura
• Sono **di** *Firenze*, in Toscana. • Paul è **di** *Parigi*, in Francia. • I miei amici sono **di** *New York*, negli Stati Uniti.	SONO DI + _____
• Vengo **da** *Firenze*, ma Robert viene **da** *Atlanta*.	VENIRE DA + _____
• Veniamo **dalla** *Toscana*.	VENIRE DA + ARTICOLO + _____
• Queste ragazze vengono **dall'**Italia, le loro amiche vengono **dagli** Stati Uniti.	VENIRE DA + ARTICOLO + _____

Ora guarda la **Videogrammatica** animata:
• **D1 Preposizioni di luogo 1 (provenienza)** e controlla le risposte.

2 Preposizioni di luogo 2 (movimento, stato in luogo)

Esempi	Struttura
• Sono a *Firenze*, in *Toscana*.	a + _____ in + _____
• Paul studia in *Europa*, adesso è a Parigi, in *Francia*.	in + _____ in + _____
• I miei amici rimangono a New York, **negli** *Stati Uniti*.	in + articolo + **Stati Uniti**

Ora guarda la **Videogrammatica** animata:
• **D2 Preposizioni di luogo 2** e controlla le risposte.

3 Preposizioni di tempo

Esempi	Struttura	Significato
• <u>Vivo</u> a Parigi **per** 6 mesi.	<u>Presente</u> + **per**…	
• <u>Studio</u> Italiano **da** 3 anni.	<u>Presente</u> + **da**…	
• **Fra/Tra** un'ora <u>finisce</u> la lezione.	**Fra/Tra** + <u>presente</u> <u>Presente</u> + **fra/tra**	
• <u>Sono vissuto/a</u> a Parigi **per** 6 mesi.	<u>Passato</u> + **per**	Per indica la durata di un'azione nel passato.

Ora guarda la **Videogrammatica** animata:
• **D3 Preposizioni di tempo** e controlla le risposte.

4 Preposizioni con i mezzi di trasporto

VADO/PARTO	VADO/PARTO
IN / CON IL TRENO	CON IL TRENO <u>DELLE 8.00</u>
IN / CON L' AUTOBUS	CON L' AUTOBUS <u>N°13</u>
IN / CON LA MACCHINA	CON LA MACCHINA <u>DI MIO PADRE</u>
IN / CON LA BICICLETTA	CON LA BICICLETTA <u>ROSSA</u>
IN / CON L' AEREO	CON L' AEREO <u>"ALITALIA"</u>
IN / CON LA NAVE	CON LA NAVE <u>PIÙ VELOCE</u>
IN / CON LA BARCA	CON LA BARCA <u>A VELA</u>
A PIEDI	-
A CAVALLO	CON IL CAVALLO <u>PIÙ GIOVANE</u>

IN / CON + articolo + _____
CON + articolo + _____

Ora guarda la **Videogrammatica** animata:
• **D4 Preposizioni con i mezzi di trasporto** e controlla le risposte.

La mia Grammatica

5 Le preposizioni articolate

	IL	LO	LA	L'	I	GLI	LE
DI							
A							
DA							
IN							
CON							
SU							
PER							
TRA / FRA							

Ora guarda la **Videogrammatica** animata:
• **D5 Le preposizioni articolate** e controlla le risposte.

6 Preposizione semplice o articolata? (1)

Esempi	Preposizione semplice
• Sono / Vado / Ritorno in Italia, a Roma.	IN + _____
• Parto da Parigi.	A + _____
• Prendo l'aereo da Firenze.	DA + _____
Esempi	**Preposizione articolata**
• Parto dalla Francia.	DA+ articolo +
• Prendo l'aereo dalla Toscana.	_____ / _____

Ora guarda la **Videogrammatica** animata:
• **D6 Preposizione semplice o articolata? (1)** e controlla le risposte.

7 A oppure IN?

ESPRESSIONI IDIOMATICHE

a scuola	*in classe*
a casa	*in casa (dentro)*
a piedi	*in piedi*
a teatro	*in città; in centro*
al mare	*in montagna/campagna*
al bar/ristorante	*in trattoria/pizzeria*
al mercato	
allo stadio	

_____ + **ARTICOLO** + *bar, ristorante, mercato, stadio...*

_____ + *trattoria/pizzeria*, **nomi che finiscono in –IA.**

Ora guarda la **Videogrammatica** animata:
• **D7 A oppure IN?** e controlla le risposte.

8 Preposizione semplice o articolata? (2)

VADO/SONO...	VADO/SONO...
IN BIBLIOTECA	ALLA/NELLA BIBLIOTECA <u>NAZIONALE</u>
IN PISCINA	ALLA/NELLA PISCINA <u>BELLARIVA</u>
IN BANCA	ALLA/NELLA BANCA <u>TOSCANA</u>
IN DISCOTECA	ALLA/NELLA DISCOTECA <u>"TWICE"</u>

LUOGO ———————— ⬅ ➡ ————————

Ora guarda la **Videogrammatica** animata:

• **D8 Preposizione semplice o articolata? (2)** e controlla le risposte.

9 Preposizioni e significato. Ora ripassiamo tutte le preposizioni!

PREPOSIZIONE	SIGNIFICATO	ESEMPIO
DI		
A		
DA		
IN		
CON		
PER		
SU		
TRA/FRA	➠ *In mezzo a* ➠ *uno in un gruppo* ➠ *dopo (nel futuro)*	• Roma è **fra/tra** Firenze e Napoli. • **Fra/Tra** tutti i miei amici c'è un ragazzo francese. • **Fra/Tra** tre ore partiamo per Londra.

E I verbi

1 Presente Indicativo regolare

Soggetto	-ARE	-ERE	-IRE
io			
tu			
lui, lei, Lei			
noi			
voi			
loro			

Ora guarda la **Videogrammatica** animata:

• **E1 Presente Indicativo regolare** e controlla le risposte.

2 I verbi in –care e –gare

Soggetto	GIOCARE	PAGARE
io		
tu		
lui, lei, Lei		
noi		
voi		
loro		

- -care: gio**care**, dimenti**care**, cer**care**.
- -gare: pa**gare**, pre**gare**, navi**gare**, le**gare**.

 Ora guarda la **Videogrammatica** animata:
- **E2 I verbi in –care e –gare** e controlla le risposte.

3 I verbi riflessivi

CHIAMARSI

io		
tu		
lui, lei, Lei	si	
noi		chiamiamo
voi		
loro	si	chiamano

Chiamarsi è un verbo **riflessivo.** Tutti i verbi che all'infinito hanno -**si** sono **riflessivi** e in genere sono **regolari.**

Soggetto + riflessivi	LAVARSI	METTERSI	DIVERTIRSI
io ———			
tu ———			
lui, lei, Lei ———			
noi ———			
voi ———			
loro ———			

 Ora guarda la **Videogrammatica** animata:
- **E3 I verbi riflessivi** e controlla le risposte.

4 Presente Indicativo irregolare 1

Soggetto	ESSERE	AVERE	STARE	ANDARE	VENIRE	FARE
io			sto	vado		
tu	sei		stai		vieni	fai
lui, lei, Lei		ha			viene	
noi	siamo					facciamo
voi		avete		andate		
loro				vanno	vengono	

 Ora guarda la **Videogrammatica** animata:
• **E4 Presente Indicativo irregolare 1** e controlla le risposte.

5 Presente Indicativo irregolare 2

Soggetto	DOVERE	POTERE	VOLERE	SAPERE	DIRE
io		posso			dico
tu					
lui, lei, Lei	deve	può			
noi				sappiamo	
voi	dovete		volete		
loro			vogliono	sanno	dicono

Soggetto	BERE	USCIRE	SEDERSI
io			mi siedo
tu	bevi	esci	
lui, lei, Lei	beve		
noi			
voi		uscite	
loro			si siedono

• Frasi NEGATIVE ➠ Usiamo _____

Esempi: _____

_____ .

Frasi INTERROGATIVE ➠ Usiamo _____

Esempi: _____

_____ .

 Ora guarda la **Videogrammatica** animata:
• **E5 Presente Indicativo irregolare 2** e controlla le risposte.

La mia Grammatica

6 Il verbo piacere

	Singolare	
a me = mi a te = ti		_____ _____ _____
a lui = gli, a lei = le, a Lei = Le	_____	**bere** il caffè italiano
	Plurale	
a noi = ci a voi = vi a loro = gli	_____	_____ _____ _____ _____

 Ora guarda la **Videogrammatica** animata:
• **E6 Il verbo piacere** e controlla le risposte.

7.1 Il passato prossimo: essere o avere?

Osserva gli *esempi* e completa le regole.

a. *Claudia ha mangiato una pizza, invece Paolo ha mangiato un'insalata di tonno.*
b. *Stamattina Stefania e Lucia si sono alzate tardi. Mario, invece, si è alzato molto presto.*
c. *Ieri Paola è uscita con il suo ragazzo, invece Mario è rimasto a casa.*

Il **Passato prossimo** ha due verbi:
il Presente del verbo ausiliare _____ o _____ + il _____ del verbo.

ESSERE O AVERE?

• Con i verbi che hanno un oggetto diretto (che viene dopo il verbo senza una preposizione ⟹ verbi TRANSITIVI) usiamo **SEMPRE** l'ausiliare _____.
• Con i verbi riflessivi usiamo **SEMPRE** l'ausiliare _____.
• Con i verbi che hanno un oggetto indiretto (che viene dopo il verbo con una preposizione ⟹ verbi INTRANSITIVI) si sceglie **SPESSO** l'ausiliare _____.

ACCORDO DEL PARTICIPIO PASSATO

1. Il participio passato **cambia** con il soggetto quando c'è l'ausiliare _____.
Esempi: _____
_____
_____
_____

2. Il participio passato **non cambia MAI** con il soggetto quando c'è l'ausiliare _____.
Esempi: _____
_____
_____
_____

 Ora guarda la **Videogrammatica** animata:
• **E7.1 Il passato prossimo: essere o avere?** e controlla le risposte.

7.2 Il passato prossimo: participio regolare

-ARE	-ERE	-IRE
-_____	-_____	-_____

SUON-**ARE**	CONOSC-**ERE**	USC-**IRE**

 Ora guarda la **Videogrammatica** animata:
• **E7.2 Il passato prossimo: participio regolare** e controlla le risposte.

7.3 Il passato prossimo: participio irregolare

essere	
aprire	aperto
offrire	
chiudere	chiuso
decidere	
prendere	
mettere	
rimanere	rimasto
rispondere	
vedere	
scrivere	scritto
leggere	
fare	
dire	
venire	
bere	bevuto

 Ora guarda la **Videogrammatica** animata:
• **E7.3 Il passato prossimo: participio irregolare** e controlla le risposte.

La mia Grammatica

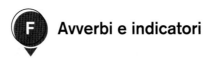

Avverbi e indicatori

Gli avverbi non cambiano mai. In genere si mettono dopo il verbo.

1. La quantità

Avverbi e indicatori

 Ora guarda la **Videogrammatica** animata:
• **F1 La quantità** e controlla le risposte.

2. La frequenza

Avverbi e indicatori

 Ora guarda la **Videogrammatica** animata:
• **F2 La frequenza** e controlla le risposte.

3. Lo spazio

Avverbi e indicatori

 Ora guarda la **Videogrammatica** animata:
• **F3 Lo spazio** e controlla le risposte.

4. Il tempo

Avverbi e indicatori

 Ora guarda la **Videogrammatica** animata:
• **F4 Il tempo** e controlla le risposte.

UNITÀ 1

1. 1. b. Buongiorno
2. d. Buon pomeriggio
3. a. Buonasera
4. c. Buonanotte

2. professoressa, sono, Piacere, Ecco, studenti, giornata, Lei

3. DIRETT**O**RE - ST**U**DENTE - **L**IBRO - PROFE**S**SORESSA - AUL**A**
Parola finale: SCUOLA

4. 1. e - 2. f - 3. d - 4. a - 5. b - 6. c

5. Dialogo 1: sono, come, Piacere, chiamo.
Dialogo 2: sei, inglese, italiana.
Dialogo 3: chiama, ripetere, francese.
Dialogo 4: dove, vengo, dice, portoghese

6. 2. francese, Francia / 3. greco, Grecia / 4. russo, Russia / 5. tedesco, Germania / 6. americano, America / 7. svizzero, Svizzera / 8. inglese, Inghilterra / 9. cinese, Cina / 10. portoghese, Portogallo.

7. ci sono, C'è, ci sono, ci sono, c'è

8. inglesi, italiani, russi, cubani, sono

9. 1. mi chiamo; 2. siete; 3. sono; 4. Ci chiamiamo, vi chiamate; 5. sono, sei; 6. ti chiami.

10. 1. Gli studenti d'italiano sono americani?
2. Martin, tu sei tedesco?
3. Signora, Lei è la professoressa d'italiano?
4. In classe ci sono i computer?
5. Tu e Khalinda siete russe?
6. A scuola c'è il laboratorio?

11. 10-5-15-7-18-9-4-16-6-17

12. Risposte possibili:
- Piacere! Io sono Giulia.
- Grazie!
- Come ti chiami?
- Di dove sei?
- Da dove vieni?
- Chi è Lei? / Come si chiama Lei?

UNITÀ 2

1. 1. quaderno / 2. penna / 3. scrivania / 4. computer / 5. banco / 6. matita / 7. sedia / 8. lavagna / 9. libro / 10. zaino

2. UN / IL: direttore, ragazzo, temperamatite, banco, computer, professore, quaderno, signore, libro, laboratorio;
UN / L': orologio, astuccio;
UNO / LO: zaino, studente;
UNA / LA: scuola, scrivania, professoressa, matita, sedia, porta, ragazza, lavagna, finestra, penna, gomma, signora;
UN'/ L': aula.

3. Khalinda…
ha il quaderno. Annika e Laura non hanno il quaderno.
non ha il computer. Annika e Laura hanno il computer.
ha la penna. Annika e Laura hanno la penna.
ha la matita. Annika e Laura non hanno la matita.
Annika e Laura hanno l'astuccio.

4. 1. la - 2. una, un - 3. il, la - 4. il

5. state, bene, Lei, stanca, stai, mal, tu, dispiace, sto.

6. 1. è - 2. avete - 3. ha - 4. è - 5. abbiamo - 6. sei - 7. hanno - 8. sono

7. 1. Andrea è felice, contento.
2. Pablo è ottimista.
3. Silvia è rilassata.
4. Yuri è divertito.
5. Alexandra è serena.
6. John è tranquillo.

8. 1. Giacomo ha fame.
2. Maria ha sete.
3. Marco ha sonno.
4. Lucia ha paura.
5. Simone ha caldo.
6. Sandra ha freddo.

9. 1. C cenano - 2. G ballate - 3. B ascolti - 4. A visita - 5. H cucinate - 6. F studiamo - 7. I mangio - 8. E parla - 9. L giocano - 10. D viaggio.

UNITÀ 3

1. 1. Quando e. / 2. Come g. / 3. Dove a / 4. chi c / 5. Che cosa f / 6. Perché b / 7. dove d

2. 3-8-4-10-7-**1**-9-5-2-6

3. Frasi possibili
Io e Laura prendiamo un caffè al bar.
Voi conoscete molte lingue straniere.
Gli studenti chiedono alla professoressa di ripetere.
Io leggo un libro di Italo Calvino.
Caterina accende la luce, perché è notte.
Tu scrivi una lettera a Michael.
La professoressa Livi ripete la lezione di italiano.
Filippo e Davide vedono gli amici dopo la lezione.

4. Frasi possibili
Spesso faccio colazione al bar. / Faccio spesso colazione al bar.
Di solito studio con Carlo e Paola.
Qualche volta vado a cena con i miei amici.
Non vado mai a ballare.

5. Frasi possibili
Secondo me…
è facile l'italiano.
è difficile capire gli italiani.
è divertente uscire con gli amici.
è noioso stare a casa il fine settimana.
è rilassante leggere un libro.
è faticoso fare ginnastica.

6. 1. *va / andiamo / vado*
2. *andate / va*
3. *vanno / vai / vado*

7. *va / è / Vai / vado / Ho / mangio / visitiamo / studiamo / andiamo / abiti / Abito / sono / studiano*

8. 1. *di / in / a / in / con*
2. *a / in / a*
3. *a / in*
4. *con*
5. *di*

9. Descrizioni possibili
a. Pavarotti è alto, un po' grasso. Ha la barba e i baffi neri.
b. Roberto è magro e ha i capelli neri.
c. Maria Grazia è molto bella, ha i capelli mossi, gli occhi neri e la pelle scura.
d. George è alto, ha i capelli bianchi e grigi ed è molto elegante. Dennis è basso e non ha i capelli.

10. 1. GRIGIO / 2. ROSSO / 3. VIOLA / 4. GIALLO / 5. ARANCIONE / 6. NERO / 7. VERDE / 8. BLU / 9. ROSA / 10. AZZURRO / 11. BIANCO / 12. MARRONE

11. Singolare - Plurale
l'occhio - gli occhi / il ragazzo - i ragazzi / la scuola - le scuole / la ragazza - le ragazze / l'amico - gli amici / il professore - i professori / l'astuccio - gli astucci / l'orologio - gli orologi / la professoressa - le professoresse / l'aula - le aule / l'amica - le amiche / la lezione - le lezioni.

UNITÀ 4

1. Studio: filosofia, informatica, giurisprudenza, lingue, ingegneria, economia, architettura.
Lavoro: giornalista, infermiere, dentista, avvocato, barista, cameriere, insegnante, medico.

2. 1. l'insegnante / 2. l'autista / 3. arte / 4. il cantante / 5. medicina / 6. Letteratura / 7. la guida turistica / 8. la giornalista

3. i baristi - le bariste / i giornalisti - le giornaliste / i dentisti - le dentiste / gli autisti - le autiste / i cantanti - le cantanti / gli - le insegnanti

4. 1 / C. finisce; 2 / J. apri; 3 / A. dormiamo; 4 / E. pulisco; 5 / I. spedisce; 6 / H. capite; 7 / B. costruiscono; 8 / G. preferisci; 9 / D. offrono; 10 / F. parto

5. 1. fa; 2. dai; 3. fate; 4. Do… facciamo; 5. dà; 6. fanno.

6. 1. faccio la doccia; 2. fanno il test; 3. fai una passeggiata; 4. fate il bagno; 5. fa ginnastica; 6. facciamo festa; 7. fanno colazione; 8. fa tardi; 9. facciamo la spesa; 10. fa caldo; 11. fanno spese/shopping; 12. fa brutto tempo.

7. 1. La Repubblica, 2 giugno; 3. Pasqua, marzo-aprile; 4. Carnevale, di solito febbraio; 5. Ferragosto, 15 agosto; 6. Capodanno, 1° gennaio.

8. 1. giug**N**o; 2. sab**A**to; 3. se**T**te; 4. febbr**A**io; 5.lug**L**io; 6. mercol**E**dì. Festa importante: **NATALE**

9. 1. 13:10; 2. 17:15; 3. 00:30; 4. 21:40; 5. 12:40-00:40; 6. 10:25.

10. 1. martedì e giovedì; 2. mercoledì e domenica; 3. sabato; 4. martedì, mercoledì, giovedì, venerdì e domenica; 5. lunedì mattina.

11. da… da… a; dall'; dal… al… di; dalle… a, dalle… alle, dall'… alle. A; All'… di.

UNITÀ 5

1. 1. cornetto, come, vuoto, tramezzino.
2. prendo, caffè, spremuta, Quant'è.
3. aperitivi, buffet, bevete, birra.

2. cornetto, pizzetta, succo di frutta, centrifuga, orzo, macchiato, camomilla, tramezzino, acqua.
Nome bevanda: **CAPPUCCINO**

3. 1. tramezzino (salato); 2. acqua (non è alcolica); 3. spremuta (non contiene caffè); 4. orzo (è un cereale); 5. paste (dolce); 6. torta (non è una bevanda).

4. macchiato, cornetto, cappuccino, succo di frutta
Risposta libera:
La tipica colazione nel mio paese è…

5. 1. per, con; 2. su, tra; 3. su; 4. con; 5. su; 6. tra; 7. a, Per, con; 8. su, sulla; 9. Tra; 10. su

6. 1 / F; 2 / B; 3 / A; 4 / E; 5 / C; 6 / D

7. Lungo (sì); Ristretto (no); Orzo (no); Normale (sì); Macchiato caldo (no); Macchiato freddo (sì); In vetro (sì); Cappuccino (sì); Corretto (no); Decaffeinato (sì)
L'impiegato dice: *Vorrei sei caffè da portare via. Allora: un caffè normale, un macchiato freddo, un caffè in vetro, un decaffeinato, un cappuccino e un caffè lungo.*

8. 1. Non ti piacciono le pizzette.
2. Ci piace l'aperitivo.
3. Vi piacciono i cornetti alla crema.
4. Non gli piace il succo di frutta.
5. Non gli piace il tè.
6. Mi piacciono i tramezzini.
7. Le piace il caffè.
8. Non le piacciono i liquori.

9. Risposte libere

10. 2-5-8-1-6-9-3-7-4

11. Scusi, può portare…
un piatto.
una forchetta.
il sale.
l'olio.

12. Pizza ottima / D. Pizzeria Bella Napoli
Il mio preferito / A. Bar Lungarno
Va bene ma... / C. Ristorante Mare Blu
Mai più / E. Osteria Pane e Vino
Deludente / B. Trattoria da Nino

13. Frasi possibili
I bambini dicono la verità.
Sandra dice che ha fame.
Tu e Lara bevete una centrifuga.
Io e Lukas beviamo un caffè insieme.
Tu esci alle 17:00.
Io bevo un bicchiere di vino.
Gli studenti dicono che è tardi.
Mike dice "Buonasera" al cameriere.
Io bevo un aperitivo con gli amici.
Noi usciamo sempre tardi dal lavoro.
Tu esci per andare al ristorante.
Voi bevete un aperitivo con gli amici.

14. Antipasti: *insalata di mare, crostini misti, pomodoro e mozzarella, prosciutto e melone, bruschette al pomodoro.*
Primi: *tagliatelle ai funghi, gnocchi al ragù, spaghetti alla carbonara, risotto ai frutti di mare, lasagne.*
Secondi: *pollo arrosto, bistecca di maiale, arista al forno, salmone ai ferri, tagliata di manzo.*
Contorni: *insalata mista, patate arrosto, verdure alla griglia, patate fritte.*
Frutta e Dolci: *macedonia di frutta, tiramisù, ananas, pannacotta, torta di mele.*
Bevande: *acqua, vino rosso, birra, vino bianco.*

15. 1. le 14:00 di pomeriggio... pranzo
2. le 12:00 di mattina oppure le 18:00-19:00 di sera... un aperitivo
3. le 22:00 di sera... un caffè

UNITÀ 6

1. Risposte possibili
1. La fontana è a sinistra della statua.
2. Il campanile è dietro il Palazzo.
3. Il ponte è a destra del Palazzo.
4. Il palazzo del comune è davanti al campanile.
5. La statua è vicino alla fontana.
6. Il museo è a sinistra del Duomo.

2. 1. Bologna, ci sono due torri e c'è un campanile. / 2. Palermo, c'è una cattedrale e c'è una statua / 3. Milano, c'è una cattedrale, il duomo, in una grande piazza. / 4. Firenze, c'è un fiume, l'Arno, e ci sono tre ponti, il primo è il Ponte Vecchio. / 5. Napoli, in mare c'è un castello, il Castel dell'Ovo, e dietro c'è un vulcano, il Vesuvio. / 6. Torino, c'è la Mole Antonelliana e dietro ci sono delle montagne, le Alpi, piene di neve / 7. Roma, c'è una fontana, la Fontana di Trevi, e ci sono delle statue. / 8. Bari, c'è una chiesa la Basilica di San Nicola. / 9. Venezia, c'è un campanile, in una grande piazza, piazza San Marco, e un palazzo antico, il Palazzo Ducale.

3. Risposte varie!

4. 1. F / 2. V / 3. V / 4. F / 5. V / 6. F.

5. 1. ovest / 2. nord / 3. nord / 4. sud / 5. est / 6. ovest / 7. sud

6. Risposte possibili:
1. A: Caterina vuole andare in Messico? B: Sì, perché vuole fare un viaggio diverso.
2. A: Devi telefonare a Marco? B: Sì, perché devo chiedere una cosa importante.
3. A: Dovete leggere il libro di matematica? B e C: Sì, perché domani c'è l'esame all'università.
4. A: Vogliono mangiare al ristorante? B: Sì, perché festeggiano il compleanno della mamma.
5. A: Vogliamo prendere un cane? B: No, perché sono allergica al pelo dei cani.
6. A: Carlo può comprare una Ferrari? B: No, perché non ha abbastanza soldi.

7. 1. bicicletta / 2. autobus / 3. treno / 4. macchina / 5. nave / 6. aereo / 7. (orizzontale) metro, 7 (verticale) motorino / 8. taxi / 9. elicottero

8. 1. Conosci, conosco / 2. Sapete, sappiamo / 3. sa, so / 4. Conoscete, conosciamo / 5. conosce / 6. Sai, so / 7. sanno / 8. conoscono

9. 1. fra, per / 2. In, in / 3. con il, in / 4. da, tra / 5. in, con il, In / 6. da / 7. in, per, in / 8. Fra, da

10. dialogo 1 (f)
dialogo 2 (d)
dialogo 3 (b)
dialogo 4 (a)
dialogo 5 (e)

11. Questo treno, Quel treno / Questo-Quest' autobus, Quell'autobus / Questa bicicletta, Quella bicicletta / Quest'automobile, Quell'automobile / Questi aeroplani, Quegli aeroplani / Questi motorini, Quei motorini / Queste navi, Quelle navi.

12. 2. Questo è il Palazzo Ducale di Urbino e quello è il Palazzo Ducale di Mantova;
3. Questa è la torre di Pisa e quelle sono le torri di S.Gimignano;
4. Queste sono le statue di Michelangelo e quella è la statua di Donatello;
5. Questi sono i Musei Vaticani e quelli sono i Musei Capitolini, di Roma.

UNITÀ 7

1. 8-3-9-4-1-6-7-2-5

2. Possibili descrizioni
7:30 Si sveglia alle sette e mezza.
8:00 Alle otto fa una doccia.
9:00 Arriva all'università alle nove.
12:30 Alle dodici e trenta pranza.
15:00 Torna a casa.
17:00 Alle cinque del pomeriggio studia.
19:30 Alle sette e mezza cena.
21:00 Alle nove di sera guarda un film, in tv.
23:30 Alle undici e mezza di sera va a dormire.

3. Risposte varie

4. **Gianna:** 2. Arriva a scuola alle 9 e lavora tutta la mattina / 3. Pranza e dopo prepara la lezione per gli studenti. / 4. Va in palestra con una collega e si rilassa un po', poi torna a casa per cena / 5. Dopo cena guarda un film e spesso si addormenta sul divano, perché è molto stanca.
Alessio e Giovanni: 2. Si lavano, si vestono e vanno all'università a piedi; / 3. Studiano fino alle 19:30 con i compagni di corso. / 4. Dopo cena escono con gli amici e si divertono. / 5. Vanno a letto tardi, perché la mattina possono dormire.

5. 1. F - 2. V - 3. F - 4. V - 5. V - 6. F - 7. V - 8. F
Verbi regolari: abito - abitare; studio - studiare; pranzo - pranzare; studiamo - studiare; torno - tornare; ceno - cenare; leggo - leggere; guardo - guardare; dormo - dormire; pulisco - pulire; mangiamo - mangiare.
Verbi riflessivi: mi sveglio - svegliarsi; mi lavo - lavarsi; mi vesto - vestirsi; mi alzo - alzarsi; mi riposo - riposarsi.
Verbi irregolari: faccio - fare; vado - andare; andiamo - andare.

6. si sveglia, si lava, si veste, si allena, si incontrano, si divertono.

7. Risposte varie

8. 1. estate; 2. primavera; 3. autunno; 4. inverno.

9. Lunedì 13: sereno
Martedì 14: molto nuvoloso
Mercoledì 15: sole, poco nuvoloso
Giovedì 16: molto nuvoloso
Venerdì 17: pioggia
Sabato 18: temporale
Domenica 19: neve

10. 1. sereno, 2. nuvoloso, 3. vento, 4. pioggia, 5. temporale, 6. neve. Parola segreta: estate

11. 1. D / 2. F / 3. A / 4. E / 5. C / 6. G / 7. B.

12. 1. troppi; 2. molto; 3. tanti; 4. molte; 5. molta; 6. poche; 7. troppa; 8. troppo; 9. pochi; 10. tanto.

13. 1. suono F; 2. giochiamo D; 3. navighi I; 4. fanno A; 5. va C; 6. guarda J; 7. scrivi B; 8. legge E; 9. telefonate H; 10. incontrano G.

14. 1. viaggiare; 2. fa jogging; 3. visitiamo musei; 4. andare al ristorante; 5. ballare in discoteca.

15. Risposte varie.

UNITÀ 8

1. stanze, garage, cantina, cucina, sala da pranzo, soggiorno/salotto, camera matrimoniale, una camera doppia, bagno.

2. 1.B / 2. D / 3. A / 4. C / 5. E

3. a. villetta; b. condominio; c. appartamento; d. grattacielo; e. palazzo storico; f. villa.

4. il fratello - la sorella; il fidanzato - la fidanzata; il figlio - la figlia; il nipote - la nipote; il padre - la madre; il marito - la moglie; il cugino - la cugina.

5. 1. **F**IGLIO; 2. SINGLE; 3. MA**D**RE; 4. SORELL**A**; 5. NO**N**NO; 6. **Z**IA; 7. **M**ARITO; 8. NIPOTE; 9. CUGIN**A**. Parola nascosta: **FIDANZATA**.

6. 1. F; 2. F; 3. V; 4. F; 5. V; 6. F; 7. V; 8. V.

7. i suoi nonni - suo nonno - sua nonna - suo marito - sua sorella - i suoi nipoti - suo nipote - sua nipote - i suoi figli - suo figlio - sua figlia.

8. 1. tua; 2. il nostro; 3. I suoi; 4. Mia; 5. La nostra; 6. il suo; 7. vostro; 8. Il loro; 9. i vostri; 10. I tuoi; 11. tuo; 12. La mia.

9. 1. La nostra; 2. mio, i miei; 3. Il loro, La loro; 4. i Suoi, Mio, sua mia, le sue.

10. 1. il primo; 2. il terzo; 3. quinto; 4. diciottesimo; 5. cinquantesimo; 6. il secondo.

11. Risposte possibili:
1. Con Kate si trova bene, invece Jane è molto pigra.
2. Abitano al secondo piano di un palazzo vicino allo stadio.
3. L'appartamento è grande e luminoso.
4. Ci sono sei stanze.
5. A Eva piace molto la sua stanza, perché è grande e tranquilla per studiare.

12. palazzo; piano; stanze; terrazzo; camera; finestra; matrimoniale; armadio; scrivania; libri.

13. Risposte possibili
2. Nell'immagine A, il libro è sopra il tavolino.
3. Nell'immagine A, c'è un computer sul letto.
4. Nell'immagine A, sul secondo scaffale ci sono dei libri.
5. Nell'immagine A, la sedia è a sinistra del termosifone.
6. Nell'immagine B, sulla sedia non c'è niente.
7. Nell'immagine B, non c'è il quadro sulla parete, sopra il termosifone.
8. Nell'immagine B, sul mobile a destra ci sono due lampade.

14. 1. sulla; 2. alla; 3. al; 4. del; 5. dal, al, dalle, alle; 6. nella; 7. dal.

15. in - con - per - per - a - in - al - in - in - a - a - alle - all' - al - a - al - in - a - in - al

16.

UNITÀ 9

1. 1. su internet, online / 2. nei negozi / 3. al supermercato / 4. al mercato

2. 1. ananas, banana, pere, mele, pane, marmellata / 2. formaggio, salame, pasta, pollo, patate

3. 1. mela (frutta); 2. yogurt (contiene latte); 3. uova (senza latte); 4. pane (salato); 5. pesce (non è carne); 6. coniglio (non è maiale).

4. Frutta: fragole, ciliegie
Verdura: lattuga
Carne: tacchino, coniglio
Latticini: latte, formaggio
Legumi: fagioli, ceci
Dolci: biscotti, miele
Salumi: prosciutto, guanciale

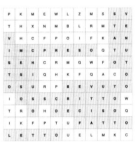

5. carne rossa/ ~~olio~~ dolci / uova / ~~frutta~~ carne / ~~legumi~~ pesce / latte e latticini / carne ~~bianca~~ olio / pese e ~~dolci~~ frutta e verdure / cereali, pasta, riso e pane

6. 1. Vorrei dei fagioli / 2. Vorrei delle patate / 3. Vorrei della marmellata. / 4. Vorrei dello zucchero. / 5. Vorrei dell'anguria. / 6. Vorrei del burro. / 7. Vorrei degli spaghetti. / 8. Vorrei dello yogurt.

7. Risposte libere

8. 1. D / 2. F / 3. A / 4. C / 5. B / 6. E

9. FRIGORIFERO, FORNO, FORNELLI, PIROFILA, TEGLIA, PADELLA, CIOTOLA, 1 (P), 2 (E), 3 (N), 4 (T), 5 (O), 6 (L), 7 (A): PENTOLA

10. ingredienti, pentola, spaghetti, fuoco, grattugiare, sbattere, pepe, padella, versare, mescolare

11. 1. b 2770 / 2. c 4.500.000 / 3. a 1968 / 4. b 390.000 / 5. a 1946 / 6. c 206.000

12. in macelleria - dal macellaio - carne / in panetteria - al forno-dal panettiere, dal fornaio - il pane / in salumeria - dal salumiere - i salumi / al negozio - dal droghiere - la pasta, i biscotti / in pescheria - dal pescivendolo - il pesce / nel negozio di frutta - dal fruttivendolo - la frutta e la verdura / in pasticceria - dal pasticcere - i dolci

13. Una bottiglia di vino rosso. / Una fetta di pizza Margherita. / Un cartone di succo di frutta. / Un vasetto di marmellata di fragole. / Due etti di prosciutto toscano. / Una confezione di biscotti al cioccolato. / Mezzo chilo di mele rosse.

UNITÀ 10

1. 1. teatRo / 2. escurslone / 3. famigLia / 4. cinemA / 5. Stadio / 6. muSeo / 7. Amici / 8. conceRto / 9. diScoteca / 10. rIstorante
Parola: RILASSARSI

2. 1. visitiamo / 2. esco, mangiamo / 3. andate / 4. stanno / 5. balla / 6. fai / 7. si riposa

3. **Sara:** sono stata Venezia; ho visto piazza S. Marco; ho fatto un giro in gondola; ho visitato le isole di Murano e Burano; ho cenato in un ristorante sui canali; sono stata a casa di un amico che vive lì.
Alessio: sono andato a S. Gimignano; ho mangiato cucina tipica toscana; ho visto le famose torri; ho fatto molte foto alla campagna; ho dormito in un agriturismo.

4. 1. sono usciti / 2. ho cucinato / 3. abbiamo mangiato / 4. avete incontrato / 5. sei stato / 6. hanno visitato / 7. è andata, hanno ballato, sono ritornate / 8. è andato, hanno ballato, sono ritornati

5. sono stato / abbiamo guardato / abbiamo dormito / mi sono divertito / sono uscito / abbiamo cenato / siamo andati

6. Frasi possibili (ieri, fa, scorso/a, passato/a)
1. Ieri io e Marco abbiamo visitato una mostra di arte contemporanea al Museo del Novecento.
2. Una settimana fa, sono uscito con i miei amici e abbiamo mangiato una pizza da Sorbillo.
3. La scorsa domenica tu e Antonio siete andati allo stadio per la partita Juventus-Napoli.
4. L'estate passata Giulia e Michele non sono venuti al mare, perché sono stati con la loro famiglia.
5. Marta ama la musica dance e ieri ha ballato in discoteca con le sue amiche.
6. Il fine settimana scorso, Giada, hai fatto una gita ai Castelli Romani?

7. Ieri, Gianni ha dormito tutto il giorno e si è rilassato.

7. Risposte libere

8. Risposte libere

9. fa, lavora, è andata, ama, ha comprato, ha portato, si sono divertiti, hanno deciso

10. 1. una settimana fa… / 2. Abbiamo prenotato… / 3. Siamo arrivati a Barcellona… / 4. Il giorno dopo siamo andati… / 5. Il terzo giorno siamo andati… / 6. Poi da Madrid…

11. Domande possibili
Hai mai vissuto con dei coinquilini? / Hai mai guardato un film in italiano? / Hai già bevuto un caffè macchiato? / Sei mai stato/a in campeggio? / Hai già mangiato un cibo particolare? / Hai mai cucinato per i tuoi amici? / Hai già passato un fine settimana speciale? / Hai mai giocato a calcio? / Hai già fatto un'escursione in montagna.

12. 1. sei stata / 2. abbiamo visto / 3. ha fatto / 4. hanno preso / 5. ha scritto / 6. ho bevuto / 7. siete venuti / 8. ha chiuso / 9. hanno deciso / 10. hai letto

13. Risposte possibili
Fabio si è alzato e poi alle 7:00 ha fatto colazione. Dopo è uscito ed è andato all'università. Ha preso il treno per tornare a casa e nel pomeriggio, prima ha studiato un po', poi è andato a giocare a calcio con gli amici e dopo ha fatto una doccia. Ha cenato a casa, ha suonato la tromba e dopo è andato a dormire.

14. **Orizzontale**
3. venuto / 7. detto / 9. conosciuto / 10. deciso / 11. preso / 14. visto / 16. mangiato / 18. letto / 19. stato
Verticale
1. guardato / 2. capito / 4. partito / 5. raccontato / 6. chiuso / 8. aperto / 12. bevuto / 13. risposto / 17. tornato / 19. scritto

Unità 0
Pagina introduttiva
A-B-C https://brunelpcclaw.files.wordpress.com/2012/07/abc_blocks_1600_clr_3408.png
Pronuncia https://lalisciacatanese.it/site/wp-content/uploads/2018/04/difetti-1620x972.jpg
Cominciamo
Attività 2: illustrazioni.
Attenzione: Shutterstock.
Lessico di emergenza
1.
Shutterstock.
Scuola: http://comune.vanzago.mi.it/wp-content/uploads/2017/06/scuola.jpg
Girl: https://banner2.cleanpng.com/20180920/caa/kisspng-design-sales-company-coaching-service-5ba32473a-7aee4.0449760315374183556868.jpg
2.
sedia: https://cdn.manomano.com/sedia-impilabile-con-nubia-calligaris-in-polipropilene-anche-per-giardino-L-1628968-3903368_1.jpg
finestra: https://www.pbfinestre.it/sites/default/files/styles/original/public/blocco-main/02-finestra-mobile_0.jpg?itok=cCNISKC5
porta: https://images-na.ssl-images-amazon.com/images/I/31pNEKX3djL.jpg
penna: https://cdn.morellato.com/i/default/68200/penna-a-sfera-morellato-morellato-design-j010698@2x.jpg
matita: https://www.promoregali.com/images/promozionali/matita-corta-con-gomma-personalizzata-a064a165.jpg
gomma: https://encrypted-tbn0.gstatic.com/images?q=tbn:ANd9GcRDjbN1E_tC3r2XEiq2767E34ngKg4Tl6GSnDiesKbdWpQamxOp&s
lavagna: https://www.dalaservice.it/165647-large_default/lavagna-bianca-non-magnetica-per-gamy-180x120cm-ma2712817-001.jpg
quaderno: https://images-na.ssl-images-amazon.com/images/I/51H02wUkWQL._SX425_.jpg
agenda https://www.nonsolodesign.biz/image/cache/data/promozionali/office/organizers/q24106-ssc-agenda-organizer-personalizzato-5184-800x800.jpg
zaino: https://cdn.vitecimagingsolutions.com/pub/media/catalog/product/cache/e4d64343b1bc593f1c5348fe05efa-4a6/m/b/mb-nx-bp-vgy.jpg
computer: https://images-na.ssl-images-amazon.com/images/I/81qqAGOi9TL._SX466_.jpg
insegnante: https://image.freepik.com/vettori-gratuito/insegnante-con-un-disegno-lavagna_1214-222.jpg
studente: http://www.fondostudentiitaliani.it/wp-content/uploads/2014/03/studente.jpg
Scuola: http://comune.vanzago.mi.it/wp-content/uploads/2017/06/scuola.jpg
aula con Lim: https://i.pinimg.com/originals/6c/f1/b3/6cf1b3aa8493e3995e84d6235c0dd04c.jpg
L'Italia nel mondo
Moda: https://img2.tgcom24.mediaset.it/binary/articolo/istockphoto/45.$plit/C_2_articolo_3121609_upiFoto1F.jpg?201802060500017
Cibo: https://www.gustissimo.it/articoli/magazine/sagre-e-fiere/notte-bianca-del-cibo-italiano.jpg
Arte: https://cdn.studenti.stbm.it/images/2016/11/04/nascita-di-venere-botticelli-orig.jpeg
Macchine: https://picolio.auto123.com/16photo/ferrari/ferrari-488.png
Unità 1
Pagina introduttiva
Presentarsi: Shutterstock.
Nazionalità: http://www.meteoweb.eu/wp-content/uploads/2014/09/mondo-lingue.jpg
Parola per parola
1.
Studente: http://www.sostariffe.it/news/wp-content/uploads/2013/09/offerte-adsl-studenti.jpg
Studentessa: https://i0.wp.com/www.latina24ore.it/wp-content/uploads/2015/12/studentessa-libri-biblioteca-scuola-studenti1.jpg?ssl=1
Professoressa: https://didatticapersuasiva.com/wp-content/uploads/2015/11/o-HAPPY-TEACHER-facebook.jpg
Scuola: http://www.itisinprogress.altervista.org/sites/default/files/Slider-image/IMG_0453.JPG
Aula: http://www.noitv.it/wp-content/uploads/2020/01/AULA-FDM-3.jpeg
Professore: http://www.proteofaresapere.it/cms/img/381/insegnante-classe-lavagna-libri-214857.jpg
Laboratorio: http://laboratorididattici.unica.it/files/2012/12/frame-010.jpg
3.
Biglietteria: www.shutterstock.com/it/image-photo/women-buying-movie-tickets-box-office-216779368
Cartone: https://www.latestatamagazine.it/wp-content/uploads/2019/04/melevisione.jpg
Buonanotte: https://thumbs.dreamstime.com/b/buona-notte-bacio-70945074.jpg
Ciao, mani: https://www.lagazzettadisansevero.it/wp-content/uploads/mani.jpg
Poste: https://lh4.googleusercontent.com/-mTuOOPMkE3M/Vf_Z5-R3lZI/AAAAAAAASxM/-g1n2i-VKGY/w1167-h812-no/App%2BUfficio%2BPostale%2Bprenota%2Bil%2Bnumero%2Bda%2Bcasa%2Be%2Bsalta%2Bla%2Bfila.jpg
Amiche: https://learngerman.dw.com/image/40870530_507.jpg

Colloquio: https://www.mdmfisioterapia.it/wp-content/uploads/2016/05/colloquio-di-lavoro-a-londra-790x404.jpg
Famiglia: https://www.amioagio.it/Images/magazine/natale-2-17%20(Custom).jpg
Anziana: https://i0.wp.com/news.biancolavoro.it/wp-content/uploads/2017/11/assistenza-anziani.jpg?resize=650%2C433&ssl=1
Amici: https://image.freepik.com/foto-gratuito/amici-che-ridono-a-una-festa-di-spiaggia_23-2147641454.jpg
Unità 2
Pagina introduttiva
Stato d'animo: http://shesgotsystems.com/wp-content/uploads/2013/10/bigstock-young-woman-holding-happy-mask-38832853.jpg
Numeri: http://nonvolevoleprime.altervista.org/wp-content/uploads/2018/03/numpri.jpg?w=1400
In classe
Libro: https://encrypted-tbn0.gstatic.com/images?q=tbn:ANd9GcQ7dnjf2uaKl3HNyhpVSLu-tNxfFPUEjHkuFUA-4VA0ZjLO4Nxsv&s
Zaino: https://cdn.vitecimagingsolutions.com/pub/media/catalog/product/cache/e4d64343b1bc593f1c5348fe05efa-4a6/m/b/mb-nx-bp-vgy.jpg
astuccio: https://cdn.shopify.com/s/files/1/2357/7999/products/8032572140862_89372e02-2497-4cf5-a6a9-757de7e8e69b_700x.jpg?v=1533745028
quaderno: https://images-na.ssl-images-amazon.com/images/I/51H02wUkWQL._SX425_.jpg
temperamatite: https://www.edsdidattica.it/c/37747-large_default/temperamatite-metallo-2-fori.jpg
gomma: https://encrypted-tbn0.gstatic.com/images?q=tbn:ANd9GcRDjbN1E_tC3r2XEiq2767E34ngKg4Tl6GSnDiesKbdWpQamxOp&s
matita: https://www.promoregali.com/images/promozionali/matita-corta-con-gomma-personalizzata-a064a165.jpg
penna: https://cdn.morellato.com/i/default/68200/penna-a-sfera-morellato-morellato-design-j010698@2x.jpg
B. Osserva
3.
caminare: https://galleria.riza.it/files/article/per-essere-magre-basta-camminare.jpg
studiare: https://www.potenzialenascosto.com/wp-content/uploads/2016/10/studiare.jpg
domandare: https://igmanagement.it/wp-content/uploads/2018/05/DOMANDARE.jpg
parlare: https://www.beautylovers.it/wp-content/uploads/2016/09/img_2953-660x400.jpg
ascoltare: http://aforismi.meglio.it/img/frasi/ascoltare.jpg
aiutare: https://www.redattoresociale.it/GetMedia.aspx?id=f274549718c94ef58de378c09ea3433c&s=0
lavorare: https://www.webcamonica.com/annunci/foto/110757_1568797677.jpg
mangiare: https://www.gelestatic.it/thimg/etPu_HKJfyDewEDRQWuweYsOx6k=/fit-in/960x540/https%3A//www.lastampa.it/image/contentid/policy%3A1.34948234%3A1561195999/mangiare-kk3G-U1060933526316As-700x394%40LaStampa.it.jpg?201806050500019%3Ff%3Ddetail_558%26h%3D720%26w%-3D1280%26%24p%24f%24h%24w%3Dec89489
Dentro il testo
Unione: http://www.colpito.org/Portals/0/puzzle%202%20sito.jpg
Oppure: https://cdn.clipart.email/b814892ac414b96d3b61a-a0c6f848fa0_why-is-professional-judgment-important-in-accounting-dlb-consulting_1030-909.jpeg
Contrasto: https://image.flaticon.com/icons/png/512/32/32408.png
Unità 3
Pagina introduttiva
Amiche: https://sheerluxe.com/sites/default/files/styles/sl_free_responsive/public/media/2018/08/national-girl-friends-day-hero-image.jpg?itok=umtqqjSo
Statura: https://sitodiprova522.files.wordpress.com/2016/05/ciao-qua-cung-de-bi-ung-thu-tinh-hoan.jpg?w=863&h=0&crop=1
A Un invito
Cellulari: https://www.softstore.it/wp-content/uploads/2015/02/whatsapp-iPhone-61-1024x576.jpg
Timido: https://images.emojiterra.com/google/android-pie/share/263a.jpg
Conoscere: http://www.puatraining.it/wp-content/uploads/2011/12/conoscere_persone_nuove.jpg
Lingua: https://www.manageritalia.it/files/24222/resize/740/0/impara-una-lingua-straniera-in-un-mes.png
Le strutture della lingua
2.
Chiudere: https://thumbs.dreamstime.com/b/gesloten-boek-4697305.jpg
Chiedere: http://bodyonept.com/wp-content/uploads/2018/01/questionmarkman.jpg
Ripetere: https://www.piubenessere.it/wp-content/uploads/2018/08/insegnare-a-parlare-a-pappagallo.jpg
Leggere: https://encrypted-tbn0.gstatic.com/images?q=tbn:ANd9GcRe0apK5Ioulbub93MIJsEuAelywsJOvqS38UtFx-zAQKXgFqZbgNg&s
Scrivere: https://www.benesserecorpomente.it/wp-content/uploads/2015/07/Scrivere.jpg
Prendere: https://www.shutterstock.com/it/image-photo/pupil-boy-on-blue-background-sitting-1162919815?src=W1cl-NCcIspNGUJOXvNH3kg-3-61.jpg

Parola per parola
3.
Antonio C. (cuoco): https://www.lagostina.it/cms/uploads/article/581x352-221.png
Luciana L.: https://www.spettegolando.it/wp-content/uploads/2017/10/22427580_1894899574109402_27877630573 61682432_n.jpg
Lino B.: https://www.lagazzettadelmezzogiorno.it/resizer/420/-1/true/1486465283152.jpg--lino_banfi_.jpg?1486465287000
Giusy F.: https://static.nexilia.it/bitchyf/2014/02/Giusy-Ferreri-Nuovo-Look-3.jpg
L'Italia in pillole
I social: https://scuolaimpresaodontoiatrica.it/blog/wp-content/uploads/2017/11/social-media.jpg
Unità 4
Pagina introduttiva
Lavoro: https://aforismi.meglio.it/img/frasi/architetti.jpg
A. Studi o lavori?
Studentessa:https://res.cloudinary.com/highereducation/image/upload/f_auto,fl_lossy,q_auto/v1/BestColleges.com/Masters_Math_Education.jpg
Insegnante: http://www.proteofaresapere.it/cms/img/381/insegnante-classe-lavagna-libri-214857.jpg
Infermiera: Shutterstock.
Cameriera: Shutterstock.
Guida turistica: https://cdn.shopify.com/s/files/1/0052/0205/1106/products/guida_turistica_1090x@2x.jpg?v=1557866898
Dentista: Shutterstock.
Ingegnere: https://www.ctsccc.com/wp-content/uploads/2016/11/Network%20EngineeringTechnologist.jpg
https://thumbs.dreamstime.com/z/ingegnere-informatico-che-lavora-ai-cavi-rotti-43638777.jpg
Parola per parola
1.
a. Giurisprudenza: https://www.mjbeautycollection.com/wp-content/uploads/2018/04/Legge-sui-prodotti-cosmetici.jpg
b. Lingue: http://i2.wp.com/www.athena-parthenos.com/blog/wp-content/uploads/2017/03/Speciale_laureati_lingue_straniere-1024x680.jpg?resize=710%2C437
c. Economia: https://www.luminosigiorni.it/wp-content/uploads/2019/10/11-720x405.jpg
d. Ingegneria: https://www.vvox.it/wp-content/uploads/2015/05/pannelli-solari-1030x505.jpg
e. FiloSophia: http://www.succedeoggi.it/wordpress/wp-content/uploads/2016/07/platone-350x531.jpg
f. Architettura: https://icondesign.it/wp-content/uploads/sites/14/2016/06/architettura-innovativa-flexhouse-zurigo-16-958x639.jpg
g. Informatica: https://www.formazionefutura.com/wp-content/uploads/2018/09/itc.jpg
h. Arte: http://informazionescomoda.altervista.org/wp-content/uploads/2018/03/La-creazione-di-Adamo-dettaglio-quadro-prezzo-web-80x120-extra-big-61562-184.jpg
i. Medicina: https://banner2.cleanpng.com/20180505/zyq/kisspng-stethoscope-medicine-cardiology-medical-equipment-blue-stethoscope-5aedc3 3d856125.9654955415255314535463.jpg
2.
Dottore, dottoressa: https://encrypted-tbn0.gstatic.com/images?q=tbn:ANd9GcSLO_2FN1NJMZTS58AoGY0iLFJ-neXdm5IjRMf9fGlUpKXS_hO3bXQ&s
Cantanti: https://static.nexilia.it/talkymedia/2018/12/Carmen-Consoli-indossa-gioielli-Damiani-e-Tiziano-Ferro-1024x682.jpg
Avvocato, avvocatessa: https://www.inreads.com/wp-content/uploads/2018/03/Team-Lawyers-in-the-Law-Library.jpg?w=640
Insegnante: Shutterstock
Barista: Shutterstock
Architetto, architetta: https://aforismi.meglio.it/img/frasi/architetti.jpg
Cameriere, cameriera: Shutterstock
Autista: Shutterstock
Le strutture della lingua
Osserva
fare la doccia: Shutterstock
fare il bagno: Shutterstock
B. Che giorno è oggi?
Calendario: https://www.calendario-365.it/calendario-2020.html
Le strutture della lingua
3. Shutterstock
Unità 5
Pagina introduttiva
Ordinare: https://www.tutored.me/it/wp-content/uploads/sites/13/2015/12/cameriere-e1482340449157.jpg
Mangiare: http://www.teleradiosciacca.it/wp-content/uploads/2018/01/cibo-italiano-740x357-740x357.png
A. Una buona idea
Al bar: https://d3vonci41uckcv.cloudfront.net/old-images/original/8a6893ac-7192-4402-9598-a3d2f2ea9968.jpg
Parola per parola
1. Il dolce
1. http://www.pasticceriabarcentrale.it/dolci-per-la-colazione/
2. www.teladoiofirenze.it/wp-content/uploads/2013/05/paste

3. www.rapanelloviola.it/compra-online/corsi-per-bambi-ni/i-pasticcini.jpg
4. shop.holiway.eu/prodotto/brioche-cioccolato.jpg
5. www.gustissimo.it/ricette/dolci-paste-fresche/brioche-al-la-marmellata.htm.jpg
6. www.misura.it/prodotto/cornetto-a-lievitazione-natura-le-senza-latte-e-senza-uova/.png
7. https://www.radioitalia.it/static/img/so-cial/5801158ecd233.jpg
Il salato
Panini: https://blog.giallozafferano.it/zeroglutinechebonta/wp-content/uploads/2019/02/PANINI-2.jpg
tramezzini: https://www.negroni.com/sites/negroni.com/files/styles/scale__1440_x_1440_/public/tramezzini_5_ricet-te_veloci.png?itok=OG8848Zr
pizzette: https://www.giallozafferano.it/images/ricet-te/181/18110/foto_hd/hd650x433_wm.jpg
Le bibite
Acqua: https://www.surveyeah.com/images/news/news-sur-veyeah-naturale-gasata.jpg
Lattine: https://www.dragonedoriente.it/en/wp-content/uploads/2017/11/bibite-in-lattina.png
I succhi: https://sorgentenatura.it/data/img/succhi-di-frut-ta-biologici-italiani.jpg
Spremuta: https://www.artimondo.it/magazine/wp-content/uploads/2018/01/arance-da-spremuta.jpg
Centrifuga: https://www.dietagenetica.it/wp-content/uplo-ads/2015/07/frullati-detox-2-559x300.png
Bevande alcoliche
Birra in bottiglia: http://www.birrealtafermentazione.it/wp-content/uploads/2017/10/craft-beer-1998293_960_720.jpg
Liquori: https://barsilver.it/wp-content/uploads/2017/07/liquori-dolci.jpg
I vini: https://www.vinook.it/vino-rosso/curiosita-vino-rosso/calorie-vino-rosso_NG1.jpg
Il pranzo veloce
I primi: https://blog.giallozafferano.it/piattiprontiinunattimo/wp-content/uploads/2017/03/primi-piatti-primaverili-1-1.jpg
Le insalate: http://st2.depositphotos.com/2447577/6676/i/950/depositpho-tos_66765963-stock-photo-various-salads-collage.jpg
La verdura: http://www.fuoridicampo.it/wp-content/uplo-ads/2016/03/come-cuocere-le-verdure-croccanti.jpg
L'aperitivo: http://www.tutored.me/wp-content/uploads/sites/13/2015/12/cameriere-e1482340449157.jpg
B Lezioni di caffè
Tipi caffè: www.ilforchettiere.it/wp-content/uplo-ads/2014/07/Schermata-07-2456853-alle-19.15.03.png
Unità 6
Pagina introduttiva
Città: www.panadvertising.it/wp-content/uploads/2018/03/Citt%C3%A0-darte-in-Italia.jpg
Mezzi di trasporto: https://www.bergamonews.it/photogal-lery_new/images/2015/12/autobus-atb-bergamo-528305.jpg
A. In piazza della Signoria
1.
Piazza Signoria: https://upload.wikimedia.org/wikipedia/commons/e/eb/Piazza_Signoria_-_Firenze.jpg
Gli Uffizi: http://www.castellodirivoli.it/img/uffizi/esterno.jpg
Marzocco: https://corrierefiorentino.corriere.it/metho-de_image/2015/03/30/Fiorentino/Foto%20Trattate/marzoc-co-kG6F-U460301400887605LH-1224x916@CorriereFiorenti-no-Web-Firenze-593x443.jpg
Torre di Arnolfo: http://cdn3.discovertuscany.com/img/art/towers%20in%20florence/arnolfo-tower.jpg?w=750&q=65.jpg
Copia David: http://media-cdn.tripadvisor.com/media/pho-to-s/15/04/a2/2b/replica-of-the-david.jpg
Loggia Lanzi: http://media-cdn.tripadvisor.com/media/pho-to-s/01/58/db/88/year-1382-the-back-wall.jpg
Monumento Cosimo I: http://media-cdn.tripadvisor.com/media/photo-s/08/15/57/d4/cosimo-i-statue.jpg
Giuditta e Oloferne: http://www.paesaggioitaliano.eu/wp-content/uploads/2015/10/firenze_104.jpg
Fontana di Nettuno: http://media-cdn.tripadvisor.com/media/photo-s/06/fb/66/44/fontana-di-nettuno.jpg
2.
Cartina Firenze: https://www.fotoeweb.it/firenze/Loghi/Car-tina%20di%20Firenze.jpg
Parola per parola
In città
Fontana: https://upload.wikimedia.org/wikipedia/com-mons/2/25/Piazza_San_Pietro_Fontana_lato_nord_55-2.jpg
Torre: https://encrypted-tbn0.gstatic.com/images?q=tb-n:ANd9GcR1Yjb20QAcsbr0gATDv6-ju5RbAxYKgU08BLI-ZE_eSDrcH_JSvyQ&s
Chiesa: https://a.mytrend.it/prp/2012/03/387588/o.96186.jpg
Ponte: https://upload.wikimedia.org/wikipedia/commons/e/e7/2012-05-15_Roma_ponte_Cestio_da_ponte_Garibaldi_2.jpg
Statua:https://commons.wikimedia.org/wiki/File:Herak-les_Farnese_MAN_Napoli_Inv6001_n01.jpg
Palazzo: https://it.wikipedia.org/wiki/File:Palazzo_Piccolomi-ni_Pienza.JPG
Museo: http://la-riviera.it/media/2018/03/musei.jpg
Piazza: http://static.fanpage.it/wp-content/uploads/si-tes/4/2016/11/piazza-del-plebiscito.jpg

Piazzale: https://www.toscanaoggi.it/var/ezdemo_site/storage/images/cultura-societa/firenze.-comune-concerto-ne-capodanno-a-piazzale-michelangelo/2788198-1-ita-IT/Firenze.-Comune-concertone-Capodanno-a-piazzale-Miche-langelo_articleimage.jpg
Lo spazio
3.
Centro: http://www.atf.it/wp-content/uploads/2015/09/cliente-al-centro.jpg
Destra: upload.wikimedia.org/wikipedia/commons/thum-b/5/5a/Italian_traffic_signs_-_preavviso_di_direzione_obbli-gatoria_a_destra.svg/1024px-Italian_traffic_signs_-_preavvi-so_di_direzione_obbligatoria_a_destra.svg.png
Sinistra: https://upload.wikimedia.org/wikipedia/commons/thumb/9/92/Italian_traffic_signs_-_preavviso_di_direzione_obbligatoria_a_sinistra.svg/1024px-Italian_traffic_signs_-_preavviso_di_direzione_obbligatoria_a_sinistra.svg.png
Punti cardinali: upload.wikimedia.org/wikipedia/commons/thumb/e/e6/Windrose_hg.svg/1200px-Windrose_hg.svg.png
Vicino a: https://corrierefiorentino.corriere.it/media/foto/2012/10/31/toscana--620x420.jpg
Qui, qua: http://www.ferruzziinformatica.it/wp-content/uploads/2017/12/icona-geolocalizzazione.png
Dietro: http://www.progettoautismo.it/images/fotogallery/concetti-topologici/davanti-dietro/albero-dietro.jpg
Davanti: http://www.progettoautismo.it/images/fotogallery/concetti-topologici/davanti-dietro/albero-davanti.jpg
4.
Cartina Toscana: https://www.guidaperfirenze.com/images/mappa-turistica/cartina-turistica-toscana.jpg
Dentro il testo
3.
https://i.pinimg.com/originals/c0/11/7f/c0117f96fba4c37c-c872e93335698f1d.jpg
Strutture della lingua
2.
https://dotravel.com/uploads/articles/7/visiting-uffizi-gal-lery-header-image.jpg
B Un programma per il fine settimana.
1.
Colosseo: Shutterstock.
Piazza Spagna: Shutterstock
Arco Costantino: Shutterstock
Castel Sant'Angelo: Shutterstock
Altare patria: https://civitavecchia.portmobility.it/sites/de-fault/files/altare_della_patria.jpg
Piazza Navona: Shutterstock
Cappella Sistina: https://upload.wikimedia.org/wikipedia/commons/4/4a/Chapelle_sixtine2.jpg
Fontana di Trevi: Shutterstock
Fori Imperiali: Shutterstock
3.
Cartina Roma: https://s4.thingpic.com/images/Cq/ir-cJfJeTWMYuD9Mn2oezRArW.jpeg
C. A Roma
5.
Roma Termini: https://s.inyourpocket.com/gallery/261442.jpg
Parola per parola
1.
Dritto: http://i.ebayimg.com/images/g/WP4AAOSwZd1VW-dRH/s-l300.jpg
L'Italia in pillole
Italia: images.tuttitalia.it/geo/citta-metropolitane-2016 copia.png
Benvenuto: http://liceogiordanobruno.gov.it/wp-content/uploads/2016/09/benvenuto.jpg
Braccia: http://footage.framepool.com/shotim-g/989793108-figura-intera-braccia-conserte-ignorare-fidu-cia.jpg
Barbone: https://pngimage.net/wp-content/uplo-ads/2018/05/barbone-png-1.png
Contrario: https://pixabay.com/it/illustrations/fax-ma-schio-bianco-modello-3d-1889071/
Unità 7
Pagina introduttiva
Sveglia: http://www.meteoweb.eu/wp-content/uplo-ads/2016/02/sveglia.jpg
Meteo: http://1.citynews-today.stgy.ovh/~media/origi-nal-hi/10839799993736/previsioni-meteo-3.jpg
Parola per parola
1.
a. Farsi la barba: https://images.fidhouse.com/fidelitynews/wp-content/uploads/sites/7/2015/11/male-shaving-ra-sh-11-e1447336715758.jpg?w=630
b. Truccarsi: http://www.makeupidee.it/wp-content/uploads/ragazza-trucco.jpg
c. Asciugarsi: http://www.meteoweb.eu/wp-content/uplo-ads/2016/03/asciugare-mani.jpg
d. Rilassarsi: https://www.dietor.it/cms/media/2016/04/Schermata-2016-04-22-alle-16.15.40.png
e. Divertirsi: https://siviaggia.files.wordpress.com/2018/04/movida.jpg
f. Addormentarsi: https://www.wdonna.it/wp-content/uplo-ads/2014/06/sonnolenza-diurna-causee.jpg
g. Dormire: https://www.tpi.it/app/uploads/2018/04/dormi-re-sonno.jpg
h. Fare il bagno: http://www.webair.it/wp-content/uplo-ads/2008/12/relax-girl.jpg

i. Lavarsi: http://tg3web.it/wp-content/uploads/2015/07/Lavarsi-il-viso.jpg
l. Svegliarsi: https://www.ifeelgood.it/blog/wp-content/uploads/2015/04/trucchi-per-svegliarsi-presto.jpg
m. Alzarsi: https://www.slowsleep.it/wp-content/uplo-ads/2016/06/alzarsi-piede-giusto-595x400.jpg
n. Fare colazione: https://www.slowsleep.it/binary/articolo/-afp/84.$plit/C_2_articolo_2136052_upilmagepp.jpg
o. Fare la doccia: https://hips.hearstapps.com/cit.h-cdn.co/assets/17/16/1492615179-come-fare-la-doccia-nel-mo-do-giusto.jpg
p. Vestirsi: https://www.donnissima.it/blog-img/03/030550000674-05112016-1500.jpg
Dentro il testo
1.
https://pixabay.com/it/photos/florence-firenze-tu-scany-dom-2718182/
A. Al Giardino Bardini
Shutterstock.
Primavera: http://script-meteolive.leonardo.it/admin/imma-giniNotizie/SRC/__078550___2014319221937_GiardinoPri-mavera.jpg
Parola per parola
2.
I: https://www.bergamonews.it/photogallery_new/ima-ges/2016/08/sole-sereno-549720.660x368.jpg
II: https://farm8.static.flickr.com/7166/6410635829_57c68ecc23.jpg
https://tuttoggi.info/wp-content/uploads/2017/11/coper-to1.jpg
III: http://i0.wp.com/www.bsnews.it/wp-content/uplo-ads/2017/02/Pioggia-ombrello.jpeg?fit=600%2C45o.jpg
https://www.focus.it/site_stored/imgs/0001/044/ne-ve.630x360.jpg
http://www.meteoweb.eu/wp-content/uploads/2013/03/forte-vento.jpg
http://cdn.livenetwork.it/news/746300/4cc89e_fulmini_tem-porale_Homelm_800x400.jpg
3.
1. https://www.motorionline.com/wp-content/uplo-ads/2018/10/stradaneveghiaccio.jpg
2. http://www.talentilucani.it/wp-content/uploads/2017/07/Estate2017_1217x694.jpg
3. media.wsimag.com/attachments/201dd2b-c3174eeb67350925ab4bd91516baa930c/store:fil-l/1230/692/3838466e10e2bce5ff6f11e6b3242cbfd353fe77d-9b6ecf6fc9c93eb6708/I-colori-dellautunno.jpg
4. script-meteolive.leonardo.it/admin/immaginiNotizie/SRC/__078550___2014319221937_GiardinoPrimavera.jpg
Parola per parola
a. http://www.valseriana.eu/wp-content/uploads/2016/12/Fare-ginnastica-.jpg
b. https://www.scuolazoo.com/wp-content/uplo-ads/2017/03/Cinema.jpg
c. https://www.sostariffe.it/news/wp-content/uplo-ads/2015/06/ver-television-670x280.jpg
d. www.nextme.it/images/stories/Rubriche/LoSapeviChe/jogging_longevita.jpg
e. https://www.mlaworld.com/blog/wp-content/uploads/2017/06/documenti-viaggio-minori-1024x768.jpg
f. https://www.liberocircuito.it/wp-content/uplo-ads/2016/10/chitarra.jpg
g. https://www.mlaworld.com/blog/wp-content/uploads/2015/11/libri-inglese-1024x768.jpg
h. https://www.hotelsolemare.info/wp-content/uplo-ads/2015/02/shopping-mare-lido-di-camaiore.jpg
i. http://lh3.googleusercontent.com/-lsJ_sBn-U7I/VVcl-DIi700I/AAAAAAAAxQ/gLuk3gmbu_M/w968-h495-no/Telefonare%2BGratis%2BTelefonare%2BGratis%2BGratis%2BApp%2Bper%2Bchiama-re%2Bfissi%2Be%2Bcellulari.jpg
l. http://img2.tgcom24.mediaset.it/binary/articolo/-afp/77.$plit/C_4_articolo_2108598_upilmagepp.jpg
m. http://la-formica-argentina.webnode.it/_fi-les/200001869-1f2b5211e9/ascoltare%20musica%202.jpg
n. http://ips.plug.it/cips/tecnologia/cms/2017/03/goo-gle-chrome.jpg?w=738&h=415&a=c.jpg
o. http://img.grouponcdn.com/deal/3E7WcJjNRP5nbz-zUnbtgMQJsDbyY/3E-2048x1229/v1/c700x420.jpg
p. https://gdsit.cdn-immedia.net/2015/11/Scacchi.jpg
q. https://hips.hearstapps.com/hmg-prod.s3.ama-zonaws.com/images/app-amici-1539765332.jp-g?crop=1xw:0.84375xh;center,top&resize=480:*
r. http://filecdn.nonsprecare.it/wp-content/uplo-ads/2017/04/come-visitare-un-museo-2.jpg
s. http://blog.vikingop.it/wp-content/uploads/2016/12/Fare-una-passeggiata-di-10-minuti.jpg
t. http://3.bp.blogspot.com/-Ls4OmWh7iT4/VdZiQSUp0gI/AAAAAAAACjY/Lzle2clmQ8w/s1600/scuola-di-fotografia-fe-atured-750x400.jpg
u. https://www.chizzocute.it/wp-content/uploads/2016/10/perch%c3%a9-ballare-fa-bene.jpg
Le strutture della lingua
Unità 8
Pagina introduttiva
Famiglia: http://futuredem.it/wordpress/wp-content/uplo-ads/2017/09/clinica-famiglia.jpg
A. Una situazione difficile
La casa: http://www.lacasanaturale.com/wp-content/uplo-ads/2015/09/lakeo-lacasanaturale-1140x540.jpg

Parola per parola
La casa in Italia
1.
a. https://www.immobiliareseveso.it/wp-content/uplo-ads/2018/01/1-017.jpg
b. http://3.citynews-padovaoggi.stgy.ovh/~media/origi-nal-hi/38155331854032/01-172-madison-ave-2.jpg
c. www.bankasa.it/public/pics_Immobili_I/5316-FotoPrinci-pale-palazzo2.jpg
d. http://www.intermediachannel.it/wp-content/uplo-ads/2014/04/Trieste-Sede-storica-Ras-Piazza-della-Repubbli-ca-Imc-e1504617448228.jpg
e. www.villanovo.fr/photos/1550/marrakech-villa-en-zo-20632971935b06c1855a3ed9.77622334.1920.jpg
Le stanze
2.
Appartamento: http://cdn.home-designing.com/wp-con-tent/uploads/2014/06/2-bedroom-apartment-plan-600x398.jpg
Parola per parola
I parenti: Shutterstock.
C. Una nuova stanza
1.
Stanza: www.arredamenticasaitalia.com/media/catalog/product/cache/1/small_image/9df78eab33525d08d6e5fb-8d27136e95/m/i/milleidee6-bianco-frassino-h180.jpg
Stanza: www.hotelvanni.com/wp-content/uploads/2017/06/MG_2226-copia-2000x753.jpg
2.
Affittasi: https://www.ilgazzettino.it/photos/HIGH/16/53/2241653_affitti.jpg
Utenze: www.comune.sanpossidonio.mo.it/eventi/ban-do-rimborso-utenze-domestiche-e-sostegno-rette-scolasti-che/image.jpg
Caparra: www.ildenaro.it/wp-content/uploads/2017/11/sale-costo-affitti.jpg
Parola per parola
I mobili
1.
1. www.cogalhome.com/it/catalogo/prodotto/ima-ges/1000-1000-Fix/5d5081be-bda4-4156-bbeb-18e-3601f730e.jpg
2. www.venetacucine.com/upload/prodotti/img/img_pro-dotto_zoom/140329095490_venetacucine_venere_sedia.jpg
3. www.sololibrerie.it/wp-content/uploads/2016/01/libre-ria-componibile-moderna-a-scaffali-easy-sololibrerie-it.jpg
4. arteracdn.net/www.garneroarredamenti.com/media/catalog/product/cache/1/image/1200x/040ec-09b1e35df139433887a97daa66f/c/o/comodi-no-enjoy_a.1524517271.jpg
5. www.cinquanta3.it/image.php?objectType=product&im-gname=b744f3cf251b3b8f1f9d426722e1f4ea-1.jpg
6. www.conforama.it/media/cache/app_shop_blowup/ac/97/185fd6ba6aef3326b9e04952287d.jpg
7. confalone.com/wp-content/uploads/2017/12/APPLE-fron-tale.jpg
8. cb2.scene7.com/is/image/CB2/TuftedOttoman-SpringNaturalSHS17_16x9/?$web_zoom_furn_he-ro$&161028150820&wid=1008&hei=567.jpg
9. arteracdn.net/www.garneroarredamenti.com/media/catalog/product/cache/1/image/1200x/040ec-09b1e35df139433887a97daa66f/a/r/armadio_6_ante_1.1527107379.jpg
10. www.amisano.it/media/catalog/product/cache/3/ima-ge/9df78eab33525d08d6e5fb8d27136e95/t/a/tavolino-bra-silia-bizzotto-1.jpg
11. cdn.vente-unique.com/thumbnails/rs/930/221/598835/0/scrivania_221231.jpg
2.
Quadro: https://www.kpixstore.com/public/photo/file_4f-7217d56c391.jpg
Le strutture della lingua
2.
Stanza Firenze: www.laleggepertutti.it/wp-content/uploads/2013/06/Il-cliente-che-disdice-la-camera-del-l%E2%80%99hotel-non-deve-pagare-nulla-all-albergatore.jpg
Le preposizioni con articolo (1)
2.
https://www.laleggepertutti.it/wp-content/uplo-ads/2013/06/Il-cliente-che-disdice-la-camera-del-l%E2%80%99hotel-non-deve-pagare-nulla-all-albergatore.jpg
Shutterstock.

L'Italia in pillole
I Cesaroni: https://movieplayer.net-cdn.it/ima-ges/2008/07/24/un-wallpaper-de-i-cesaroni-83754.jpg
Unità 9
Pagina introduttiva
La spesa: https://static.silhouettedonna.it/wp-content/uplo-ads/2016/03/mercato-1070x669.jpg
Parmigiana: img.finedininglovers.it/?img=http%3A%2F%2F-finedininglovers-it.cdn.crosscast-system.com%2FBlogPo-st%2FOriginal_2403_ricetta-parmigiana-di-melanzane.jpg&w=1200&h=660&lu=1421235235&ext=.jpg
A. Vado a fare la spesa
1.
Supermercato: https://www.napolidavivere.it/wp-content/uploads/bfi_thumb/A-Napoli-il-primo-Supermercato-do-

ve-Non-si-paga-con-i-Soldi-640x360-6dunmdx5x5m0kv-qwxd4s9s7tylxjlip7uk4073ynhdg.jpg
Mercato: www.claudiogiunta.it/wp-content/uplo-ads/2017/03/SANTxAMBROGIO_01-1200x800.jpg
Enoteca: www.leggiillustrate.it/wp-content/uplo-ads/2018/10/europe-1041661_960_720.jpg
Spesa Amazon: https://www.ifood.it/wp-content/uplo-ads/2015/11/News-0411-Foto1-1060x600.jpg
2.
Esselunga: https://www.foodweb.it/wp-content/uplo-ads/2017/06/Esselunga-bandiere.jpg
Coop: http://www.ilprimatonazionale.it/wp-content/uplo-ads/2017/06/Coop-supermercato.jpg
I Gigli: www.okmugello.it/wp-content/uploads/2017/09/igigli.jpg
Macelleria: http://www.macelleriamoretti.it/wp-content/uploads/2015/02/MG_3541_r2.jpg
Mercato: http://www.teladoiofirenze.it/wp-content/uplo-ads/2012/07/rfzappala-5956280711_65f9e94266_b.jpg
Mercato: www.repstatic.it/content/localirep/img/rep-firen-ze/2017/05/23/210855898-a9de6ce0-4a5f-4173-b1ec-ef-2343de271c.jpg
Fruttivendolo: 3.citynews-bresciatoday.stgy.ovh/~media/original-hi/17993288571643/fruttivendol-2.jpg
Panificio: img.pgol.it/img/Z3/82/31/48/0/11294213.jpg
Parola per parola
1.
I ceci: http://cc-media-foxit.fichub.com/image/fox-it-li-fe/87e3e9ac-5b64-4cf8-9e22-0f0d3ba06655/ceci2-1217-ma-xw-654.jpg
L'anguria: https://www.alimentipedia.it/files/images/angu-ria_0.jpg
Fagioli: https://www.salepepe.it/files/2017/01/come-cucina-re-i-fagioli-986x400.jpg
Fungo: https://www.foodemilia.com/wp-content/uplo-ads/2014/09/Borgotaro.jpg
Carote: https://www.saluteebenessere.net/wp-content/uplo-ads/2018/06/carote-benefici-salute.jpg
Lattuga: http://www.dieta-personalizzata.it/wp-content/uploads/2013/03/lattuga.jpg
Pomodori: Shutterstock.
Patate: www.deabyday.tv/data/guides/casa-e-fai-da-te/giardinaggio/Come-coltivare-le-patate-dentro-un-sacco/image_big_16_9/Fotolia_41301053_Subscription_XL.jpg
Cavolo: http://www.corteallolmo.it/wp-content/uplo-ads/2013/09/cavolo-cappuccio.jpg
Ciliegie: http://www.bioars.net/blog/wp-content/uplo-ads/2016/01/confettura-ciliegie-bio-ars.jpg
Prugne: https://www.gustissimo.it/articoli/ingredienti/frutta/prugne.jpg
Ananas: galleria.riza.it/files/article/l-ananas-mette-in-sal-vo-le-difese.jpg
Banana: https://www.giovanigenitori.it/wp-content/uplo-ads/2018/03/banana-bambino-e1521458076957-350x260.jpg
Melone: the one I have is different from the one used in pdf.
Limoni: https://shop.ecobay.it/wp-content/uploads/si-tes/2/2017/07/limone1.jpg
Arance: http://www.arancedelnonno.it/store/31-thickbox_default/arance-dolci-qualita-vaniglia.jpg
Albicocca: www.parmalat.it//media/albicocca.png
Pesche: http://static.spaghettiemandolino.it/img_prodotti/big/1981.jpg
Fragole: www.kosheritaly.it/wp-content/uploads/2016/11/fragole.jpg
Uva: https://www.gireventi.it/it/wp-content/uplo-ads/2018/07/uva.jpg
Pera: https://cdn.pixabay.com/photo/2013/07/12/16/56/pear-151526_960_720.png
Mela: www.valtellinanews.it//assets/Uploads/2907404-orig.jpg
2.
Biscotti: https://www.oggitreviso.it/sites/default/files/sty-les/505/public/field/image/biscottini_salati_treviso_bettina.jpg?itok=YRQPx86X
Marmellata: http://www.elbaworld.eu/wp-content/uplo-ads/2014/05/burelli_etichette_marmellata_ew_lavori.jpg
Yogurt: www.portalebenessere.com/wp-content/uplo-ads/2015/11/yogurt-660x330.jpg
Miele: https://www.lanuovaecologia.it/wp-content/uplo-ads/2016/03/miele-fa-bene.jpg
Bistecca: www.braciamiancora.com/wdp/wp-content/uplo-ads/2017/01/Char-Steakhouse-0008.jpg
Sale: https://www.gamberorosso.it/wp-content/uploads/media/k2/items/src/b39f1ec7f77c762eb18aa5cd2a9248c7.jpg
Zucchero: https://www.dolcevitaonline.it/wp-content/uplo-ads/2016/09/zucchero.jpg
Farina: https://www.gustissimo.it/articoli/ingredienti/cerea-li-farinacei/farina.jpg
Latte: www.casadivita.despar.it/app/uploads/2016/02/il_latte-0-550x378.jpg
Pollo: https://www.insiemeinfamiglia.com/wp-content/uplo-ads/2015/10/carni-bianche-pollo-tacchino.jpg
Formaggio: https://www.cucinare.it/uploads/rubri-che/2017/12/caprino.jpg
Burro: www.ilgiornaledelcibo.it/wp-content/uplo-ads/2015/09/Burro.jpg
Olio: http://www.montecarlonews.it/fileadmin/archivio/montecarlonews/Olio_di_Oliva.jpg

Pasta: http://ilfattoalimentare.it/wp-content/uplo-ads/2013/01/95508133.jpg
Uova: http://galleria.riza.it/files/article/arterie-puli-te-con-le-uova-naturali.jpg
Pane: http://finedininglovers-it.cdn.crosscast-system.com/BlogPost/l_1461_pane-importante-in-una-cena.jpg
3.
Piramide alimentare: http://www.sandrasangiorgi.it/home/images/piramidealimenti_01.jpg
Le strutture della lingua
1.
Fruttivendolo: Shutterstock.
B. Buon appetito!
1.
Girare: https://www.oggi.it/cucina/wp-content/uploads/sites/19/2014/07/Bollire-Cubo1.jpg
Stendere: http://www.ristorantelespecialita.it/wp-content/uploads/2016/04/come-fare-la-pizza-in-casa-trucchi.jpg
Friggere: http://images.lacucinaitaliana.it/wp-content/uplo-ads/2017/02/FRIENN_08feb2017-94-ZEPPOLE.jpg
Bollire: https://cultura.biografieonline.it/wp-content/uplo-ads/2014/07/Acque-bolle.jpg
Grigliare: http://finedininglovers-it.cdn.crosscast-system.com/BlogPost/l_2004_grigliata-perfetta.jpg
Arrostire: http://footage.framepool.com/shotim-g/536487895-carne-di-anatra-mescolato-in-pedella-ba-gnare-cucina-fritto.jpg
Cuocere al forno: https://www.cure-naturali.it/site/image/hotspot_article_first/27504.jpg
A fuoco lento: https://www.stuzzicante.it/ricette/ricette-velo-ci/minestra-di-patate_O6A.jpg
Sbattere: https://i.pinimg.com/originals/c5/f6/b9/c5f6b-9798d4637a81998008b3eda7e8b.jpg
Affettare: https://www.menatti.it/files/news/60/come-af-fettare-i-salumi.jpg
Pelare: https://www.bigodino.it/wp-content/uplo-ads/2016/02/patate.jpg
Versare: https://www.cettinella.com/wp-content/uplo-ads/2016/08/luce_olio_cucchiaio_oliera_versata_extraver-gine_oliva-1.jpg
Grattugiare: http://www.pratmarmilano.it/public/gallery_prodotti/foto_5054_L.jpg
Mescolare: https://cucina.corriere.it/methode_ima-ge/2014/10/31/Cucina/Foto%20Gallery/StockFo-od_11156781_XXL_MGzoom.jpg
2.
Melanzane alla parmigiana
https://www.ricettedellanonna.net/wp-content/uplo-ads/2015/06/preparazione-parmigiana-alle-melanza-ne-620x310.jpg
Tiramisù
https://www.ricettedellanonna.net/wp-content/uplo-ads/2016/03/Preparazione-tiramis%C3%B9-1-620x310.jpg
Parola per parola
Quantità e contenitori
Torta cioccolato: https://www.bigodino.it/wp-content/uploads/2016/04/Una-fetta-di-torta-al-cioccolato-si-puo-mangiare-900x435.jpg
Pezzo parmigiano: https://www.blogsicilia.it/wp-content/uploads/2017/06/Parmigiano-Reggiano-Dop.jpg
Tavoletta cioccolata: http://cdnit2.img.sputniknews.com/images/61/55/615501.jpg
Dozzina uova: http://4.bp.blogspot.com/-vj4oCrCKLp8/Vo-1QEP3-O7I/AAAAAAAAD1A/LFXyYn16a7A/s1600/Una%2B-dozzina%2Bdi%2Buova.jpg
Succo frutta: https://cdn.freshplaza.it/images/2016/1129/ValfruttaPESCA.JPG
Bottiglia vino: www.consorziovinidiromagna.it/wp-content/uploads/2016/12/regala_vino.jpg
Confezione miele: https://www.alimentipedia.it/files/ima-ges/come-confezionare-regali-fai-te.jpg
Mascarpone: http://www.e-commerce.pl/zdjecia/Twaro-gi-i-twarozki/Mascarpone-Santa-Lucia-23293-big.jpg
Latte: http://4.bp.blogspot.com/-5XD3QJOvr-k/TjqvZAhkk-NI/AAAAAAAAAbM/xzZsvhKd5nQ/s1600/leche1.jpg
Cosa dici per
Shutterstock.
Le strutture della lingua
Shutterstock.
L'Italia in pillole
Cirio: https://www.foodweb.it/wp-content/uplo-ads/2015/05/cirio-spot.jpg
Unità 10
Pagina introduttiva
Terme Toscana: https://www.viaggiando-italia.it/wp-con-tent/uploads/2018/09/terme-libere-toscana.jpg
Divertimento: http://st.focusedcollection.com/14026668/i/650/focused_176869434-stock-photo-friends-sitting-grass-playing-guitar.jpg
Parola per parola
1.
Cinema, teatro: live.coast.style/appadmin/public/foto/20161213172059/552385_297687703637236_1139254055_n.jpg
Ristorante: https://www.bigodino.it/wp-content/uplo-ads/2017/01/mangiare-al-ristorante.jpg
Famiglia: www.organizacionlaesperanza.com/imagenes/vdo_situaciones/situ_da3db60d92cfab6649606d9a-e7ff3242.jpg
Discoteca: https://universityequipe.com/wp-content/uplo-ads/2015/06/discoteca-despedida-de-soltero-madrid.jpg

Concerto: www.napolidavivere.it/wp-content/uploads/bfi_thumb/Giorgia-in-concerto-a-Napoli-il-14-dicembre-2014-63yvdbbxedtbkveyj09seauvd89ili2bta311yaqsok.jpg
Museo: https://www.napolike.it/wp-content/uploads/2015/06/una-mostra-impossibile-ferragosto-gratis.jpg
Gita, escursione: http://www.alfazulo.com/images/associazione/relazione-attivita-2014/responsabilita-escursione.jpg
Stadio: http://www.itasportpress.it/wp-content/uploads/sites/37/2017/01/tottenham-nuovo-stadio.jpg
Rilassarsi: http://footage.framepool.com/shotimg/qf/209537603-coccolare-telecomando-allontanamento-matrimonio.jpg
Amici: www.eremo.net/ita/contenuti/140/169.jpg
Le strutture della lingua
1. https://img.locationscout.net/images/2015-07/saturnia-italy-italy_l.jpeg
L'Italia in pillole
Adriano C.: http://www.affaritaliani.it/static/upl2017/adri/0001/adriano-celentano-ape25.jpg

ESERCIZIARIO
Unità 2
1.
Scrivania: https://www.conforama.it/media/cache/app_shop_product_xlarge_thumbnail/72/fa/9c411cb5939d-4412df338421fbf6.jpeg
Computer: https://www.okpedia.it/data/okpedia/desktop-box.jpg
Banco: https://www.belardiarredamenti.com/shop/3697-large_default/pitagora-banco-scuola-in-acciaio-e-legno.jpg
8.
Fame: https://thumbs.dreamstime.com/b/man-eating-sandwich-4327189.jpg
Sete: https://www.tuttasalute.net/wp-content/uploads/2016/09/bere-acqua.jpg
Dormire: https://i0.wp.com/www.frontedelblog.it/manuel/wp-content/uploads/2014/04/dormire-in-ufficio.jpg?fit=425%2C282&ssl=1
Paura: http://2.citynews-anconatoday.stgy.ovh/~media/original-hi/5396658575011/uid_151f3ac7f76-650-340-2.jpg
Caldo: https://www.veneziaradiotv.it/wp-content/uploads/2018/07/cervello.jpg
Freddo: https://dileidemosite.files.wordpress.com/2017/05/avere-sempre-freddo.jpg
9.
A. https://www.tgtourism.tv/wp-content/uploads/2017/09/visita-musei.jpg
B. https://encrypted-tbn0.gstatic.com/images?q=tbn:ANd9GCQumwL4UdLXlr302-JGuC3FHeDaGu606Npg6XYA-teMv-0VzC2Sm&s
C. https://notizie.tiscali.it/export/sites/notizie/.galleries/16/Home-restaurant_jpg_997313609.jpg
D. https://www.smartweek.it/wpsw/wp-content/uploads/2014/06/viaggiare.jpg
E. https://tessere.org/wp-content/uploads/2017/08/parlare-con-amiche.jpg
F. http://img.tgcom24.mediaset.it/binary/lapresse/31.$plit/C_4_articolo_2026649_upilmagepp.jpg
G. https://images2-roma.corriereobjects.it/methode_image/2018/12/08/Roma/Foto%20Roma%20-%20Trattate/discoteca-despedida-de-soltero-madrid-U43410716907726KK-790x360@Corriere-Print-Roma-k7RG-U3070897750752g1F-593x443@Corriere-Web-Roma.jpg?v=20181209074852
H. http://giallomaionese.com/wp-content/uploads/2018/12/cucina-e-coppia.jpg
I. https://martinuccilaboratory.it/wp-content/uploads/2019/04/25-san-marzano.jpg
L. https://consiglibenessere.org/wp-content/uploads/2019/06/giocare-a-calcio.jpeg
Unità 3
9.
Pavarotti: https://www.finanzaonline.com/forum/attachments/l-amaca/1681095d1354633732-il-girotondo-del-papa-piu-bello-del-mondo-luciano-pavarotti-698375l.jpg?
Roberto B.: https://www.garzanti.it/wp-content/uploads/2014/12/RobertoBenigni.jpg
Cucinotta: 3.citynews-foggiatoday.stgy.ovh/~media/original-hi/14614325337670/maria-grazia-cucinotta-3.jpg
Danny…: https://i.dailymail.co.uk/i/pix/2015/03/03/2642622100000578-2976714-Sharing_laughs_The_dynamic_duo_couldn_t_stop_laughing_while_posi-m-9_1425346763641.jpg
12
Matteo: https://www.fotografiamoderna.it/wp-content/uploads/2016/04/primo-piano-bambino-1024x576.jpg
Claudia: https://lamedicinaestetica.files.wordpress.com/2016/09/medicina-online-capelli-bianchi-white-hair-gray-color-cabello-canoso-colore-tinta-coprire-color-brown-colorare-acconciatura-testa-donna-radice-pelo-capello-wallpaper-sfondo-picture-photo.jpg
Giovanna: https://cdn.pixabay.com/photo/2016/06/04/01/44/closeup-1434850_960_720.jpg
Carlo: https://encrypted-tbn0.gstatic.com/images?q=tbn:ANd9GCQumwL4UdLXlr302-JGuC3FHeDaGu606Npg6XYA-teMv-0VzC2Sm&s
Carlo: upload.wikimedia.org/wikipedia/commons/4/4b/Ortensio-da-Spinetoli-primopiano.jpg
Pietro: http://www.fondazioneleonardo.it/files/fondleo/primo-piano2_146371.jpg?crc=1801601909.jpg
Fabio: https://upload.wikimedia.org/wikipedia/commons/d/dd/Fabio_Novembre_primo_piano.jpg
Caterina: https://pazzaideaparrucchieri.com/wp-content/uploads/2018/10/Taglio_Pixie_Per_Signora.jpg

Marcella: https://www.donnamoderna.com/wp-content/uploads/2018/02/naso-lungo-725x545.jpg
Federica: Shutterstock.
Stefano: Shutterstock.
Maria: https://cdn.pixabay.com/photo/2014/10/28/11/10/grandmother-506341_960_720.jpg
Mario: http://www.techpost.it/wp-content/uploads/2014/10/ComputerNerd_062513-617x416.jpg
Unità 4
3.
istock photo
6
1. https://www.maskaraa.com/wp-content/uploads/2018/02/her-gun-dus-almak-zararl%C4%B1-m%C4%B1.jpg
2. https://mobsea.com/appimg/Tips-to-get-ready-for-Exams/img027.jpg.
3. Shutterstock
4. https://www.leggimigratis.it/images/public/articles/big/leggimigratis_famiglia_al_mare_1470341409.jpg
5. https://www.allenamentofitness.com/wp-content/uploads/2010/05/elevazioni-del-bacino-fine.jpg
6. http://static.pourfemme.it/pfmamma/fotogallery/780X0/19067/palloncini-per-il-compleanno-dei-bambini.jpg
7. https://www.eurosalus.com/var/eurosalus/storage/images/come-fare-colazione-quando-la-sera-ce-il-cenone/72052-2-ita-IT/Come-fare-colazione-quando-la-sera-c-e-il-cenone_articleimage.jpg
8. https://www.hastac.org/sites/default/files/styles/main/public/upload/images/post/cliprabbitalice.jpg?itok=OdSyxLpp
9. https://www.melarossa.it/wp-content/uploads/2012/10/come-risparmiare-sulla-spesa-se-sei-a-dieta.jpg
10. https://corporate.southpacificislands.travel/wp-content/uploads/2017/10/fiji-summer-beach-wallpapers.jpg
11. http://www.radici24.it/wp-content/uploads/2015/05/Shopping.jpg
12. https://c0.wallpaperflare.com/preview/908/228/965/cumulonimbus-storm-hunting-meteorology-thunderstorm.jpg
7.
1. https://images.fineartamerica.com/images/artworkimages/mediumlarge/2/monument-to-vittorio-emanuele-ii-in-rome-john-rizzuto.jpg
2. http://www.sanremonews.it/fileadmin/archivio/sanremonews/Ognissanti_quadro.jpg
3. https://encrypted-tbn0.gstatic.com/images?q=tbn:ANd9GcQw-tE70zCFxWDX7ORNKnIHnCMjQliq7pnZuHcs-0siKhTp5AXnz&s
4. http://www.pixelcomunicazione.it/wp-content/uploads/2017/05/art-24-17-340x334.jpg
5. https://www.romanohotel.com/wp-content/uploads/2018/05/vacanza-estate-mare-salento-hotel-da-romano.jpg
6. https://napoli.zon.it/wp-content/uploads/sites/2/2019/12/san-silvestro.jpg
Unità 5
1.
Shutterstock
4.
Colazione: http://3.citynews-cesenatoday.stgy.ovh/~media/original-hi/52805236645070/colazione-bar-2.jpg
14.
Shutterstock
Unità 6
2.
1. https://www.gravelpeople.it/wp-content/uploads/2018/07/bologna-696x465.jpg
2. www.artribune.com/wp-content/uploads/2016/11/Palermo-1.jpg
3. www.artribune.com/wp-content/uploads/2018/12/1200px-Milano_Duomo_with_Milan_Cathedral_and_Galleria_Vittorio_Emanuele_II_2016-ph-Steffen-Schmitz-fonte-wikimedia.jpg
4. www.enjoyfirenze.it/wp-content/uploads/2016/08/ponti-firenze2.jpg
5. www.effeunoequattro.net/htdocs/uploads/newbb/631_50df627a3cdef.jpg
6. archivi.diariodelweb.it/img/995/410/410039-995x657.jpg
7. upload.wikimedia.org/wikipedia/commons/4/44/Roma%2C_Fontana_de_Trevi.jpg
8. www.residencezodiacus.it/data/1024/san-nicola.jpg
9. www.ilsestantenews.it/wp-content/uploads/2018/10/Venezia_-_Panorama_007_San_Marco_e_Palazzo_ducale.jpg
4.
https://live.staticflickr.com/8548/29843274640_ca-4721f3e5_b.jpg
7.
1. www.cobran.it/wp-content/uploads/DSC_0070-1.jpg
2. citynews-genovatoday.stgy.ovh/~media/original-hi/32819687179056/amt-autobus.jpg
3. www.investireoggi.it/risparmio/wp-content/uploads/sites/9/2017/04/italo-treno-640x342.jpg
4. www.repstatic.it/content/nazionale/img-/2015/03/10/174758393-64cadda9-87de-471e-9c99-35dad7be2377.jpg
5. www.trasportinfo.com/wp-content/uploads/2017/03/Rendering-della-nuona-nave-da-crociera-Carnival-Horizon-di-Carnival-Cruise-Line-Immagine-Carnival-e1489158005113.jpg
6. www.tpi.it/app/uploads/2017/11/aereo.jpg
7 orizzontale. 1.citynews-milanotoday.stgy.ovh/~media/

original-hi/27752541296177/metro_verde_linea_2_metro_verde-2.jpg
7 verticale. l43.cdn-news30.it/blobs/full/5/0/3/3/503301dd-4609-43d9-85ca-9dada5b8c2b1.jpg?_636150815447359172.jpg
8. www.lastampa.it/rf/image_lowres/Pub/p3/2015/02/17/Italia/Foto/RitagliWeb/B3WZ6IL24320-k9LB-U67U4BbqjVt-tUk0-700x394@40LaStampa.it.jpg
9. www.ansa.it/webimages/foto_large/2015/11/9/cd29e-051d1569e4cad3beb0d0ec3417c.jpg
11.
https://www.stickpng.com/assets/images/580b585b2edb-ce24c47b276b.png
https://cdn.pixabay.com/photo/2013/07/12/15/20/author-149694_960_720.png
12.
Ponte Rialto: www.docvenezia.com/wp-content/uploads/2018/03/Grand_Canal_-_Rialto_-_Venice_Italy_Venezia_-_Creative_Commons_by_gnuckx_4970077566-min-e1519980560390.jpg
Ponte Sant'Angelo: www.fotoeweb.it/roma/ponte_sant'angelo/Ponte_Sant'Angelo%20Roma.jpg
Palazzo Ducale Urbino: www.luoghidiinteresse.it/wp-content/uploads/12-Urbino-Palazzo-Ducale-01.jpg
Palazzo Ducale Mantova: www.luoghidiinteresse.it/wp-content/uploads/12-Urbino-Palazzo-Ducale-01.jpg
Torre Pisa: www.thesocialpost.it/wp-content/uploads/2018/10/torre-pisa-1024x576.jpg
Torri San Gimignano: thebinutrek.files.wordpress.com/2015/09/sangimignano-pana.jpg?w=584&h=297.jpg
Statue Michelangelo: upload.wikimedia.org/wikipedia/commons/thumb/6/66/Michelangelo_Moses.jpg/1200px-Michelangelo_Moses.jpg
www.accademia.org/wp-content/uploads/2014/01/david-face-760x985.jpg
www.nandodallachiesa.it/wp-content/uploads/2017/09/Piet%C3%A0-di-Michelangelo.jpg
Statua Donatello: montaninobiliardi.it/image/cache/data/Statue/24563-700x700.jpg
Musei Vaticani: www.lastampa.it/rf/image_lowres/Pub/p4/2017/12/18/VaticanInsider/Foto/RitagliWeb/c3d0b5de-3b2f-11e8-830d-1d493dad6c13_musei-vaticani-kCXE-U1110321097147cnE-1024x576@40LaStampa.it.jpg
Musei Capitolini: www.dire.it/wp-content/uploads/2015/06/musei-capitolini.jpg
13.
https://cdn.thinglink.me/api/image/889587091137101825/1240/10/scaletowidth
Unità 7
4.
d3j9p1vpphtq42.cloudfront.net/wp-content/uploads/2015/02/insegnante.jpg
www.lastampa.it/rf/image_lowres/Pub/p3/2014/03/20/Novara/Foto/RitagliWeb/YGF1XK72876-kd3G-UXQPXIpd-m7HXp6U-568x320@LaStampa.it.jpg
Unità 8
3.
Villetta: www.athouse.it/wp-content/uploads/2015/07/copy6114367803565de80f646343541f184a4ff01a3567d1.jpg
Condominio: www.ilmessaggero.it/photos/MED/25/92/3792592_1120_3046809_s_edificio_residenziale_contemporaneo.jpg
Appartamento: 3.bp.blogspot.com/-jJRFPHH7zYs/V_fM39ocESl/AAAAAAAAGsM/RZqMjiUpvG0Q5PFEDTKV0WEVffiP6Y-GrQCLcB/s1600/ristrutturazioni%2Broma.jpg
Grattacielo: upload.wikimedia.org/wikipedia/commons/thumb/a/de/Intesa_Sanpaolo_Tower.jpg/225px-Intesa_Sanpaolo_Tower.jpg
Palazzo Storico: www.vimar.com/cache/images/content-body/w1140h700/terziario-palazzo-della-gran-guardia-verona-plana-veduta-esterna-f1vqlf.jpg
Villa: d1ez3020z2uu9b.cloudfront.net/imagecache/rental-homes-photos-spain/Original/7331/1653978-7331-Adeje-Villa_Crop_725_600.jpg
Unità 10
1.
1. upload.wikimedia.org/wikipedia/commons/3/38/Cagli_Teatro_auditorium.jpg
2. www.ecodivaldellatorre.it/WORDPRESS/wp-content/uploads/2018/09/Escursioni-3m-Ente-Turismo-Carinzia.jpg
3. www.diocesidicremona.it/wp-content/uploads/2015/12/servizi-famiglia.jpg
4. citynews-palermotoday.stgy.ovh/~media/original-hi/21587815609928/cinema-5-2-2.jpg
5. upload.wikimedia.org/wikipedia/commons/2/2c/Camp_Nou_20_aprile_2013.jpg
6. 3.citynews-today.stgy.ovh/~media/original-hi/9344441959792/musei-gratis-ansa-2.jpg
7. www.lindro.it/wp-content/uploads/2019/01/Giovani.jpg
8. hoteldelaville.com/wp-content/uploads/2016/07/concerto-ligabue-monza.jpg
9. universityequipe.com/wp-content/uploads/2015/06/discoteca-despedida-de-soltero-madrid.jpg
10. www.novarellovillaggioazzurro.com/wp-content/uploads/2018/05/ristorante-servizio-1140x665.jpg
3.
Sara: www.panorama.it/wp-content/uploads/2018/01/Venezia-1030x615.jpg
Alessio: www.10cose.it/wp-content/uploads/2015/09/san-gimignano.jpg